1

Dictionnaire des modes de cuisson et de conservation des aliments pour l'ulcère gastrique

MENARD Cédric
DIETETICIEN-NUTRITIONNISTE
Diplômes d'Etat français

Merci infiniment d'avoir acheté cet ouvrage

Edition : BoD - Books on Demand
12/14 rond-point des Champs Elysées, 75008 Paris
Imprimé par Books on Demand GmbH, Norderstedt, Allemagne
ISBN : 9782322265893
Dépôt légal : mars 2021

Bonjour et merci infiniment de votre confiance.

Je m'appelle MENARD Cédric, et je suis diététicien-nutritionniste diplômé d'Etat. J'ai effectué une partie de mes études de diététique au sein de l'hôpital psychiatrique de Picauville, ainsi qu'aux services de néphrologie et de gastro-entérologie au C.H.U de Rennes. Une fois diplômé, je me suis installé comme diététicien-nutritionniste en profession libérale en 2008. J'ai profité de mes premiers mois d'installation pour me spécialiser en micro-nutrition, et fus diplômé du Collège Européen Nutrition Traitement Obésité (CENTO) en 2009.

Attention : cet ouvrage est strictement adapté à la diététique de l'ulcère gastrique, et uniquement à cette pathologie.

Mes autres ouvrages
traitant de la diététique de l'ulcère gastrique :

Quelle alimentation pour l'ulcère gastrique ?
Recettes et menus pour l'ulcère gastrique.
Menus de printemps pour l'ulcère gastrique.
Menus d'été pour l'ulcère gastrique.
Menus d'automne pour l'ulcère gastrique.
Menus d'hiver pour l'ulcère gastrique.
Le B.a.-ba diététique de l'ulcère gastrique.
Dictionnaire alimentaire de l'ulcère gastrique.
Mon livre de recettes pour l'ulcère gastrique.
Mon journal diététique : l'ulcère gastrique et moi...
J'élabore mon planning de menus
pour mon ulcère gastrique.

Mon site Internet : **www.cedricmenarddieteticien.com**
Mon numéro de certification professionnelle **ADELI**, enregistré auprès de la DDASS : 509500435.

Légende de l'ouvrage :

- Le mode de cuisson ou de conservation de l'aliment concerné joue un rôle positif, dans ce cas il sera accompagné de **quatre étoiles pleines** ★★★★.

- Le mode de cuisson ou de conservation de l'aliment concerné est neutre, il ne joue donc aucun rôle ni positif, ni négatif, dans ce cas il sera accompagné de **trois étoiles pleines** ★★★.

- Le mode de cuisson ou de conservation de l'aliment concerné est plus ou moins déconseillé car joue un rôle plus ou moins délétère, dans ce cas il sera accompagné de **deux étoiles pleines** ★★.

- Le mode de cuisson ou de conservation de l'aliment concerné est vivement déconseillé, dans ce cas il sera accompagné d'une seule **étoile pleine** ★. Dans l'idéal, ce mode de cuisson ou de conservation ne sera pas mis en pratique.

- Le mode de cuisson ou de conservation de l'aliment concerné est très **vivement déconseillé** à la consommation, pour ne pas dire interdit, il sera alors désigné par ce type de cadre grisé.

A noter que la notation de l'aliment concernera uniquement l'aliment sans aucune transformation autre que celle de mentionnée. Par exemple, la sardine **surgelée** aura une notation qui concerne une sardine nature et fraîche qui sera **uniquement surgelée** (et non pas cuisinée, huilée, précuite, salée, etc. avant sa surgélation !)

A noter également qu'il n'est pas question, dans cet ouvrage, de traiter de la quantité mais **de la qualité nutritionnelle** du mode de cuisson ! Par exemple, la notation d'un aliment cuit dans l'huile correspondra à la **qualité nutritionnelle** de ce mode de cuisson dans l'huile, et ne dépendra pas de la quantité d'huile utilisée, ni de la quantité de ce plat de consommée !

Au sein de cet ouvrage...

On considérera les gelées de fruit et les marmelades comme faisant partie de la catégorie **confiture** (pour leur notation).

Les modes de cuissons suivants : **papillote**, **vapeur**, **grillé(e)**, **pierrade**, **rôti(e) à la broche**, sont des modes de cuisson totalement dépourvus de matières grasses, ni avant, ni pendant, ni après la cuisson.

Fruit **à l'anglaise** : fruit poché dans de l'eau sucrée puis saupoudré de sucre avant consommation.

Aliment **cuit à la milanaise** : aliment trempé dans l'œuf battu puis dans la chapelure avant d'être cuit.

Aliment **cuit à l'étouffée** : aliment cuit à feu doux en vase clos (cocotte fermée, casserole fermée, etc...)

Aliment **cuit en braisé** : aliment cuit à feu doux en vase clos (cocotte fermée, casserole fermée, etc...) dans un fond très aromatique qui ne recouvre que la moitié de l'aliment en cours de braisage.

Aliment **cuit en meunière** : aliment trempé dans du lait puis dans de la farine avant d'être cuit.

Aliment **cuit en papillote** : aliment accompagné (ou non) d'aromates et cuit sans matière grasse, enveloppé dans du papier aluminium.

Aliment **cuit en poêlée** : aliment cuit à feu moyen à vif dans un wok (de préférence), en général à découvert.

Aliment **cuit en ragoût** : aliment cuit à feu doux en vase clos (cocotte fermée, casserole fermée, etc...) dans un roux (matières grasses et farine).

Cuisson au court bouillon : cuisson dans une grande quantité d'eau aromatisée d'un bouquet garni, carottes, oignon, sel... Les cuissons à l'eau salée uniquement rentrent dans cette catégorie.

Potage velouté : légume vert mixé accompagné de lait et d'huile végétale.

Potage crème : légume vert mixé accompagné de lait, de crème fraîche et de jaune d'œuf.

Sec : concerne la conservation de l'aliment en sec et non pas sa consommation crue en sec bien entendu.

Mesures hygiéno-diététiques générales

Les matières grasses sont indispensables. Elles devront être cependant de bonne qualité. 10g à 12g environ de beurre par jour sont conseillés pour leurs apports alimentaires en vitamines A, E et D. Cependant, vous pouvez également consommer de la margarine végétale : St Hubert oméga 3 est, à mon avis, la plus intéressante d'entre elles. Environ une à deux cuillères à soupe d'huile végétale par déjeuner et autant par dîner seront nécessaires. Privilégiez, si possible, l'huile d'olive « extra-vierge » pour la cuisson, et l'huile de noix pour l'assaisonnement. Pas de graisse cuite ni de friture.

Les viandes, poissons, œufs et leurs assimilés, sont des apports alimentaires **fondamentaux** en protéines de haute valeur biologique, en **fer**, en zinc, vitamine B12... Ils doivent être consommés **à chaque repas principaux** de la journée **si vous souffrez également d'anémie**, sinon, une seule part par déjeuner suffira. Ne pas les cuire dans les matières grasses mais au mieux grillez-les. Privilégiez les viandes, poissons ou leurs assimilés les plus riches en fer notamment si vous souffrez également d'anémie.

Les féculents doivent être impérativement consommés à chaque petit-déjeuner et déjeuner. Ils peuvent être non consommés au dîner. Vous pouvez en consommer au cours du goûter si vous le désirez. Vous consommerez **exclusivement** (si possible) **des féculents complets**. Ils représentent les fondations même de votre équilibre alimentaire.

Les légumes verts sont d'**indispensables** apports en fibres alimentaires en eau, en sels minéraux (dont du **fer** pour certains), et en vitamines (dont de la vitamine **C**). Ils doivent être consommés à chaque repas, et notamment au cours du dîner. Vous les consommerez dans le ratio suivant : 1/3 crus et les 2/3 qui restent seront cuits. Consommez leur peau dès que possible.

Les produits laitiers sont **très importants** pour leurs apports alimentaires élevés en calcium hautement biodisponible ainsi qu'en protéines animales de grande valeur biologique, mais ils sont d'importance moindre pour leur apports alimentaires en **fer** (cependant héminique). Un apport en produit laitier, dans le meilleur des cas d'**origine animale à chaque repas** est très important. Les laits enrichis en fer seront bien entendu favorisés, notamment si vous souffrez également d'anémie ferriprive. Certains laits végétaux sont également intéressants, notamment si vous souffrez d'intolérance au lactose, en privilégiant le lait de châtaigne. Attention aux fromages affinés.

Tous les fruits (frais, secs, oléagineux...) sont **importants** pour leurs apports nutritionnels en fibres, en vitamines et en sels minéraux. Un ou des fruits à chaque repas sont **indispensables**. Si possible évitez de les consommer avec leur peau. Si vous souffrez également d'anémie ferriprive, les fruits secs seront privilégiés. **Ne consommez pas d'agrume**.

Le sucre et les produits sucrés sont **à éviter au maximum**. **Les édulcorants sont parfaitement consommables à la place du sucre**, et ne poseront aucun problème. Les viennoiseries, biscuiteries, brioches, gâteaux... **sont à supprimer de votre alimentation**.

Favorisez la consommation régulière d'eaux minérales **plates et riches en calcium**. Attention au café et au thé. Pas de boisson alcoolisée, pas d'épices, pas d'acides...

Pensez à enrichir votre alimentation avec de **la levure de bière** en paillettes, mais également avec du persil si vous souffrez également d'anémie.

Mangez lentement, dans le calme, en mastiquant bien vos aliments. **Ne pas consommer vos plats ou boissons trop chauds ou trop froids, mais au mieux tièdes ou à température ambiante**.

A

Ablette : petit poisson d'eau douce à chair blanche.
Conservée par le sel : ★★
Conservée sous vide : ★★★
Consommation crue
Cuisson à la milanaise avec beurre doux
Cuisson à la milanaise avec beurre salé
Cuisson à la milanaise avec huile végétale
Cuisson à la milanaise avec margarine végétale non salée
Cuisson à la milanaise avec margarine végétale salée
Cuisson à la milanaise avec saindoux ou graisse d'oie ou de canard
Cuisson à la milanaise sans matière grasse : ★★★
Cuisson en beignet
Cuisson en friture
Cuisson en meunière avec beurre doux
Cuisson en meunière avec beurre salé
Cuisson en meunière avec huile végétale
Cuisson en meunière avec margarine végétale non salée
Cuisson en meunière avec margarine végétale salée
Cuisson en meunière avec saindoux ou graisse d'oie ou de canard
Cuisson en meunière sans matière grasse : ★★★
Cuisson en sauté (idem poêlée).
Pierrade : ★★★
Poêlée avec beurre doux
Poêlée avec beurre salé
Poêlée avec huile végétale
Poêlée avec margarine végétale non salée
Poêlée avec margarine végétale salée
Poêlée avec saindoux ou graisse d'oie ou de canard
Poêlée sans matière grasse : ★★★
Salée et fumée : ★
Séchée : ★★★
Surgelée : ★★★

Abricot - Agneau (viande d')

Remarque : pas de poivre ni aucune autre épice sauf le curcuma. Pas de jus de citron en fin de cuisson ni aucun autre acide.

Abricot : fruit d'été de couleur orange et de calibre moyen au goût sucré.
A l'anglaise : ★★
Au sirop : ★★
Au sirop léger : ★★★
Confit : ★★
Conserve au naturel : ★★★
Conservé dans l'alcool
Conservé sous vide : ★★★
Consommation cru : ★★★
En beignet
En compote (avec sucre ajouté) : ★★★
En compote sans sucre ajouté : ★★★
En confiture : ★★
En confiture allégée en sucre : ★★
En confiture sans sucre : ★★★
Flambé (abricot poché) : ★
Fraîchement récolté : ★★★
Poché sans sucre : ★★★
Sec : ★★★★
Surgelé : ★★★

Agneau (viande d') : petit de la brebis. Viande rouge.
Conservée par le sel : ★
Conservée sous vide : ★
Consommation crue
Cuisson à la milanaise avec beurre doux
Cuisson à la milanaise avec beurre salé
Cuisson à la milanaise avec huile végétale
Cuisson à la milanaise avec margarine végétale non salée
Cuisson à la milanaise avec margarine végétale salée
Cuisson à la milanaise avec saindoux ou graisse d'oie ou de canard
Cuisson à la milanaise sans matière grasse : ★
Cuisson à l'étouffée avec beurre doux : ★
Cuisson à l'étouffée avec beurre salé : ★

Cuisson à l'étouffée avec huile végétale : ★
Cuisson à l'étouffée avec margarine végétale non salée : ★
Cuisson à l'étouffée avec margarine végétale salée : ★
Cuisson à l'étouffée avec saindoux ou graisse d'oie ou de canard : ★
Cuisson à l'étouffée sans matière grasse : ★
Cuisson au court bouillon : ★
Cuisson en braisé avec beurre doux : ★
Cuisson en braisé avec beurre salé : ★
Cuisson en braisé avec huile végétale : ★
Cuisson en braisé avec margarine végétale non salée : ★
Cuisson en braisé avec margarine végétale salée : ★
Cuisson en braisé avec saindoux ou graisse d'oie ou de canard : ★
Cuisson en braisé sans matière grasse : ★
Cuisson en friture
Cuisson en meunière avec beurre doux
Cuisson en meunière avec beurre salé
Cuisson en meunière avec huile végétale
Cuisson en meunière avec margarine végétale non salée
Cuisson en meunière avec margarine végétale salée
Cuisson en meunière avec saindoux ou graisse d'oie ou de canard
Cuisson en meunière sans matière grasse : ★
Cuisson en ragoût avec beurre doux
Cuisson en ragoût avec beurre salé
Cuisson en ragoût avec huile végétale
Cuisson en ragoût avec margarine végétale non salée
Cuisson en ragoût avec margarine végétale salée
Cuisson en ragoût avec saindoux ou graisse d'oie ou de canard
Cuisson en sauté (idem poêlée).
Cuisson rôtie à la broche : ★
Cuisson rôtie au four avec beurre doux : ★
Cuisson rôtie au four avec beurre salé : ★
Cuisson rôtie au four avec huile végétale : ★
Cuisson rôtie au four avec margarine végétale non salée : ★
Cuisson rôtie au four avec margarine végétale salée : ★
Cuisson rôtie au four avec saindoux ou graisse d'oie ou de canard : ★
Cuisson rôtie au four sans matière grasse ajoutée : ★

Cuisson vapeur : ★
Grillée : ★
Pierrade : ★
Poêlée avec beurre doux
Poêlée avec beurre salé
Poêlée avec huile végétale
Poêlée avec margarine végétale non salée
Poêlée avec margarine végétale salée
Poêlée avec saindoux ou graisse d'oie ou de canard
Poêlée sans matière grasse : ★
Salée et fumée : ★
Séchée : ★
Surgelée : ★

Remarque : pas de poivre ni aucune autre épice sauf le curcuma. Pas de jus de citron en fin de cuisson ni aucun autre acide.

Aiguillat : requin comestible, aussi appelé « Chien marin ».
Conservé par le sel : ★★
Conservé sous vide : ★★★
Consommation cru
Cuisson à la milanaise avec beurre doux
Cuisson à la milanaise avec beurre salé
Cuisson à la milanaise avec huile végétale
Cuisson à la milanaise avec margarine végétale non salée
Cuisson à la milanaise avec margarine végétale salée
Cuisson à la milanaise avec saindoux ou graisse d'oie ou de canard
Cuisson à la milanaise sans matière grasse : ★★★
Cuisson à l'étouffée avec beurre doux : ★★
Cuisson à l'étouffée avec beurre salé : ★★
Cuisson à l'étouffée avec huile végétale : ★★
Cuisson à l'étouffée avec margarine végétale non salée : ★★
Cuisson à l'étouffée avec margarine végétale salée : ★★
Cuisson à l'étouffée avec saindoux ou graisse d'oie ou de canard : ★★
Cuisson à l'étouffée sans matière grasse : ★★★
Cuisson au court bouillon : ★★★
Cuisson en braisé avec beurre doux : ★★
Cuisson en braisé avec beurre salé : ★★

Cuisson en braisé avec huile végétale : ★★
Cuisson en braisé avec margarine végétale non salée : ★★
Cuisson en braisé avec margarine végétale salée : ★★
Cuisson en braisé avec saindoux ou graisse d'oie ou de canard : ★★
Cuisson en braisé sans matière grasse : ★★★
Cuisson en friture
Cuisson en meunière avec beurre doux
Cuisson en meunière avec beurre salé
Cuisson en meunière avec huile végétale
Cuisson en meunière avec margarine végétale non salée
Cuisson en meunière avec margarine végétale salée
Cuisson en meunière avec saindoux ou graisse d'oie ou de canard
Cuisson en meunière sans matière grasse : ★★★
Cuisson en ragoût avec beurre doux
Cuisson en ragoût avec beurre salé
Cuisson en ragoût avec huile végétale
Cuisson en ragoût avec margarine végétale non salée
Cuisson en ragoût avec margarine végétale salée
Cuisson en ragoût avec saindoux ou graisse d'oie ou de canard
Cuisson en sauté (idem poêlé).
Cuisson rôti à la broche : ★★★
Cuisson rôti au four avec beurre doux : ★★
Cuisson rôti au four avec beurre salé : ★★
Cuisson rôti au four avec huile végétale : ★★
Cuisson rôti au four avec margarine végétale non salée : ★★
Cuisson rôti au four avec margarine végétale salée : ★★
Cuisson rôti au four avec saindoux ou graisse d'oie ou de canard : ★★
Cuisson rôti au four sans matière grasse ajoutée : ★★★
Cuisson vapeur : ★★★
Grillé : ★★★
Pierrade : ★★★
Poêlé avec beurre doux
Poêlé avec beurre salé
Poêlé avec huile végétale
Poêlé avec margarine végétale non salée
Poêlé avec margarine végétale salée
Poêlé avec saindoux ou graisse d'oie ou de canard

Poêlé sans matière grasse : ★★★
Salé et fumé : ★
Séché : ★★★
Surgelé : ★★★
Remarque : pas de poivre ni aucune autre épice sauf le curcuma. Pas de jus de citron en fin de cuisson ni aucun autre acide.

Aiguillette de bœuf : voir « Bœuf (viande de) ».

Aiguillette de canard : voir « Canard (viande de) ».

Aiguillette de cheval : voir « Cheval (viande de) ».

Aiguillette de poulet : voir « Poulet (viande de) ».

Ail : plante potagère à bulbe dont les gousses sont utilisées en cuisine. Légume vert.
Conservé dans le vinaigre
Conserve en saumure (eau salée) : ★★★
Conservé sous vide : ★★★
Consommation cru : ★★
Consommation cuit : ★★★
Déshydraté : ★★★
Fraîchement récolté : ★★★
Pulpe : ★★★
Surgelé : ★★★

Airelle : fruit rouge ou noir proche de la myrtille.
A l'anglaise : ★★
Au sirop : ★★
Au sirop léger : ★★★
Confite : ★★
Conserve au naturel : ★★★
Conservée dans l'alcool
Conservée sous vide : ★★★
Consommation crue : ★★★
En beignet
En compote (avec sucre ajouté) : ★★★
En compote sans sucre ajouté : ★★★

En confiture : ★★
En confiture allégée en sucre : ★★
En confiture sans sucre : ★★★
Fraîchement récoltée : ★★★
Pochée sans sucre : ★★★
Séchée : ★★★★
Surgelée : ★★★

Alose : poisson gras d'eau douce.
Conservée par le sel : ★
Conservée sous vide : ★
Consommation crue
Cuisson à la milanaise avec beurre doux
Cuisson à la milanaise avec beurre salé
Cuisson à la milanaise avec huile végétale
Cuisson à la milanaise avec margarine végétale non salée
Cuisson à la milanaise avec margarine végétale salée
Cuisson à la milanaise avec saindoux ou graisse d'oie ou de canard
Cuisson à la milanaise sans matière grasse : ★
Cuisson à l'étouffée avec beurre doux : ★
Cuisson à l'étouffée avec beurre salé : ★
Cuisson à l'étouffée avec huile végétale : ★
Cuisson à l'étouffée avec margarine végétale non salée : ★
Cuisson à l'étouffée avec margarine végétale salée : ★
Cuisson à l'étouffée avec saindoux ou graisse d'oie ou de canard : ★
Cuisson à l'étouffée sans matière grasse : ★
Cuisson au court bouillon : ★
Cuisson en braisé avec beurre doux : ★
Cuisson en braisé avec beurre salé : ★
Cuisson en braisé avec huile végétale : ★
Cuisson en braisé avec margarine végétale non salée : ★
Cuisson en braisé avec margarine végétale salée : ★
Cuisson en braisé avec saindoux ou graisse d'oie ou de canard : ★
Cuisson en braisé sans matière grasse : ★
Cuisson en friture
Cuisson en meunière avec beurre doux
Cuisson en meunière avec beurre salé

Cuisson en meunière avec huile végétale
Cuisson en meunière avec margarine végétale non salée
Cuisson en meunière avec margarine végétale salée
Cuisson en meunière avec saindoux ou graisse d'oie ou de canard
Cuisson en meunière sans matière grasse : ✶
Cuisson en sauté (idem poêlée).
Cuisson rôtie à la broche : ✶
Cuisson rôtie au four avec beurre doux : ✶
Cuisson rôtie au four avec beurre salé : ✶
Cuisson rôtie au four avec huile végétale : ✶
Cuisson rôtie au four avec margarine végétale non salée : ✶
Cuisson rôtie au four avec margarine végétale salée : ✶
Cuisson rôtie au four avec saindoux ou graisse d'oie ou de canard : ✶
Cuisson rôtie au four sans matière grasse ajoutée : ✶
Cuisson vapeur : ✶
Grillée : ✶
Pierrade : ✶
Poêlée avec beurre doux
Poêlée avec beurre salé
Poêlée avec huile végétale
Poêlée avec margarine végétale non salée
Poêlée avec margarine végétale salée
Poêlée avec saindoux ou graisse d'oie ou de canard
Poêlée sans matière grasse : ✶
Salée et fumée
Séchée : ✶
Surgelée : ✶
Remarque : pas de poivre ni aucune autre épice sauf le curcuma. Pas de jus de citron en fin de cuisson ni aucun autre acide.

Aloyau : voir « Bœuf (viande de) ».

Amande marin : voir « Palourde ».

Ananas : gros fruit tropical à chair sucrée et savoureuse. Fruit exotique.

Anchois : petit poisson gras marin.
Conservé à l'huile : ★
Conservé en saumure : ★
Conservé sous vide : ★
Consommation cru
Cuisson à la milanaise avec beurre doux
Cuisson à la milanaise avec beurre salé
Cuisson à la milanaise avec huile végétale
Cuisson à la milanaise avec margarine végétale non salée
Cuisson à la milanaise avec margarine végétale salée
Cuisson à la milanaise avec saindoux ou graisse d'oie ou de canard
Cuisson à la milanaise sans matière grasse : ★
Cuisson en beignet
Cuisson en friture
Cuisson en meunière avec beurre doux
Cuisson en meunière avec beurre salé
Cuisson en meunière avec huile végétale
Cuisson en meunière avec margarine végétale non salée
Cuisson en meunière avec margarine végétale salée
Cuisson en meunière avec saindoux ou graisse d'oie ou de canard
Cuisson en meunière sans matière grasse : ★
Cuisson en sauté (idem poêlée).
Pierrade : ★
Poêlé avec beurre doux
Poêlé avec beurre salé
Poêlé avec huile végétale
Poêlé avec margarine végétale non salée
Poêlé avec margarine végétale salée
Poêlé avec saindoux ou graisse d'oie ou de canard
Poêlé sans matière grasse : ★
Salé et fumé
Séché : ★
Surgelé : ★
Remarque : pas de poivre ni aucune autre épice sauf le curcuma. Pas de jus de citron en fin de cuisson ni aucun autre acide.

Andouillette : voir « Porc (viande de) ».

Aneth : plante ombellifère aromatique.
Conservée sous vide : ★★★
Consommation crue : ★★★
Consommation cuite : ★★★
Déshydratée : ★★★
Fraîchement récoltée : ★★★
Surgelée : ★★★

Angélique : plante ombellifère aromatique.
Conservée sous vide : ★★★
Consommation crue : ★★★
Consommation cuite : ★★★
Déshydratée : ★★★
Fraîchement récoltée : ★★★
Surgelée : ★★★

Anguille : poisson gras d'eau douce.
Conservée par le sel : ★
Conservée sous vide : ★
Consommation crue
Cuisson à la milanaise avec beurre doux
Cuisson à la milanaise avec beurre salé
Cuisson à la milanaise avec huile végétale
Cuisson à la milanaise avec margarine végétale non salée
Cuisson à la milanaise avec margarine végétale salée
Cuisson à la milanaise avec saindoux ou graisse d'oie ou de canard
Cuisson à la milanaise sans matière grasse : ★
Cuisson à l'étouffée avec beurre doux : ★
Cuisson à l'étouffée avec beurre salé : ★
Cuisson à l'étouffée avec huile végétale : ★
Cuisson à l'étouffée avec margarine végétale non salée : ★
Cuisson à l'étouffée avec margarine végétale salée : ★
Cuisson à l'étouffée avec saindoux ou graisse d'oie ou de canard : ★
Cuisson à l'étouffée sans matière grasse : ★
Cuisson au court bouillon : ★
Cuisson en braisé avec beurre doux : ★
Cuisson en braisé avec beurre salé : ★
Cuisson en braisé avec huile végétale : ★

Cuisson en braisé avec margarine végétale non salée : ★
Cuisson en braisé avec margarine végétale salée : ★
Cuisson en braisé avec saindoux ou graisse d'oie ou de canard : ★
Cuisson en braisé sans matière grasse : ★
Cuisson en friture
Cuisson en meunière avec beurre doux
Cuisson en meunière avec beurre salé
Cuisson en meunière avec huile végétale
Cuisson en meunière avec margarine végétale non salée
Cuisson en meunière avec margarine végétale salée
Cuisson en meunière avec saindoux ou graisse d'oie ou de canard
Cuisson en meunière sans matière grasse : ★
Cuisson en ragoût avec beurre doux
Cuisson en ragoût avec beurre salé
Cuisson en ragoût avec huile végétale
Cuisson en ragoût avec margarine végétale non salée
Cuisson en ragoût avec margarine végétale salée
Cuisson en ragoût avec saindoux ou graisse d'oie ou de canard
Cuisson en sauté (idem poêlée).
Cuisson rôtie au four avec beurre doux : ★
Cuisson rôtie au four avec beurre salé : ★
Cuisson rôtie au four avec huile végétale : ★
Cuisson rôtie au four avec margarine végétale non salée : ★
Cuisson rôtie au four avec margarine végétale salée : ★
Cuisson rôtie au four avec saindoux ou graisse d'oie ou de canard : ★
Cuisson rôtie au four sans matière grasse ajoutée : ★
Cuisson vapeur : ★
Grillée : ★
Pierrade : ★
Poêlée avec beurre doux
Poêlée avec beurre salé
Poêlée avec huile végétale
Poêlée avec margarine végétale non salée
Poêlée avec margarine végétale salée
Poêlée avec saindoux ou graisse d'oie ou de canard
Poêlée sans matière grasse : ★
Salée et fumée

Séchée : ★
Surgelée : ★
Remarque : pas de poivre ni aucune autre épice sauf le curcuma. Pas de jus de citron en fin de cuisson ni aucun autre acide.

Anone : fruit tropical comestible. Fruit exotique.
A l'anglaise : ★★
Au sirop : ★★
Au sirop léger : ★★★
Confite : ★★
Conserve au naturel : ★★★
Conservée dans l'alcool
Conservée sous vide : ★★★
Consommation crue : ★★★
En beignet
En compote (avec sucre ajouté) : ★★★
En compote sans sucre ajouté : ★★★
En confiture : ★★
En confiture allégée en sucre : ★★
En confiture sans sucre : ★★★
Fraîchement récoltée : ★★★
Pochée sans sucre : ★★★
Séchée : ★★★★
Surgelée : ★★★

Araignée de bœuf : voir « Bœuf (viande de) ».

Araignée de cheval : voir « Cheval (viande de) ».

Aronia : petite baie rouge ou noire. Fruit rouge.
A l'anglaise : ★★
Au sirop : ★★
Au sirop léger : ★★★
Confite : ★★
Conserve au naturel : ★★★
Conservée dans l'alcool
Conservée sous vide : ★★★
Consommation crue : ★★★
En beignet

En compote (avec sucre ajouté) : ★★★
En compote sans sucre ajouté : ★★★
En confiture : ★★
En confiture allégée en sucre : ★★
En confiture sans sucre : ★★★
Fraîchement récoltée : ★★★
Pochée sans sucre : ★★★
Séchée : ★★★★
Surgelée : ★★★

Asperge : plante potagère cultivée pour ses jeunes pousses.
Légume vert.
Conserve en saumure (eau salée) : ★★★
Conservée sous vide : ★★★
Consommation crue
Cuisson à l'étouffée avec beurre doux : ★★
Cuisson à l'étouffée avec beurre salé : ★★
Cuisson à l'étouffée avec huile végétale : ★★
Cuisson à l'étouffée avec margarine végétale non salée : ★★
Cuisson à l'étouffée avec margarine végétale salée : ★★
Cuisson à l'étouffée avec saindoux ou graisse d'oie ou de canard : ★★
Cuisson à l'étouffée sans matière grasse : ★★★
Cuisson au court bouillon : ★★★
Cuisson en braisé avec beurre doux : ★★
Cuisson en braisé avec beurre salé : ★★
Cuisson en braisé avec huile végétale : ★★
Cuisson en braisé avec margarine végétale non salée : ★★
Cuisson en braisé avec margarine végétale salée : ★★
Cuisson en braisé avec saindoux ou graisse d'oie ou de canard : ★★
Cuisson en braisé sans matière grasse : ★★★
Cuisson en friture
Cuisson en papillote : ★★★
Cuisson en ragoût avec beurre doux
Cuisson en ragoût avec beurre salé
Cuisson en ragoût avec huile végétale
Cuisson en ragoût avec margarine végétale non salée
Cuisson en ragoût avec margarine végétale salée
Cuisson en ragoût avec saindoux ou graisse d'oie ou de canard

Cuisson en sauté (idem poêlée).
Cuisson vapeur : ★★★
Poêlée avec beurre doux
Poêlée avec beurre salé
Poêlée avec huile végétale
Poêlée avec margarine végétale non salée
Poêlée avec margarine végétale salée
Poêlée avec saindoux ou graisse d'oie ou de canard
Poêlée sans matière grasse : ★★★
Potage crème : ★★
Potage nature sans matière grasse ajoutée : ★★★
Potage velouté : ★★
Surgelée : ★★★
Remarque : pas de poivre ni aucune autre épice sauf le curcuma. Pas de jus de citron en fin de cuisson ni aucun autre acide.

Aubergine : plante potagère annuelle cultivée surtout dans les régions méditerranéennes. Légume vert.
Confite : ★★
Conserve en saumure (eau salée) : ★★★
Conservée sous vide : ★★★
Consommation crue
Cuisson à la milanaise avec beurre doux
Cuisson à la milanaise avec beurre salé
Cuisson à la milanaise avec huile végétale
Cuisson à la milanaise avec margarine végétale non salée
Cuisson à la milanaise avec margarine végétale salée
Cuisson à la milanaise avec saindoux ou graisse d'oie ou de canard
Cuisson à la milanaise sans matière grasse : ★★★
Cuisson à l'étouffée avec beurre doux : ★★
Cuisson à l'étouffée avec beurre salé : ★★
Cuisson à l'étouffée avec huile végétale : ★★
Cuisson à l'étouffée avec margarine végétale non salée : ★★
Cuisson à l'étouffée avec margarine végétale salée : ★★
Cuisson à l'étouffée avec saindoux ou graisse d'oie ou de canard : ★★
Cuisson à l'étouffée sans matière grasse : ★★★
Cuisson au court bouillon : ★★★

Cuisson en braisé avec beurre doux : ★★
Cuisson en braisé avec beurre salé : ★★
Cuisson en braisé avec huile végétale : ★★
Cuisson en braisé avec margarine végétale non salée : ★★
Cuisson en braisé avec margarine végétale salée : ★★
Cuisson en braisé avec saindoux ou graisse d'oie ou de canard : ★★
Cuisson en braisé sans matière grasse : ★★★
Cuisson en beignet
Cuisson en papillote : ★★★
Cuisson en friture
Cuisson en meunière avec beurre doux
Cuisson en meunière avec beurre salé
Cuisson en meunière avec huile végétale
Cuisson en meunière avec margarine végétale non salée
Cuisson en meunière avec margarine végétale salée
Cuisson en meunière avec saindoux ou graisse d'oie ou de canard
Cuisson en meunière sans matière grasse : ★★★
Cuisson en sauté (idem poêlée).
Cuisson vapeur : ★★★
Grillée : ★★★
Pierrade : ★★★
Poêlée avec beurre doux
Poêlée avec beurre salé
Poêlée avec huile végétale
Poêlée avec margarine végétale non salée
Poêlée avec margarine végétale salée
Poêlée avec saindoux ou graisse d'oie ou de canard
Poêlée sans matière grasse : ★★★
Potage crème : ★★
Potage nature sans matière grasse ajoutée : ★★★
Potage velouté : ★★
Surgelée : ★★★
Remarque : pas de poivre ni aucune autre épice sauf le curcuma. Pas de jus de citron en fin de cuisson ni aucun autre acide.

Autruche (viande d')

Autruche (viande d') : oiseau de grande taille d'Afrique et du Proche-Orient.

Conservée par le sel : ★★
Conservée sous vide : ★★★
Consommation crue
Cuisson à la milanaise avec beurre doux
Cuisson à la milanaise avec beurre salé
Cuisson à la milanaise avec huile végétale
Cuisson à la milanaise avec margarine végétale non salée
Cuisson à la milanaise avec margarine végétale salée
Cuisson à la milanaise avec saindoux ou graisse d'oie ou de canard
Cuisson à la milanaise sans matière grasse : ★★★
Cuisson à l'étouffée avec beurre doux : ★★
Cuisson à l'étouffée avec beurre salé : ★★
Cuisson à l'étouffée avec huile végétale : ★★
Cuisson à l'étouffée avec margarine végétale non salée : ★★
Cuisson à l'étouffée avec margarine végétale salée : ★★
Cuisson à l'étouffée avec saindoux ou graisse d'oie ou de canard : ★★
Cuisson à l'étouffée sans matière grasse : ★★★
Cuisson au court bouillon : ★★★
Cuisson en braisé avec beurre doux : ★★
Cuisson en braisé avec beurre salé : ★★
Cuisson en braisé avec huile végétale : ★★
Cuisson en braisé avec margarine végétale non salée : ★★
Cuisson en braisé avec margarine végétale salée : ★★
Cuisson en braisé avec saindoux ou graisse d'oie ou de canard : ★★
Cuisson en braisé sans matière grasse : ★★★
Cuisson en friture
Cuisson en meunière avec beurre doux
Cuisson en meunière avec beurre salé
Cuisson en meunière avec huile végétale
Cuisson en meunière avec margarine végétale non salée
Cuisson en meunière avec margarine végétale salée
Cuisson en meunière avec saindoux ou graisse d'oie ou de canard
Cuisson en meunière sans matière grasse : ★★★
Cuisson en ragoût avec beurre doux

Cuisson en ragoût avec beurre salé
Cuisson en ragoût avec huile végétale
Cuisson en ragoût avec margarine végétale non salée
Cuisson en ragoût avec margarine végétale salée
Cuisson en ragoût avec saindoux ou graisse d'oie ou de canard
Cuisson en sauté (idem poêlée).
Cuisson rôtie à la broche : ★★★
Cuisson rôtie au four avec beurre doux : ★★
Cuisson rôtie au four avec beurre salé : ★★
Cuisson rôtie au four avec huile végétale : ★★
Cuisson rôtie au four avec margarine végétale non salée : ★★
Cuisson rôtie au four avec margarine végétale salée : ★★
Cuisson rôtie au four avec saindoux ou graisse d'oie ou de canard : ★★
Cuisson rôtie au four sans matière grasse ajoutée : ★★★
Cuisson vapeur : ★★★
Grillée : ★★★
Pierrade : ★★★
Poêlée avec beurre doux
Poêlée avec beurre salé
Poêlée avec huile végétale
Poêlée avec margarine végétale non salée
Poêlée avec margarine végétale salée
Poêlée avec saindoux ou graisse d'oie ou de canard
Poêlée sans matière grasse : ★★★
Salée et fumée : ★
Séchée : ★★★
Surgelée : ★★★

Remarque : pas de poivre ni aucune autre épice sauf le curcuma. Pas de jus de citron en fin de cuisson ni aucun autre acide.

Azerole : petit fruit rouge ressemblant à une cerise très riche en vitamine C.
Consommation crue
En confiture : ★★
En confiture allégée en sucre : ★★
En confiture sans sucre : ★★★

ℬ

Baby-beef : voir « Bœuf (viande de) ».

Bacon : voir « Porc (viande de) » section *Salée et fumée*.

Bambou (pousses de) : jeunes pousses de bambou comestibles. Légume vert.
Conserve en saumure (eau salée) : ★★★
Conservées sous vide : ★★★
Consommation crues
Cuisson à l'étouffée avec beurre doux : ★★
Cuisson à l'étouffée avec beurre salé : ★★
Cuisson à l'étouffée avec huile végétale : ★★
Cuisson à l'étouffée avec margarine végétale non salée : ★★
Cuisson à l'étouffée avec margarine végétale salée : ★★
Cuisson à l'étouffée avec saindoux ou graisse d'oie ou de canard : ★★
Cuisson à l'étouffée sans matière grasse : ★★★
Cuisson au court bouillon : ★★★
Cuisson en braisé avec beurre doux : ★★
Cuisson en braisé avec beurre salé : ★★
Cuisson en braisé avec huile végétale : ★★
Cuisson en braisé avec margarine végétale non salée : ★★
Cuisson en braisé avec margarine végétale salée : ★★
Cuisson en braisé avec saindoux ou graisse d'oie ou de canard : ★★
Cuisson en braisé sans matière grasse : ★★★
Cuisson en friture
Cuisson en papillote : ★★★
Cuisson en ragoût avec beurre doux
Cuisson en ragoût avec beurre salé
Cuisson en ragoût avec huile végétale
Cuisson en ragoût avec margarine végétale non salée
Cuisson en ragoût avec margarine végétale salée
Cuisson en ragoût avec saindoux ou graisse d'oie ou de canard
Cuisson en sauté (idem poêlées).

Cuisson vapeur : ★★★
Poêlées avec beurre doux
Poêlées avec beurre salé
Poêlées avec huile végétale
Poêlées avec margarine végétale non salée
Poêlées avec margarine végétale salée
Poêlées avec saindoux ou graisse d'oie ou de canard
Poêlées sans matière grasse : ★★★
Potage crème : ★★
Potage nature sans matière grasse ajoutée : ★★★
Potage velouté : ★★
Surgelées : ★★★
Remarque : pas de poivre ni aucune autre épice sauf le curcuma. Pas de jus de citron en fin de cuisson ni aucun autre acide.

Banane plantain : fruit tropical issu du bananier riche en amidon qui se consomme cuit. Fruit exotique cuisiné comme un légume vert.
Conserve en saumure (eau salée) : ★★★
Conservée sous vide : ★★★
Consommation crue
Cuisson à l'étouffée avec beurre doux : ★★
Cuisson à l'étouffée avec beurre salé : ★★
Cuisson à l'étouffée avec huile végétale : ★★
Cuisson à l'étouffée avec margarine végétale non salée : ★★
Cuisson à l'étouffée avec margarine végétale salée : ★★
Cuisson à l'étouffée avec saindoux ou graisse d'oie ou de canard : ★★
Cuisson à l'étouffée sans matière grasse : ★★★
Cuisson au court bouillon : ★★★
Cuisson en braisé avec beurre doux : ★★
Cuisson en braisé avec beurre salé : ★★
Cuisson en braisé avec huile végétale : ★★
Cuisson en braisé avec margarine végétale non salée : ★★
Cuisson en braisé avec margarine végétale salée : ★★
Cuisson en braisé avec saindoux ou graisse d'oie ou de canard : ★★
Cuisson en braisé sans matière grasse : ★★★
Cuisson en friture

Banane plantain - Banane tigrée

Cuisson en papillote : ★★★
Cuisson en ragoût avec beurre doux
Cuisson en ragoût avec beurre salé
Cuisson en ragoût avec huile végétale
Cuisson en ragoût avec margarine végétale non salée
Cuisson en ragoût avec margarine végétale salée
Cuisson en ragoût avec saindoux ou graisse d'oie ou de canard
Cuisson en sauté (idem poêlée).
Cuisson vapeur : ★★★
Poêlée avec beurre doux
Poêlée avec beurre salé
Poêlée avec huile végétale
Poêlée avec margarine végétale non salée
Poêlée avec margarine végétale salée
Poêlée avec saindoux ou graisse d'oie ou de canard
Poêlée sans matière grasse : ★★★
Potage crème : ★★
Potage nature sans matière grasse ajoutée : ★★★
Potage velouté : ★★
Séchée : ★★★
Surgelée : ★★★

Remarque : pas de poivre ni aucune autre épice sauf le curcuma. Pas de jus de citron en fin de cuisson ni aucun autre acide.

Banane tigrée : fruit tropical issu du bananier riche en amidon avant sa pleine maturité. Fruit exotique.
A l'anglaise : ★★
Au sirop : ★★
Au sirop léger : ★★★
Confite : ★★
Conserve au naturel : ★★★
Conservée dans l'alcool
Conservée sous vide : ★★★
Consommation crue : ★★★
En beignet
En compote (avec sucre ajouté) : ★★★
En compote sans sucre ajouté : ★★★
En confiture : ★★
En confiture allégée en sucre : ★★

En confiture sans sucre : ★★★
Flambée : ★
Fraîchement récoltée : ★★★
Pochée sans sucre : ★★★
Séchée : ★★★★
Surgelée : ★★★

Bar : poisson marin à chair blanche.
Conservé par le sel : ★★
Conservé sous vide : ★★★
Consommation cru
Cuisson à la milanaise avec beurre doux
Cuisson à la milanaise avec beurre salé
Cuisson à la milanaise avec huile végétale
Cuisson à la milanaise avec margarine végétale non salée
Cuisson à la milanaise avec margarine végétale salée
Cuisson à la milanaise avec saindoux ou graisse d'oie ou de canard
Cuisson à la milanaise sans matière grasse : ★★★
Cuisson à l'étouffée avec beurre doux : ★★
Cuisson à l'étouffée avec beurre salé : ★★
Cuisson à l'étouffée avec huile végétale : ★★
Cuisson à l'étouffée avec margarine végétale non salée : ★★
Cuisson à l'étouffée avec margarine végétale salée : ★★
Cuisson à l'étouffée avec saindoux ou graisse d'oie ou de canard : ★★
Cuisson à l'étouffée sans matière grasse : ★★★
Cuisson au court bouillon : ★★★
Cuisson en braisé avec beurre doux : ★★
Cuisson en braisé avec beurre salé : ★★
Cuisson en braisé avec huile végétale : ★★
Cuisson en braisé avec margarine végétale non salée : ★★
Cuisson en braisé avec margarine végétale salée : ★★
Cuisson en braisé avec saindoux ou graisse d'oie ou de canard : ★★
Cuisson en braisé sans matière grasse : ★★★
Cuisson en friture
Cuisson en meunière avec beurre doux
Cuisson en meunière avec beurre salé
Cuisson en meunière avec huile végétale

Cuisson en meunière avec margarine végétale non salée
Cuisson en meunière avec margarine végétale salée
Cuisson en meunière avec saindoux ou graisse d'oie ou de canard
Cuisson en meunière sans matière grasse : ★★★
Cuisson en sauté (idem poêlé).
Cuisson rôti à la broche : ★★★
Cuisson rôti au four avec beurre doux : ★★
Cuisson rôti au four avec beurre salé : ★★
Cuisson rôti au four avec huile végétale : ★★
Cuisson rôti au four avec margarine végétale non salée : ★★
Cuisson rôti au four avec margarine végétale salée : ★★
Cuisson rôti au four avec saindoux ou graisse d'oie ou de canard : ★★
Cuisson rôti au four sans matière grasse ajoutée : ★★★
Cuisson vapeur : ★★★
Grillé : ★★★
Pierrade : ★★★
Poêlé avec beurre doux
Poêlé avec beurre salé
Poêlé avec huile végétale
Poêlé avec margarine végétale non salée
Poêlé avec margarine végétale salée
Poêlé avec saindoux ou graisse d'oie ou de canard
Poêlé sans matière grasse : ★★★
Salé et fumé : ★
Séché : ★★★
Surgelé : ★★★

Remarque : pas de poivre ni aucune autre épice sauf le curcuma. Pas de jus de citron en fin de cuisson ni aucun autre acide.

Barbeau : poisson d'eau douce à chair blanche.
Conservé par le sel : ★★
Conservé sous vide : ★★★
Consommation cru
Cuisson à la milanaise avec beurre doux
Cuisson à la milanaise avec beurre salé
Cuisson à la milanaise avec huile végétale
Cuisson à la milanaise avec margarine végétale non salée

Cuisson à la milanaise avec margarine végétale salée
Cuisson à la milanaise avec saindoux ou graisse d'oie ou de canard
Cuisson à la milanaise sans matière grasse : ★★★
Cuisson à l'étouffée avec beurre doux : ★★
Cuisson à l'étouffée avec beurre salé : ★★
Cuisson à l'étouffée avec huile végétale : ★★
Cuisson à l'étouffée avec margarine végétale non salée : ★★
Cuisson à l'étouffée avec margarine végétale salée : ★★
Cuisson à l'étouffée avec saindoux ou graisse d'oie ou de canard : ★★
Cuisson à l'étouffée sans matière grasse : ★★★
Cuisson au court bouillon : ★★★
Cuisson en braisé avec beurre doux : ★★
Cuisson en braisé avec beurre salé : ★★
Cuisson en braisé avec huile végétale : ★★
Cuisson en braisé avec margarine végétale non salée : ★★
Cuisson en braisé avec margarine végétale salée : ★★
Cuisson en braisé avec saindoux ou graisse d'oie ou de canard : ★★
Cuisson en braisé sans matière grasse : ★★★
Cuisson en friture
Cuisson en meunière avec beurre doux
Cuisson en meunière avec beurre salé
Cuisson en meunière avec huile végétale
Cuisson en meunière avec margarine végétale non salée
Cuisson en meunière avec margarine végétale salée
Cuisson en meunière avec saindoux ou graisse d'oie ou de canard
Cuisson en meunière sans matière grasse : ★★★
Cuisson en sauté (idem poêlé).
Cuisson rôti à la broche : ★★★
Cuisson rôti au four avec beurre doux : ★★
Cuisson rôti au four avec beurre salé : ★★
Cuisson rôti au four avec huile végétale : ★★
Cuisson rôti au four avec margarine végétale non salée : ★★
Cuisson rôti au four avec margarine végétale salée : ★★
Cuisson rôti au four avec saindoux ou graisse d'oie ou de canard : ★★
Cuisson rôti au four sans matière grasse ajoutée : ★★★

Cuisson vapeur : ★★★
Grillé : ★★★
Pierrade : ★★★
Poêlé avec beurre doux
Poêlé avec beurre salé
Poêlé avec huile végétale
Poêlé avec margarine végétale non salée
Poêlé avec margarine végétale salée
Poêlé avec saindoux ou graisse d'oie ou de canard
Poêlé sans matière grasse : ★★★
Salé et fumé : ★
Séché : ★★★
Surgelé : ★★★

Remarque : pas de poivre ni aucune autre épice sauf le curcuma. Pas de jus de citron en fin de cuisson ni aucun autre acide.

Barbue : poisson marin à chair blanche.
Conservé par le sel : ★★
Conservé sous vide : ★★★
Consommation cru
Cuisson à la milanaise avec beurre doux
Cuisson à la milanaise avec beurre salé
Cuisson à la milanaise avec huile végétale
Cuisson à la milanaise avec margarine végétale non salée
Cuisson à la milanaise avec margarine végétale salée
Cuisson à la milanaise avec saindoux ou graisse d'oie ou de canard
Cuisson à la milanaise sans matière grasse : ★★★
Cuisson à l'étouffée avec beurre doux : ★★
Cuisson à l'étouffée avec beurre salé : ★★
Cuisson à l'étouffée avec huile végétale : ★★
Cuisson à l'étouffée avec margarine végétale non salée : ★★
Cuisson à l'étouffée avec margarine végétale salée : ★★
Cuisson à l'étouffée avec saindoux ou graisse d'oie ou de canard : ★★
Cuisson à l'étouffée sans matière grasse : ★★★
Cuisson au court bouillon : ★★★
Cuisson en braisé avec beurre doux : ★★
Cuisson en braisé avec beurre salé : ★★

Cuisson en braisé avec huile végétale : ★★
Cuisson en braisé avec margarine végétale non salée : ★★
Cuisson en braisé avec margarine végétale salée : ★★
Cuisson en braisé avec saindoux ou graisse d'oie ou de canard :
★★
Cuisson en braisé sans matière grasse : ★★★
Cuisson en friture
Cuisson en meunière avec beurre doux
Cuisson en meunière avec beurre salé
Cuisson en meunière avec huile végétale
Cuisson en meunière avec margarine végétale non salée
Cuisson en meunière avec margarine végétale salée
Cuisson en meunière avec saindoux ou graisse d'oie ou de canard
Cuisson en meunière sans matière grasse : ★★★
Cuisson en sauté (idem poêlé).
Cuisson rôti au four avec beurre doux : ★★
Cuisson rôti au four avec beurre salé : ★★
Cuisson rôti au four avec huile végétale : ★★
Cuisson rôti au four avec margarine végétale non salée : ★★
Cuisson rôti au four avec margarine végétale salée : ★★
Cuisson rôti au four avec saindoux ou graisse d'oie ou de canard : ★★
Cuisson rôti au four sans matière grasse ajoutée : ★★★
Cuisson vapeur : ★★★
Grillé : ★★★
Pierrade : ★★★
Poêlé avec beurre doux
Poêlé avec beurre salé
Poêlé avec huile végétale
Poêlé avec margarine végétale non salée
Poêlé avec margarine végétale salée
Poêlé avec saindoux ou graisse d'oie ou de canard
Poêlé sans matière grasse : ★★★
Salé et fumé : ★
Séché : ★★★
Surgelé : ★★★
Remarque : pas de poivre ni aucune autre épice sauf le curcuma. Pas de jus de citron en fin de cuisson ni aucun autre acide.

Barracuda : poisson marin à chair blanche.

Conservé par le sel : ★★
Conservé sous vide : ★★★
Consommation cru
Cuisson à la milanaise avec beurre doux
Cuisson à la milanaise avec beurre salé
Cuisson à la milanaise avec huile végétale
Cuisson à la milanaise avec margarine végétale non salée
Cuisson à la milanaise avec margarine végétale salée
Cuisson à la milanaise avec saindoux ou graisse d'oie ou de canard
Cuisson à la milanaise sans matière grasse : ★★★
Cuisson à l'étouffée avec beurre doux : ★★
Cuisson à l'étouffée avec beurre salé : ★★
Cuisson à l'étouffée avec huile végétale : ★★
Cuisson à l'étouffée avec margarine végétale non salée : ★★
Cuisson à l'étouffée avec margarine végétale salée : ★★
Cuisson à l'étouffée avec saindoux ou graisse d'oie ou de canard : ★★
Cuisson à l'étouffée sans matière grasse : ★★★
Cuisson au court bouillon : ★★★
Cuisson en braisé avec beurre doux : ★★
Cuisson en braisé avec beurre salé : ★★
Cuisson en braisé avec huile végétale : ★★
Cuisson en braisé avec margarine végétale non salée : ★★
Cuisson en braisé avec margarine végétale salée : ★★
Cuisson en braisé avec saindoux ou graisse d'oie ou de canard : ★★
Cuisson en braisé sans matière grasse : ★★★
Cuisson en friture
Cuisson en meunière avec beurre doux
Cuisson en meunière avec beurre salé
Cuisson en meunière avec huile végétale
Cuisson en meunière avec margarine végétale non salée
Cuisson en meunière avec margarine végétale salée
Cuisson en meunière avec saindoux ou graisse d'oie ou de canard
Cuisson en meunière sans matière grasse : ★★★
Cuisson en sauté (idem poêlé).
Cuisson rôti à la broche : ★★★

Cuisson rôti au four avec beurre doux : ★★
Cuisson rôti au four avec beurre salé : ★★
Cuisson rôti au four avec huile végétale : ★★
Cuisson rôti au four avec margarine végétale non salée : ★★
Cuisson rôti au four avec margarine végétale salée : ★★
Cuisson rôti au four avec saindoux ou graisse d'oie ou de canard : ★★
Cuisson rôti au four sans matière grasse ajoutée : ★★★
Cuisson vapeur : ★★★
Grillé : ★★★
Pierrade : ★★★
Poêlé avec beurre doux
Poêlé avec beurre salé
Poêlé avec huile végétale
Poêlé avec margarine végétale non salée
Poêlé avec margarine végétale salée
Poêlé avec saindoux ou graisse d'oie ou de canard
Poêlé sans matière grasse : ★★★
Salé et fumé : ★
Séché : ★★★
Surgelé : ★★★

Remarque : pas de poivre ni aucune autre épice sauf le curcuma. Pas de jus de citron en fin de cuisson ni aucun autre acide.

Basilic : plante aromatique et condimentaire.
Conservé sous vide : ★★★
Consommation cru : ★★★
Consommation cuit : ★★★
Déshydraté : ★★★
Fraîchement récolté : ★★★
Surgelé : ★★★

Bavette : voir « Bœuf (viande de) ».

Bette : plante potagère dont on consomme notamment les côtes, mais également les feuilles. Légume vert.
Conserve en saumure (eau salée) : ★★★
Conservée sous vide : ★★★★
Consommation crue

Bette

Cuisson à la milanaise avec beurre doux
Cuisson à la milanaise avec beurre salé
Cuisson à la milanaise avec huile végétale
Cuisson à la milanaise avec margarine végétale non salée
Cuisson à la milanaise avec margarine végétale salée
Cuisson à la milanaise avec saindoux ou graisse d'oie ou de canard
Cuisson à la milanaise sans matière grasse : ★★★★
Cuisson à l'étouffée avec beurre doux : ★★
Cuisson à l'étouffée avec beurre salé : ★★
Cuisson à l'étouffée avec huile végétale : ★★
Cuisson à l'étouffée avec margarine végétale non salée : ★★
Cuisson à l'étouffée avec margarine végétale salée : ★★
Cuisson à l'étouffée avec saindoux ou graisse d'oie ou de canard : ★★
Cuisson à l'étouffée sans matière grasse : ★★★★
Cuisson au court bouillon : ★★★★
Cuisson en braisé avec beurre doux : ★★
Cuisson en braisé avec beurre salé : ★★
Cuisson en braisé avec huile végétale : ★★
Cuisson en braisé avec margarine végétale non salée : ★★
Cuisson en braisé avec margarine végétale salée : ★★
Cuisson en braisé avec saindoux ou graisse d'oie ou de canard : ★★
Cuisson en braisé sans matière grasse : ★★★★
Cuisson en friture
Cuisson en papillote : ★★★★
Cuisson en meunière avec beurre doux
Cuisson en meunière avec beurre salé
Cuisson en meunière avec huile végétale
Cuisson en meunière avec margarine végétale non salée
Cuisson en meunière avec margarine végétale salée
Cuisson en meunière avec saindoux ou graisse d'oie ou de canard
Cuisson en meunière sans matière grasse : ★★★★
Cuisson en ragoût avec beurre doux
Cuisson en ragoût avec beurre salé
Cuisson en ragoût avec huile végétale
Cuisson en ragoût avec margarine végétale non salée
Cuisson en ragoût avec margarine végétale salée

Cuisson en ragoût avec saindoux ou graisse d'oie ou de canard
Cuisson en sauté (idem poêlée).
Cuisson vapeur : ★★★★
Poêlée avec beurre doux
Poêlée avec beurre salé
Poêlée avec huile végétale
Poêlée avec margarine végétale non salée
Poêlée avec margarine végétale salée
Poêlée avec saindoux ou graisse d'oie ou de canard
Poêlée sans matière grasse : ★★★★
Potage crème : ★★
Potage nature sans matière grasse ajoutée : ★★★★
Potage velouté : ★★
Surgelée : ★★★★
Remarque : pas de poivre ni aucune autre épice sauf le curcuma. Pas de jus de citron en fin de cuisson ni aucun autre acide.

Betterave : plante potagère dont on consomme la racine charnue. Légume vert.
Conserve en saumure (eau salée) : ★★★
Conservée sous vide : ★★★
Consommation crue : ★★★
Cuisson à la milanaise avec beurre doux
Cuisson à la milanaise avec beurre salé
Cuisson à la milanaise avec huile végétale
Cuisson à la milanaise avec margarine végétale non salée
Cuisson à la milanaise avec margarine végétale salée
Cuisson à la milanaise avec saindoux ou graisse d'oie ou de canard
Cuisson à la milanaise sans matière grasse : ★★★
Cuisson à l'étouffée avec beurre doux : ★★
Cuisson à l'étouffée avec beurre salé : ★★
Cuisson à l'étouffée avec huile végétale : ★★
Cuisson à l'étouffée avec margarine végétale non salée : ★★
Cuisson à l'étouffée avec margarine végétale salée : ★★
Cuisson à l'étouffée avec saindoux ou graisse d'oie ou de canard : ★★
Cuisson à l'étouffée sans matière grasse : ★★★
Cuisson au court bouillon : ★★★

Betterave

Cuisson en braisé avec beurre doux : ★★
Cuisson en braisé avec beurre salé : ★★
Cuisson en braisé avec huile végétale : ★★
Cuisson en braisé avec margarine végétale non salée : ★★
Cuisson en braisé avec margarine végétale salée : ★★
Cuisson en braisé avec saindoux ou graisse d'oie ou de canard :
★★
Cuisson en braisé sans matière grasse : ★★★
Cuisson en friture
Cuisson en papillote : ★★★
Cuisson en meunière avec beurre doux
Cuisson en meunière avec beurre salé
Cuisson en meunière avec huile végétale
Cuisson en meunière avec margarine végétale non salée
Cuisson en meunière avec margarine végétale salée
Cuisson en meunière avec saindoux ou graisse d'oie ou de canard
Cuisson en meunière sans matière grasse : ★★★
Cuisson en ragoût avec beurre doux
Cuisson en ragoût avec beurre salé
Cuisson en ragoût avec huile végétale
Cuisson en ragoût avec margarine végétale non salée
Cuisson en ragoût avec margarine végétale salée
Cuisson en ragoût avec saindoux ou graisse d'oie ou de canard
Cuisson en sauté (idem poêlée).
Cuisson vapeur : ★★★
Poêlée avec beurre doux
Poêlée avec beurre salé
Poêlée avec huile végétale
Poêlée avec margarine végétale non salée
Poêlée avec margarine végétale salée
Poêlée avec saindoux ou graisse d'oie ou de canard
Poêlée sans matière grasse : ★★★
Potage crème : ★★
Potage nature sans matière grasse ajoutée : ★★★
Potage velouté : ★★
Surgelée : ★★★

Remarque : pas de poivre ni aucune autre épice sauf le curcuma. Pas de jus de citron en fin de cuisson ni aucun autre acide.

Biche (viande de) : femelle du cerf. Viande rouge. Gibier.
Conservée par le sel : ★
Conservée sous vide : ★
Consommation crue
Cuisson à la milanaise avec beurre doux
Cuisson à la milanaise avec beurre salé
Cuisson à la milanaise avec huile végétale
Cuisson à la milanaise avec margarine végétale non salée
Cuisson à la milanaise avec margarine végétale salée
Cuisson à la milanaise avec saindoux ou graisse d'oie ou de canard
Cuisson à la milanaise sans matière grasse : ★
Cuisson à l'étouffée avec beurre doux : ★
Cuisson à l'étouffée avec beurre salé : ★
Cuisson à l'étouffée avec huile végétale : ★
Cuisson à l'étouffée avec margarine végétale non salée : ★
Cuisson à l'étouffée avec margarine végétale salée : ★
Cuisson à l'étouffée avec saindoux ou graisse d'oie ou de canard : ★
Cuisson à l'étouffée sans matière grasse : ★
Cuisson au court bouillon : ★
Cuisson en braisé avec beurre doux : ★
Cuisson en braisé avec beurre salé : ★
Cuisson en braisé avec huile végétale : ★
Cuisson en braisé avec margarine végétale non salée : ★
Cuisson en braisé avec margarine végétale salée : ★
Cuisson en braisé avec saindoux ou graisse d'oie ou de canard : ★
Cuisson en braisé sans matière grasse : ★
Cuisson en friture
Cuisson en meunière avec beurre doux
Cuisson en meunière avec beurre salé
Cuisson en meunière avec huile végétale
Cuisson en meunière avec margarine végétale non salée
Cuisson en meunière avec margarine végétale salée
Cuisson en meunière avec saindoux ou graisse d'oie ou de canard
Cuisson en meunière sans matière grasse : ★
Cuisson en ragoût avec beurre doux
Cuisson en ragoût avec beurre salé

Cuisson en ragoût avec huile végétale
Cuisson en ragoût avec margarine végétale non salée
Cuisson en ragoût avec margarine végétale salée
Cuisson en ragoût avec saindoux ou graisse d'oie ou de canard
Cuisson en sauté (idem poêlée).
Cuisson rôtie à la broche : ★
Cuisson rôtie au four avec beurre doux : ★
Cuisson rôtie au four avec beurre salé : ★
Cuisson rôtie au four avec huile végétale : ★
Cuisson rôtie au four avec margarine végétale non salée : ★
Cuisson rôtie au four avec margarine végétale salée : ★
Cuisson rôtie au four avec saindoux ou graisse d'oie ou de canard : ★
Cuisson rôtie au four sans matière grasse ajoutée : ★
Cuisson vapeur : ★
Faisandée
Grillée : ★
Pierrade : ★
Poêlée avec beurre doux
Poêlée avec beurre salé
Poêlée avec huile végétale
Poêlée avec margarine végétale non salée
Poêlée avec margarine végétale salée
Poêlée avec saindoux ou graisse d'oie ou de canard
Poêlée sans matière grasse : ★
Salée et fumée : ★
Séchée : ★
Surgelée : ★
Remarque : pas de poivre ni aucune autre épice sauf le curcuma. Pas de jus de citron en fin de cuisson ni aucun autre acide.

Bifteck : voir « Bœuf (viande de) ».

Bigorneau : mollusque comestible.
Conservé par le sel : ★★
Conservé sous vide : ★★★★
Consommation cru
Cuisson à l'étouffée avec beurre doux : ★★
Cuisson à l'étouffée avec beurre salé : ★★

Cuisson à l'étouffée avec huile végétale : ★★
Cuisson à l'étouffée avec margarine végétale non salée : ★★
Cuisson à l'étouffée avec margarine végétale salée : ★★
Cuisson à l'étouffée avec saindoux ou graisse d'oie ou de canard : ★★
Cuisson à l'étouffée sans matière grasse : ★★★★
Cuisson au court bouillon : ★★★★
Cuisson en braisé avec beurre doux : ★★
Cuisson en braisé avec beurre salé : ★★
Cuisson en braisé avec huile végétale : ★★
Cuisson en braisé avec margarine végétale non salée : ★★
Cuisson en braisé avec margarine végétale salée : ★★
Cuisson en braisé avec saindoux ou graisse d'oie ou de canard : ★★
Cuisson en braisé sans matière grasse : ★★★★
Cuisson en friture
Cuisson en sauté (idem poêlé).
Cuisson vapeur : ★★★★
Grillé : ★★★★
Pierrade : ★★★★
Poêlé avec beurre doux
Poêlé avec beurre salé
Poêlé avec huile végétale
Poêlé avec margarine végétale non salée
Poêlé avec margarine végétale salée
Poêlé avec saindoux ou graisse d'oie ou de canard
Poêlé sans matière grasse : ★★★★
Surgelé : ★★★★
Remarque : pas de poivre ni aucune autre épice sauf le curcuma. Pas de jus de citron en fin de cuisson ni aucun autre acide.

Bison : voir « Bœuf (viande de) ».

Black-Bass : poisson gras d'eau douce.
Conservé par le sel : ★
Conservé sous vide : ★
Consommation cru
Cuisson à la milanaise avec beurre doux
Cuisson à la milanaise avec beurre salé

Cuisson à la milanaise avec huile végétale
Cuisson à la milanaise avec margarine végétale non salée
Cuisson à la milanaise avec margarine végétale salée
Cuisson à la milanaise avec saindoux ou graisse d'oie ou de canard
Cuisson à la milanaise sans matière grasse : ★
Cuisson à l'étouffée avec beurre doux : ★
Cuisson à l'étouffée avec beurre salé : ★
Cuisson à l'étouffée avec huile végétale : ★
Cuisson à l'étouffée avec margarine végétale non salée : ★
Cuisson à l'étouffée avec margarine végétale salée : ★
Cuisson à l'étouffée avec saindoux ou graisse d'oie ou de canard : ★
Cuisson à l'étouffée sans matière grasse : ★
Cuisson au court bouillon : ★
Cuisson en braisé avec beurre doux : ★
Cuisson en braisé avec beurre salé : ★
Cuisson en braisé avec huile végétale : ★
Cuisson en braisé avec margarine végétale non salée : ★
Cuisson en braisé avec margarine végétale salée : ★
Cuisson en braisé avec saindoux ou graisse d'oie ou de canard : ★
Cuisson en braisé sans matière grasse : ★
Cuisson en friture
Cuisson en meunière avec beurre doux
Cuisson en meunière avec beurre salé
Cuisson en meunière avec huile végétale
Cuisson en meunière avec margarine végétale non salée
Cuisson en meunière avec margarine végétale salée
Cuisson en meunière avec saindoux ou graisse d'oie ou de canard
Cuisson en meunière sans matière grasse : ★
Cuisson en sauté (idem poêlé).
Cuisson rôti à la broche : ★
Cuisson rôti au four avec beurre doux : ★
Cuisson rôti au four avec beurre salé : ★
Cuisson rôti au four avec huile végétale : ★
Cuisson rôti au four avec margarine végétale non salée : ★
Cuisson rôti au four avec margarine végétale salée : ★

Cuisson rôti au four avec saindoux ou graisse d'oie ou de canard : ★
Cuisson rôti au four sans matière grasse ajoutée : ★
Cuisson vapeur : ★
Grillé : ★
Pierrade : ★
Poêlé avec beurre doux
Poêlé avec beurre salé
Poêlé avec huile végétale
Poêlé avec margarine végétale non salée
Poêlé avec margarine végétale salée
Poêlé avec saindoux ou graisse d'oie ou de canard
Poêlé sans matière grasse : ★
Salé et fumé : ★
Séché : ★
Surgelé : ★
Remarque : pas de poivre ni aucune autre épice sauf le curcuma. Pas de jus de citron en fin de cuisson ni aucun autre acide.

Blette : voir « Bette ».

Bœuf (viande de) : animal de l'espèce bovine. Viande rouge.
Conservée par le sel : ★
Conservée sous vide : ★
Consommation crue
Cuisson à la milanaise avec beurre doux
Cuisson à la milanaise avec beurre salé
Cuisson à la milanaise avec huile végétale
Cuisson à la milanaise avec margarine végétale non salée
Cuisson à la milanaise avec margarine végétale salée
Cuisson à la milanaise avec saindoux ou graisse d'oie ou de canard
Cuisson à la milanaise sans matière grasse : ★
Cuisson à l'étouffée avec beurre doux : ★
Cuisson à l'étouffée avec beurre salé : ★
Cuisson à l'étouffée avec huile végétale : ★
Cuisson à l'étouffée avec margarine végétale non salée : ★
Cuisson à l'étouffée avec margarine végétale salée : ★

Bœuf (viande de)

Cuisson à l'étouffée avec saindoux ou graisse d'oie ou de canard : ★
Cuisson à l'étouffée sans matière grasse : ★
Cuisson au court bouillon : ★
Cuisson en braisé avec beurre doux : ★
Cuisson en braisé avec beurre salé : ★
Cuisson en braisé avec huile végétale : ★
Cuisson en braisé avec margarine végétale non salée : ★
Cuisson en braisé avec margarine végétale salée : ★
Cuisson en braisé avec saindoux ou graisse d'oie ou de canard : ★
Cuisson en braisé sans matière grasse : ★
Cuisson en friture
Cuisson en meunière avec beurre doux
Cuisson en meunière avec beurre salé
Cuisson en meunière avec huile végétale
Cuisson en meunière avec margarine végétale non salée
Cuisson en meunière avec margarine végétale salée
Cuisson en meunière avec saindoux ou graisse d'oie ou de canard
Cuisson en meunière sans matière grasse : ★
Cuisson en ragoût avec beurre doux
Cuisson en ragoût avec beurre salé
Cuisson en ragoût avec huile végétale
Cuisson en ragoût avec margarine végétale non salée
Cuisson en ragoût avec margarine végétale salée
Cuisson en ragoût avec saindoux ou graisse d'oie ou de canard
Cuisson en sauté (idem poêlée).
Cuisson rôtie à la broche : ★
Cuisson rôtie au four avec beurre doux : ★
Cuisson rôtie au four avec beurre salé : ★
Cuisson rôtie au four avec huile végétale : ★
Cuisson rôtie au four avec margarine végétale non salée : ★
Cuisson rôtie au four avec margarine végétale salée : ★
Cuisson rôtie au four avec saindoux ou graisse d'oie ou de canard : ★
Cuisson rôtie au four sans matière grasse ajoutée : ★
Cuisson vapeur : ★
Grillée : ★
Pierrade : ★

Poêlée avec beurre doux
Poêlée avec beurre salé
Poêlée avec huile végétale
Poêlée avec margarine végétale non salée
Poêlée avec margarine végétale salée
Poêlée avec saindoux ou graisse d'oie ou de canard
Poêlée sans matière grasse : ★
Salée et fumée : ★
Séchée : ★
Surgelée : ★
Remarque : pas de poivre ni aucune autre épice sauf le curcuma. Pas de jus de citron en fin de cuisson ni aucun autre acide.

Bogue : poisson marin à chair blanche.
Conservée par le sel : ★★
Conservée sous vide : ★★★
Consommation crue
Cuisson à la milanaise avec beurre doux
Cuisson à la milanaise avec beurre salé
Cuisson à la milanaise avec huile végétale
Cuisson à la milanaise avec margarine végétale non salée
Cuisson à la milanaise avec margarine végétale salée
Cuisson à la milanaise avec saindoux ou graisse d'oie ou de canard
Cuisson à la milanaise sans matière grasse : ★★★
Cuisson à l'étouffée avec beurre doux : ★★
Cuisson à l'étouffée avec beurre salé : ★★
Cuisson à l'étouffée avec huile végétale : ★★
Cuisson à l'étouffée avec margarine végétale non salée : ★★
Cuisson à l'étouffée avec margarine végétale salée : ★★
Cuisson à l'étouffée avec saindoux ou graisse d'oie ou de canard : ★★
Cuisson à l'étouffée sans matière grasse : ★★★
Cuisson au court bouillon : ★★★
Cuisson en braisé avec beurre doux : ★★
Cuisson en braisé avec beurre salé : ★★
Cuisson en braisé avec huile végétale : ★★
Cuisson en braisé avec margarine végétale non salée : ★★
Cuisson en braisé avec margarine végétale salée : ★★

Cuisson en braisé avec saindoux ou graisse d'oie ou de canard : ★★

Cuisson en braisé sans matière grasse : ★★★

Cuisson en friture

Cuisson en meunière avec beurre doux

Cuisson en meunière avec beurre salé

Cuisson en meunière avec huile végétale

Cuisson en meunière avec margarine végétale non salée

Cuisson en meunière avec margarine végétale salée

Cuisson en meunière avec saindoux ou graisse d'oie ou de canard

Cuisson en meunière sans matière grasse : ★★★

Cuisson en sauté (idem poêlée).

Cuisson rôtie à la broche : ★★★

Cuisson rôtie au four avec beurre doux : ★★

Cuisson rôtie au four avec beurre salé : ★★

Cuisson rôtie au four avec huile végétale : ★★

Cuisson rôtie au four avec margarine végétale non salée : ★★

Cuisson rôtie au four avec margarine végétale salée : ★★

Cuisson rôtie au four avec saindoux ou graisse d'oie ou de canard : ★★

Cuisson rôtie au four sans matière grasse ajoutée : ★★★

Cuisson vapeur : ★★★

Grillée : ★★★

Pierrade : ★★★

Poêlée avec beurre doux

Poêlée avec beurre salé

Poêlée avec huile végétale

Poêlée avec margarine végétale non salée

Poêlée avec margarine végétale salée

Poêlée avec saindoux ou graisse d'oie ou de canard

Poêlée sans matière grasse : ★★★

Salée et fumée : ★

Séchée : ★★★

Surgelée : ★★★

Remarque : pas de poivre ni aucune autre épice sauf le curcuma. Pas de jus de citron en fin de cuisson ni aucun autre acide.

Bolet : voir « Champignon ».

Bonite : poisson gras marin.
Conservée par le sel : ★
Conservée sous vide : ★
Consommation crue
Cuisson à la milanaise avec beurre doux
Cuisson à la milanaise avec beurre salé
Cuisson à la milanaise avec huile végétale
Cuisson à la milanaise avec margarine végétale non salée
Cuisson à la milanaise avec margarine végétale salée
Cuisson à la milanaise avec saindoux ou graisse d'oie ou de canard
Cuisson à la milanaise sans matière grasse : ★
Cuisson à l'étouffée avec beurre doux : ★
Cuisson à l'étouffée avec beurre salé : ★
Cuisson à l'étouffée avec huile végétale : ★
Cuisson à l'étouffée avec margarine végétale non salée : ★
Cuisson à l'étouffée avec margarine végétale salée : ★
Cuisson à l'étouffée avec saindoux ou graisse d'oie ou de canard : ★
Cuisson à l'étouffée sans matière grasse : ★
Cuisson au court bouillon : ★
Cuisson en braisé avec beurre doux : ★
Cuisson en braisé avec beurre salé : ★
Cuisson en braisé avec huile végétale : ★
Cuisson en braisé avec margarine végétale non salée : ★
Cuisson en braisé avec margarine végétale salée : ★
Cuisson en braisé avec saindoux ou graisse d'oie ou de canard : ★
Cuisson en braisé sans matière grasse : ★
Cuisson en friture
Cuisson en meunière avec beurre doux
Cuisson en meunière avec beurre salé
Cuisson en meunière avec huile végétale
Cuisson en meunière avec margarine végétale non salée
Cuisson en meunière avec margarine végétale salée
Cuisson en meunière avec saindoux ou graisse d'oie ou de canard
Cuisson en sauté (idem poêlée).
Cuisson rôtie à la broche : ★
Cuisson rôtie au four avec beurre doux : ★

Cuisson rôtie au four avec beurre salé : ★
Cuisson rôtie au four avec huile végétale : ★
Cuisson rôtie au four avec margarine végétale non salée : ★
Cuisson rôtie au four avec margarine végétale salée : ★
Cuisson rôtie au four avec saindoux ou graisse d'oie ou de canard : ★
Cuisson rôtie au four sans matière grasse ajoutée : ★
Cuisson vapeur : ★
Grillée : ★
Pierrade : ★
Poêlée avec beurre doux
Poêlée avec beurre salé
Poêlée avec huile végétale
Poêlée avec margarine végétale non salée
Poêlée avec margarine végétale salée
Poêlée avec saindoux ou graisse d'oie ou de canard
Poêlée sans matière grasse : ★
Salée et fumée
Séchée : ★
Surgelée : ★

Remarque : pas de poivre ni aucune autre épice sauf le curcuma. Pas de jus de citron en fin de cuisson ni aucun autre acide.

Bouffi : voir « Hareng » section : *Salé et fumé.*

Bouquet : voir « Crevette ».

Bourguignon (bœuf) : voir « Bœuf (viande de) » section : *Cuisson en ragoût.*

Brème : poisson d'eau douce à chair blanche.
Conservée par le sel : ★ ★
Conservée sous vide : ★ ★ ★
Consommation crue
Cuisson à la milanaise avec beurre doux
Cuisson à la milanaise avec beurre salé
Cuisson à la milanaise avec huile végétale
Cuisson à la milanaise avec margarine végétale non salée
Cuisson à la milanaise avec margarine végétale salée

Cuisson à la milanaise avec saindoux ou graisse d'oie ou de canard
Cuisson à la milanaise sans matière grasse : ★★★
Cuisson à l'étouffée avec beurre doux : ★★
Cuisson à l'étouffée avec beurre salé : ★★
Cuisson à l'étouffée avec huile végétale : ★★
Cuisson à l'étouffée avec margarine végétale non salée : ★★
Cuisson à l'étouffée avec margarine végétale salée : ★★
Cuisson à l'étouffée avec saindoux ou graisse d'oie ou de canard : ★★
Cuisson à l'étouffée sans matière grasse : ★★★
Cuisson au court bouillon : ★★★
Cuisson en braisé avec beurre doux : ★★
Cuisson en braisé avec beurre salé : ★★
Cuisson en braisé avec huile végétale : ★★
Cuisson en braisé avec margarine végétale non salée : ★★
Cuisson en braisé avec margarine végétale salée : ★★
Cuisson en braisé avec saindoux ou graisse d'oie ou de canard : ★★
Cuisson en braisé sans matière grasse : ★★★
Cuisson en friture
Cuisson en meunière avec beurre doux
Cuisson en meunière avec beurre salé
Cuisson en meunière avec huile végétale
Cuisson en meunière avec margarine végétale non salée
Cuisson en meunière avec margarine végétale salée
Cuisson en meunière avec saindoux ou graisse d'oie ou de canard
Cuisson en meunière sans matière grasse : ★★★
Cuisson en sauté (idem poêlée).
Cuisson rôtie à la broche : ★★★
Cuisson rôtie au four avec beurre doux : ★★
Cuisson rôtie au four avec beurre salé : ★★
Cuisson rôtie au four avec huile végétale : ★★
Cuisson rôtie au four avec margarine végétale non salée : ★★
Cuisson rôtie au four avec margarine végétale salée : ★★
Cuisson rôtie au four avec saindoux ou graisse d'oie ou de canard : ★★
Cuisson rôtie au four sans matière grasse ajoutée : ★★★
Cuisson vapeur : ★★★

Grillée : ★★★
Pierrade : ★★★
Poêlée avec beurre doux
Poêlée avec beurre salé
Poêlée avec huile végétale
Poêlée avec margarine végétale non salée
Poêlée avec margarine végétale salée
Poêlée avec saindoux ou graisse d'oie ou de canard
Poêlée sans matière grasse : ★★★
Salée et fumée : ★
Séchée : ★★★
Surgelée : ★★★
Remarque : pas de poivre ni aucune autre épice sauf le curcuma. Pas de jus de citron en fin de cuisson ni aucun autre acide.

Brochet : poisson d'eau douce à chair blanche.
Conservé par le sel : ★★
Conservé sous vide : ★★★
Consommation cru
Cuisson à la milanaise avec beurre doux
Cuisson à la milanaise avec beurre salé
Cuisson à la milanaise avec huile végétale
Cuisson à la milanaise avec margarine végétale non salée
Cuisson à la milanaise avec margarine végétale salée
Cuisson à la milanaise avec saindoux ou graisse d'oie ou de canard
Cuisson à la milanaise sans matière grasse : ★★★
Cuisson à l'étouffée avec beurre doux : ★★
Cuisson à l'étouffée avec beurre salé : ★★
Cuisson à l'étouffée avec huile végétale : ★★
Cuisson à l'étouffée avec margarine végétale non salée : ★★
Cuisson à l'étouffée avec margarine végétale salée : ★★
Cuisson à l'étouffée avec saindoux ou graisse d'oie ou de canard : ★★
Cuisson à l'étouffée sans matière grasse : ★★★
Cuisson au court bouillon : ★★★
Cuisson en braisé avec beurre doux : ★★
Cuisson en braisé avec beurre salé : ★★
Cuisson en braisé avec huile végétale : ★★

Cuisson en braisé avec margarine végétale non salée : ★★
Cuisson en braisé avec margarine végétale salée : ★★
Cuisson en braisé avec saindoux ou graisse d'oie ou de canard :
★★
Cuisson en braisé sans matière grasse : ★★★
Cuisson en friture
Cuisson en meunière avec beurre doux
Cuisson en meunière avec beurre salé
Cuisson en meunière avec huile végétale
Cuisson en meunière avec margarine végétale non salée
Cuisson en meunière avec margarine végétale salée
Cuisson en meunière avec saindoux ou graisse d'oie ou de canard
Cuisson en meunière sans matière grasse : ★★★
Cuisson en sauté (idem poêlé).
Cuisson rôti à la broche : ★★★
Cuisson rôti au four avec beurre doux : ★★
Cuisson rôti au four avec beurre salé : ★★
Cuisson rôti au four avec huile végétale : ★★
Cuisson rôti au four avec margarine végétale non salée : ★★
Cuisson rôti au four avec margarine végétale salée : ★★
Cuisson rôti au four avec saindoux ou graisse d'oie ou de canard : ★★
Cuisson rôti au four sans matière grasse ajoutée : ★★★
Cuisson vapeur : ★★★
Grillé : ★★★
Pierrade : ★★★
Poêlé avec beurre doux
Poêlé avec beurre salé
Poêlé avec huile végétale
Poêlé avec margarine végétale non salée
Poêlé avec margarine végétale salée
Poêlé avec saindoux ou graisse d'oie ou de canard
Poêlé sans matière grasse : ★★★
Salé et fumé : ★
Séché : ★★★
Surgelé : ★★★
Remarque : pas de poivre ni aucune autre épice sauf le curcuma. Pas de jus de citron en fin de cuisson ni aucun autre acide.

Brugnon : fruit du brugnonier.
A l'anglaise : ★★
Au sirop : ★★
Au sirop léger : ★★★
Confit : ★★
Conserve au naturel : ★★★
Conservé dans l'alcool
Conservé sous vide : ★★★
Consommation cru : ★★★
En beignet
En compote (avec sucre ajouté) : ★★★
En compote sans sucre ajouté : ★★★
En confiture : ★★
En confiture allégée en sucre : ★★
En confiture sans sucre : ★★★
Flambé (brugnon poché) : ★
Fraîchement récolté : ★★★
Poché sans sucre : ★★★
Séché : ★★★★
Surgelé : ★★★

Buffle : voir « Bœuf (viande de) ».

Bulot : voir « Bigorneau ».

C

Cabillaud : poisson marin à chair blanche.
Conservé par le sel : ★★
Conservé sous vide : ★★★
Consommation cru
Cuisson à la milanaise avec beurre doux
Cuisson à la milanaise avec beurre salé
Cuisson à la milanaise avec huile végétale
Cuisson à la milanaise avec margarine végétale non salée
Cuisson à la milanaise avec margarine végétale salée

Cuisson à la milanaise avec saindoux ou graisse d'oie ou de canard
Cuisson à la milanaise sans matière grasse : ★★★
Cuisson à l'étouffée avec beurre doux : ★★
Cuisson à l'étouffée avec beurre salé : ★★
Cuisson à l'étouffée avec huile végétale : ★★
Cuisson à l'étouffée avec margarine végétale non salée : ★★
Cuisson à l'étouffée avec margarine végétale salée : ★★
Cuisson à l'étouffée avec saindoux ou graisse d'oie ou de canard : ★★
Cuisson à l'étouffée sans matière grasse : ★★★
Cuisson au court bouillon : ★★★
Cuisson en braisé avec beurre doux : ★★
Cuisson en braisé avec beurre salé : ★★
Cuisson en braisé avec huile végétale : ★★
Cuisson en braisé avec margarine végétale non salée : ★★
Cuisson en braisé avec margarine végétale salée : ★★
Cuisson en braisé avec saindoux ou graisse d'oie ou de canard : ★★
Cuisson en braisé sans matière grasse : ★★★
Cuisson en friture
Cuisson en meunière avec beurre doux
Cuisson en meunière avec beurre salé
Cuisson en meunière avec huile végétale
Cuisson en meunière avec margarine végétale non salée
Cuisson en meunière avec margarine végétale salée
Cuisson en meunière avec saindoux ou graisse d'oie ou de canard
Cuisson en meunière sans matière grasse : ★★★
Cuisson en sauté (idem poêlé).
Cuisson rôti à la broche : ★★★
Cuisson rôti au four avec beurre doux : ★★
Cuisson rôti au four avec beurre salé : ★★
Cuisson rôti au four avec huile végétale : ★★
Cuisson rôti au four avec margarine végétale non salée : ★★
Cuisson rôti au four avec margarine végétale salée : ★★
Cuisson rôti au four avec saindoux ou graisse d'oie ou de canard : ★★
Cuisson rôti au four sans matière grasse ajoutée : ★★★
Cuisson vapeur : ★★★

Grillé : ★★★
Pierrade : ★★★
Poêlé avec beurre doux
Poêlé avec beurre salé
Poêlé avec huile végétale
Poêlé avec margarine végétale non salée
Poêlé avec margarine végétale salée
Poêlé avec saindoux ou graisse d'oie ou de canard
Poêlé sans matière grasse : ★★★
Salé et fumé : ★
Séché : ★★★
Surgelé : ★★★
Remarque : pas de poivre ni aucune autre épice sauf le curcuma. Pas de jus de citron en fin de cuisson ni aucun autre acide.

Cabot : voir « Chevaine ».

Caille : petit oiseau migrateur voisin de la perdrix. Gibier.
Conservée par le sel : ★★
Conservée sous vide : ★★★
Consommation crue
Cuisson à la milanaise avec beurre doux
Cuisson à la milanaise avec beurre salé
Cuisson à la milanaise avec huile végétale
Cuisson à la milanaise avec margarine végétale non salée
Cuisson à la milanaise avec margarine végétale salée
Cuisson à la milanaise avec saindoux ou graisse d'oie ou de canard
Cuisson à la milanaise sans matière grasse : ★★★
Cuisson à l'étouffée avec beurre doux : ★★
Cuisson à l'étouffée avec beurre salé : ★★
Cuisson à l'étouffée avec huile végétale : ★★
Cuisson à l'étouffée avec margarine végétale non salée : ★★
Cuisson à l'étouffée avec margarine végétale salée : ★★
Cuisson à l'étouffée avec saindoux ou graisse d'oie ou de canard : ★★
Cuisson à l'étouffée sans matière grasse : ★★★
Cuisson au court bouillon : ★★★
Cuisson en braisé avec beurre doux : ★★

Cuisson en braisé avec beurre salé : ★★
Cuisson en braisé avec huile végétale : ★★
Cuisson en braisé avec margarine végétale non salée : ★★
Cuisson en braisé avec margarine végétale salée : ★★
Cuisson en braisé avec saindoux ou graisse d'oie ou de canard :
★★
Cuisson en braisé sans matière grasse : ★★★
Cuisson en friture
Cuisson en meunière avec beurre doux
Cuisson en meunière avec beurre salé
Cuisson en meunière avec huile végétale
Cuisson en meunière avec margarine végétale non salée
Cuisson en meunière avec margarine végétale salée
Cuisson en meunière avec saindoux ou graisse d'oie ou de canard
Cuisson en meunière sans matière grasse : ★★★
Cuisson en ragoût avec beurre doux
Cuisson en ragoût avec beurre salé
Cuisson en ragoût avec huile végétale
Cuisson en ragoût avec margarine végétale non salée
Cuisson en ragoût avec margarine végétale salée
Cuisson en ragoût avec saindoux ou graisse d'oie ou de canard
Cuisson en sauté (idem poêlée).
Cuisson rôtie à la broche : ★★★
Cuisson rôtie au four avec beurre doux : ★★
Cuisson rôtie au four avec beurre salé : ★★
Cuisson rôtie au four avec huile végétale : ★★
Cuisson rôtie au four avec margarine végétale non salée : ★★
Cuisson rôtie au four avec margarine végétale salée : ★★
Cuisson rôtie au four avec saindoux ou graisse d'oie ou de canard : ★★
Cuisson rôtie au four sans matière grasse ajoutée : ★★★
Cuisson vapeur : ★★★
Faisandée
Grillée : ★★★
Pierrade : ★★★
Poêlée avec beurre doux
Poêlée avec beurre salé
Poêlée avec huile végétale
Poêlée avec margarine végétale non salée

Poêlée avec margarine végétale salée
Poêlée avec saindoux ou graisse d'oie ou de canard
Poêlée sans matière grasse : ★★★
Salée et fumée : ★
Séchée : ★★★
Surgelée : ★★★
Remarque : pas de poivre ni aucune autre épice sauf le curcuma. Pas de jus de citron en fin de cuisson ni aucun autre acide.

Calamar : mollusque marin, dont l'encornet est très apprécié pour sa chair.
Conservé par le sel : ★★
Conservé sous vide : ★★★
Consommation cru
Cuisson à la milanaise avec beurre doux
Cuisson à la milanaise avec beurre salé
Cuisson à la milanaise avec huile végétale
Cuisson à la milanaise avec margarine végétale non salée
Cuisson à la milanaise avec margarine végétale salée
Cuisson à la milanaise avec saindoux ou graisse d'oie ou de canard
Cuisson à la milanaise sans matière grasse : ★★★
Cuisson à l'étouffée avec beurre doux : ★★
Cuisson à l'étouffée avec beurre salé : ★★
Cuisson à l'étouffée avec huile végétale : ★★
Cuisson à l'étouffée avec margarine végétale non salée : ★★
Cuisson à l'étouffée avec margarine végétale salée : ★★
Cuisson à l'étouffée avec saindoux ou graisse d'oie ou de canard : ★★
Cuisson à l'étouffée sans matière grasse : ★★★
Cuisson au court bouillon : ★★★
Cuisson en braisé avec beurre doux : ★★
Cuisson en braisé avec beurre salé : ★★
Cuisson en braisé avec huile végétale : ★★
Cuisson en braisé avec margarine végétale non salée : ★★
Cuisson en braisé avec margarine végétale salée : ★★
Cuisson en braisé avec saindoux ou graisse d'oie ou de canard : ★★
Cuisson en braisé sans matière grasse : ★★★

Cuisson en beignet
Cuisson en friture
Cuisson en meunière avec beurre doux
Cuisson en meunière avec beurre salé
Cuisson en meunière avec huile végétale
Cuisson en meunière avec margarine végétale non salée
Cuisson en meunière avec margarine végétale salée
Cuisson en meunière avec saindoux ou graisse d'oie ou de canard
Cuisson en meunière sans matière grasse : ★★★
Cuisson en ragoût avec beurre doux
Cuisson en ragoût avec beurre salé
Cuisson en ragoût avec huile végétale
Cuisson en ragoût avec margarine végétale non salée
Cuisson en ragoût avec margarine végétale salée
Cuisson en ragoût avec saindoux ou graisse d'oie ou de canard
Cuisson en sauté (idem poêlé).
Cuisson rôti au four avec beurre doux : ★★
Cuisson rôti au four avec beurre salé : ★★
Cuisson rôti au four avec huile végétale : ★★
Cuisson rôti au four avec margarine végétale non salée : ★★
Cuisson rôti au four avec margarine végétale salée : ★★
Cuisson rôti au four avec saindoux ou graisse d'oie ou de canard : ★★
Cuisson rôti au four sans matière grasse ajoutée : ★★★
Cuisson vapeur : ★★★
Grillé : ★★★
Pierrade : ★★★
Poêlé avec beurre doux
Poêlé avec beurre salé
Poêlé avec huile végétale
Poêlé avec margarine végétale non salée
Poêlé avec margarine végétale salée
Poêlé avec saindoux ou graisse d'oie ou de canard
Poêlé sans matière grasse : ★★★
Salé et fumé : ★
Séché : ★★★
Surgelé : ★★★

Canard (viande de)

Remarque : pas de poivre ni aucune autre épice sauf le curcuma. Pas de jus de citron en fin de cuisson ni aucun autre acide.

Canard (viande de) : oiseau palmipède comestible. Volaille.
Conservée par le sel : ★★
Conservée sous vide : ★★★
Consommation crue
Cuisson à la milanaise avec beurre doux
Cuisson à la milanaise avec beurre salé
Cuisson à la milanaise avec huile végétale
Cuisson à la milanaise avec margarine végétale non salée
Cuisson à la milanaise avec margarine végétale salée
Cuisson à la milanaise avec saindoux ou graisse d'oie ou de canard
Cuisson à la milanaise sans matière grasse : ★★★
Cuisson à l'étouffée avec beurre doux : ★★
Cuisson à l'étouffée avec beurre salé : ★★
Cuisson à l'étouffée avec huile végétale : ★★
Cuisson à l'étouffée avec margarine végétale non salée : ★★
Cuisson à l'étouffée avec margarine végétale salée : ★★
Cuisson à l'étouffée avec saindoux ou graisse d'oie ou de canard : ★★
Cuisson à l'étouffée sans matière grasse : ★★★
Cuisson au court bouillon : ★★★
Cuisson en braisé avec beurre doux : ★★
Cuisson en braisé avec beurre salé : ★★
Cuisson en braisé avec huile végétale : ★★
Cuisson en braisé avec margarine végétale non salée : ★★
Cuisson en braisé avec margarine végétale salée : ★★
Cuisson en braisé avec saindoux ou graisse d'oie ou de canard : ★★
Cuisson en braisé sans matière grasse : ★★★
Cuisson en friture
Cuisson en meunière avec beurre doux
Cuisson en meunière avec beurre salé
Cuisson en meunière avec huile végétale
Cuisson en meunière avec margarine végétale non salée
Cuisson en meunière avec margarine végétale salée

Canard (viande de) - Canard sauvage (viande de)

Cuisson en meunière avec saindoux ou graisse d'oie ou de canard
Cuisson en meunière sans matière grasse : ★★★
Cuisson en ragoût avec beurre doux
Cuisson en ragoût avec beurre salé
Cuisson en ragoût avec huile végétale
Cuisson en ragoût avec margarine végétale non salée
Cuisson en ragoût avec margarine végétale salée
Cuisson en ragoût avec saindoux ou graisse d'oie ou de canard
Cuisson en sauté (idem poêlée).
Cuisson rôtie à la broche : ★★★
Cuisson rôtie au four avec beurre doux : ★★
Cuisson rôtie au four avec beurre salé : ★★
Cuisson rôtie au four avec huile végétale : ★★
Cuisson rôtie au four avec margarine végétale non salée : ★★
Cuisson rôtie au four avec margarine végétale salée : ★★
Cuisson rôtie au four avec saindoux ou graisse d'oie ou de canard : ★★
Cuisson rôtie au four sans matière grasse ajoutée : ★★★
Cuisson vapeur : ★★★
Grillée : ★★★
Pierrade : ★★★
Poêlée avec beurre doux
Poêlée avec beurre salé
Poêlée avec huile végétale
Poêlée avec margarine végétale non salée
Poêlée avec margarine végétale salée
Poêlée avec saindoux ou graisse d'oie ou de canard
Poêlée sans matière grasse : ★★★
Salée et fumée : ★
Séchée : ★★★
Surgelée : ★★★

Remarque : pas de poivre ni aucune autre épice sauf le curcuma. Pas de jus de citron en fin de cuisson ni aucun autre acide.

Canard sauvage (viande de) : oiseau palmipède comestible sauvage. Volaille. Gibier.
Conservée par le sel : ★★
Conservée sous vide : ★★★

Canard sauvage (viande de)

Consommation crue
Cuisson à la milanaise avec beurre doux
Cuisson à la milanaise avec beurre salé
Cuisson à la milanaise avec huile végétale
Cuisson à la milanaise avec margarine végétale non salée
Cuisson à la milanaise avec margarine végétale salée
Cuisson à la milanaise avec saindoux ou graisse d'oie ou de canard
Cuisson à la milanaise sans matière grasse : ★★★
Cuisson à l'étouffée avec beurre doux : ★★
Cuisson à l'étouffée avec beurre salé : ★★
Cuisson à l'étouffée avec huile végétale : ★★
Cuisson à l'étouffée avec margarine végétale non salée : ★★
Cuisson à l'étouffée avec margarine végétale salée : ★★
Cuisson à l'étouffée avec saindoux ou graisse d'oie ou de canard : ★★
Cuisson à l'étouffée sans matière grasse : ★★★
Cuisson au court bouillon : ★★★
Cuisson en braisé avec beurre doux : ★★
Cuisson en braisé avec beurre salé : ★★
Cuisson en braisé avec huile végétale : ★★
Cuisson en braisé avec margarine végétale non salée : ★★
Cuisson en braisé avec margarine végétale salée : ★★
Cuisson en braisé avec saindoux ou graisse d'oie ou de canard : ★★
Cuisson en braisé sans matière grasse : ★★★
Cuisson en friture
Cuisson en meunière avec beurre doux
Cuisson en meunière avec beurre salé
Cuisson en meunière avec huile végétale
Cuisson en meunière avec margarine végétale non salée
Cuisson en meunière avec margarine végétale salée
Cuisson en meunière avec saindoux ou graisse d'oie ou de canard
Cuisson en meunière sans matière grasse : ★★★
Cuisson en ragoût avec beurre doux
Cuisson en ragoût avec beurre salé
Cuisson en ragoût avec huile végétale
Cuisson en ragoût avec margarine végétale non salée
Cuisson en ragoût avec margarine végétale salée

Cuisson en ragoût avec saindoux ou graisse d'oie ou de canard
Cuisson en sauté (idem poêlée).
Cuisson rôtie à la broche : ★★★
Cuisson rôtie au four avec beurre doux : ★★
Cuisson rôtie au four avec beurre salé : ★★
Cuisson rôtie au four avec huile végétale : ★★
Cuisson rôtie au four avec margarine végétale non salée : ★★
Cuisson rôtie au four avec margarine végétale salée : ★★
Cuisson rôtie au four avec saindoux ou graisse d'oie ou de canard : ★★
Cuisson rôtie au four sans matière grasse ajoutée : ★★★
Cuisson vapeur : ★★★
Faisandée
Grillée : ★★★
Pierrade : ★★★
Poêlée avec beurre doux
Poêlée avec beurre salé
Poêlée avec huile végétale
Poêlée avec margarine végétale non salée
Poêlée avec margarine végétale salée
Poêlée avec saindoux ou graisse d'oie ou de canard
Poêlée sans matière grasse : ★★★
Salée et fumée : ★
Séchée : ★★★
Surgelée : ★★★
Remarque : pas de poivre ni aucune autre épice sauf le curcuma. Pas de jus de citron en fin de cuisson ni aucun autre acide.

Cane, canette : voir « Canard (viande de) ».

Canneberge : baie rouge ressemblant à l'airelle. Fruit rouge.
A l'anglaise : ★★
Au sirop : ★★
Au sirop léger : ★★★
Confite : ★★
Conserve au naturel : ★★★
Conservée dans l'alcool
Conservée sous vide : ★★★
Consommation crue : ★★★

En beignet
En compote (avec sucre ajouté) : ★★★
En compote sans sucre ajouté : ★★★
En confiture : ★★
En confiture allégée en sucre : ★★
En confiture sans sucre : ★★★
Fraîchement récoltée : ★★★
Pochée sans sucre : ★★★
Séchée : ★★★★
Surgelée : ★★★

Capelan : poisson marin à chair blanche.
Conservé par le sel : ★★
Conservé sous vide : ★★★
Consommation cru
Cuisson à la milanaise avec beurre doux
Cuisson à la milanaise avec beurre salé
Cuisson à la milanaise avec huile végétale
Cuisson à la milanaise avec margarine végétale non salée
Cuisson à la milanaise avec margarine végétale salée
Cuisson à la milanaise avec saindoux ou graisse d'oie ou de canard
Cuisson à la milanaise sans matière grasse : ★★★
Cuisson à l'étouffée avec beurre doux : ★★
Cuisson à l'étouffée avec beurre salé : ★★
Cuisson à l'étouffée avec huile végétale : ★★
Cuisson à l'étouffée avec margarine végétale non salée : ★★
Cuisson à l'étouffée avec margarine végétale salée : ★★
Cuisson à l'étouffée avec saindoux ou graisse d'oie ou de canard : ★★
Cuisson à l'étouffée sans matière grasse : ★★★
Cuisson au court bouillon : ★★★
Cuisson en braisé avec beurre doux : ★★
Cuisson en braisé avec beurre salé : ★★
Cuisson en braisé avec huile végétale : ★★
Cuisson en braisé avec margarine végétale non salée : ★★
Cuisson en braisé avec margarine végétale salée : ★★
Cuisson en braisé avec saindoux ou graisse d'oie ou de canard : ★★
Cuisson en braisé sans matière grasse : ★★★

Cuisson en friture
Cuisson en meunière avec beurre doux
Cuisson en meunière avec beurre salé
Cuisson en meunière avec huile végétale
Cuisson en meunière avec margarine végétale non salée
Cuisson en meunière avec margarine végétale salée
Cuisson en meunière avec saindoux ou graisse d'oie ou de canard
Cuisson en meunière sans matière grasse : ★★★
Cuisson en sauté (idem poêlé).
Cuisson rôti à la broche : ★★★
Cuisson rôti au four avec beurre doux : ★★
Cuisson rôti au four avec beurre salé : ★★
Cuisson rôti au four avec huile végétale : ★★
Cuisson rôti au four avec margarine végétale non salée : ★★
Cuisson rôti au four avec margarine végétale salée : ★★
Cuisson rôti au four avec saindoux ou graisse d'oie ou de canard : ★★
Cuisson rôti au four sans matière grasse ajoutée : ★★★
Cuisson vapeur : ★★★
Grillé : ★★★
Pierrade : ★★★
Poêlé avec beurre doux
Poêlé avec beurre salé
Poêlé avec huile végétale
Poêlé avec margarine végétale non salée
Poêlé avec margarine végétale salée
Poêlé avec saindoux ou graisse d'oie ou de canard
Poêlé sans matière grasse : ★★★
Salé et fumé : ★
Séché : ★★★
Surgelé : ★★★

Remarque : pas de poivre ni aucune autre épice sauf le curcuma. Pas de jus de citron en fin de cuisson ni aucun autre acide.

Capitaine : poisson marin à chair blanche.
Conservé par le sel : ★★
Conservé sous vide : ★★★
Consommation cru

Cuisson à la milanaise avec beurre doux
Cuisson à la milanaise avec beurre salé
Cuisson à la milanaise avec huile végétale
Cuisson à la milanaise avec margarine végétale non salée
Cuisson à la milanaise avec margarine végétale salée
Cuisson à la milanaise avec saindoux ou graisse d'oie ou de canard
Cuisson à la milanaise sans matière grasse : ★★★
Cuisson à l'étouffée avec beurre doux : ★★
Cuisson à l'étouffée avec beurre salé : ★★
Cuisson à l'étouffée avec huile végétale : ★★
Cuisson à l'étouffée avec margarine végétale non salée : ★★
Cuisson à l'étouffée avec margarine végétale salée : ★★
Cuisson à l'étouffée avec saindoux ou graisse d'oie ou de canard : ★★
Cuisson à l'étouffée sans matière grasse : ★★★
Cuisson au court bouillon : ★★★
Cuisson en braisé avec beurre doux : ★★
Cuisson en braisé avec beurre salé : ★★
Cuisson en braisé avec huile végétale : ★★
Cuisson en braisé avec margarine végétale non salée : ★★
Cuisson en braisé avec margarine végétale salée : ★★
Cuisson en braisé avec saindoux ou graisse d'oie ou de canard : ★★
Cuisson en braisé sans matière grasse : ★★★
Cuisson en friture
Cuisson en meunière avec beurre doux
Cuisson en meunière avec beurre salé
Cuisson en meunière avec huile végétale
Cuisson en meunière avec margarine végétale non salée
Cuisson en meunière avec margarine végétale salée
Cuisson en meunière avec saindoux ou graisse d'oie ou de canard
Cuisson en meunière sans matière grasse : ★★★
Cuisson en sauté (idem poêlé).
Cuisson rôti à la broche : ★★★
Cuisson rôti au four avec beurre doux : ★★
Cuisson rôti au four avec beurre salé : ★★
Cuisson rôti au four avec huile végétale : ★★
Cuisson rôti au four avec margarine végétale non salée : ★★

Cuisson rôti au four avec margarine végétale salée : ★★
Cuisson rôti au four avec saindoux ou graisse d'oie ou de canard : ★★
Cuisson rôti au four sans matière grasse ajoutée : ★★★
Cuisson vapeur : ★★★
Grillé : ★★★
Pierrade : ★★★
Poêlé avec beurre doux
Poêlé avec beurre salé
Poêlé avec huile végétale
Poêlé avec margarine végétale non salée
Poêlé avec margarine végétale salée
Poêlé avec saindoux ou graisse d'oie ou de canard
Poêlé sans matière grasse : ★★★
Salé et fumé : ★
Séché : ★★★
Surgelé : ★★★
Remarque : pas de poivre ni aucune autre épice sauf le curcuma. Pas de jus de citron en fin de cuisson ni aucun autre acide.

Carambole : fruit à chair juteuse et acidulée. Fruit exotique.
A l'anglaise : ★★
Au sirop : ★★
Au sirop léger : ★★★
Confite : ★★
Conserve au naturel : ★★★
Conservée dans l'alcool
Conservée sous vide : ★★★
Consommation crue : ★★★
En beignet
En compote (avec sucre ajouté) : ★★★
En compote sans sucre ajouté : ★★★
En confiture : ★★
En confiture allégée en sucre : ★★
En confiture sans sucre : ★★★
Fraîchement récoltée : ★★★
Pochée sans sucre : ★★★
Séchée : ★★★★
Surgelée : ★★★

Carbonnade : voir « Bœuf (viande de) » section *Cuisson à l'étouffée.*

Cardine : voir « Turbot ».

Cardon : plante potagère dont on consomme la base charnue des feuilles. Légume vert.
Conserve en saumure (eau salée) : ★ ★ ★
Conservé sous vide : ★ ★ ★
Consommation cru
Cuisson à l'étouffée avec beurre doux : ★ ★
Cuisson à l'étouffée avec beurre salé : ★ ★
Cuisson à l'étouffée avec huile végétale : ★ ★
Cuisson à l'étouffée avec margarine végétale non salée : ★ ★
Cuisson à l'étouffée avec margarine végétale salée : ★ ★
Cuisson à l'étouffée avec saindoux ou graisse d'oie ou de canard : ★ ★
Cuisson à l'étouffée sans matière grasse : ★ ★ ★
Cuisson au court bouillon : ★ ★ ★
Cuisson en braisé avec beurre doux : ★ ★
Cuisson en braisé avec beurre salé : ★ ★
Cuisson en braisé avec huile végétale : ★ ★
Cuisson en braisé avec margarine végétale non salée : ★ ★
Cuisson en braisé avec margarine végétale salée : ★ ★
Cuisson en braisé avec saindoux ou graisse d'oie ou de canard : ★ ★
Cuisson en braisé sans matière grasse : ★ ★ ★
Cuisson en friture
Cuisson en papillote : ★ ★ ★
Cuisson en sauté (idem poêlé).
Cuisson vapeur : ★ ★ ★
Poêlé avec beurre doux
Poêlé avec beurre salé
Poêlé avec huile végétale
Poêlé avec margarine végétale non salée
Poêlé avec margarine végétale salée
Poêlé avec saindoux ou graisse d'oie ou de canard
Poêlé sans matière grasse : ★ ★ ★
Potage crème : ★ ★
Potage nature sans matière grasse ajoutée : ★ ★ ★

Potage velouté : ★★
Surgelé : ★★★
**Remarque : pas de poivre ni aucune autre épice sauf le
curcuma. Pas de jus de citron en fin de cuisson ni aucun
autre acide.**

Carotte : plante potagère cultivée pour sa racine comestible.
Légume vert.
Conserve en saumure (eau salée) : ★★★
Conservée sous vide : ★★★
Consommation crue : ★★★
Cuisson à l'étouffée avec beurre doux : ★★
Cuisson à l'étouffée avec beurre salé : ★★
Cuisson à l'étouffée avec huile végétale : ★★
Cuisson à l'étouffée avec margarine végétale non salée : ★★
Cuisson à l'étouffée avec margarine végétale salée : ★★
*Cuisson à l'étouffée avec saindoux ou graisse d'oie ou de
canard :* ★★
Cuisson à l'étouffée sans matière grasse : ★★★
Cuisson au court bouillon : ★★★
Cuisson en braisé avec beurre doux : ★★
Cuisson en braisé avec beurre salé : ★★
Cuisson en braisé avec huile végétale : ★★
Cuisson en braisé avec margarine végétale non salée : ★★
Cuisson en braisé avec margarine végétale salée : ★★
Cuisson en braisé avec saindoux ou graisse d'oie ou de canard :
★★
Cuisson en braisé sans matière grasse : ★★★
Cuisson en friture
Cuisson en papillote : ★★★
Cuisson en ragoût avec beurre doux
Cuisson en ragoût avec beurre salé
Cuisson en ragoût avec huile végétale
Cuisson en ragoût avec margarine végétale non salée
Cuisson en ragoût avec margarine végétale salée
Cuisson en ragoût avec saindoux ou graisse d'oie ou de canard
Cuisson en sauté (idem poêlée).
Cuisson vapeur : ★★★
Poêlée avec beurre doux
Poêlée avec beurre salé

Poêlée avec huile végétale
Poêlée avec margarine végétale non salée
Poêlée avec margarine végétale salée
Poêlée avec saindoux ou graisse d'oie ou de canard
Poêlée sans matière grasse : ★★★
Potage crème : ★★
Potage nature sans matière grasse ajoutée : ★★★
Potage velouté : ★★
Surgelée : ★★★

Remarque : pas de poivre ni aucune autre épice sauf le curcuma. Pas de jus de citron en fin de cuisson ni aucun autre acide.

Carpe : poisson d'eau douce à chair blanche.
Conservée par le sel : ★★
Conservée sous vide : ★★★
Consommation crue
Cuisson à la milanaise avec beurre doux
Cuisson à la milanaise avec beurre salé
Cuisson à la milanaise avec huile végétale
Cuisson à la milanaise avec margarine végétale non salée
Cuisson à la milanaise avec margarine végétale salée
Cuisson à la milanaise avec saindoux ou graisse d'oie ou de canard
Cuisson à la milanaise sans matière grasse : ★★★
Cuisson à l'étouffée avec beurre doux : ★★
Cuisson à l'étouffée avec beurre salé : ★★
Cuisson à l'étouffée avec huile végétale : ★★
Cuisson à l'étouffée avec margarine végétale non salée : ★★
Cuisson à l'étouffée avec margarine végétale salée : ★★
Cuisson à l'étouffée avec saindoux ou graisse d'oie ou de canard : ★★
Cuisson à l'étouffée sans matière grasse : ★★★
Cuisson au court bouillon : ★★★
Cuisson en braisé avec beurre doux : ★★
Cuisson en braisé avec beurre salé : ★★
Cuisson en braisé avec huile végétale : ★★
Cuisson en braisé avec margarine végétale non salée : ★★
Cuisson en braisé avec margarine végétale salée : ★★

Cuisson en braisé avec saindoux ou graisse d'oie ou de canard : ★★

Cuisson en braisé sans matière grasse : ★★★

Cuisson en friture

Cuisson en meunière avec beurre doux

Cuisson en meunière avec beurre salé

Cuisson en meunière avec huile végétale

Cuisson en meunière avec margarine végétale non salée

Cuisson en meunière avec margarine végétale salée

Cuisson en meunière avec saindoux ou graisse d'oie ou de canard

Cuisson en meunière sans matière grasse : ★★★

Cuisson en sauté (idem poêlée).

Cuisson rôtie à la broche : ★★★

Cuisson rôtie au four avec beurre doux : ★★

Cuisson rôtie au four avec beurre salé : ★★

Cuisson rôtie au four avec huile végétale : ★★

Cuisson rôtie au four avec margarine végétale non salée : ★★

Cuisson rôtie au four avec margarine végétale salée : ★★

Cuisson rôtie au four avec saindoux ou graisse d'oie ou de canard : ★★

Cuisson rôtie au four sans matière grasse ajoutée : ★★★

Cuisson vapeur : ★★★

Grillée : ★★★

Pierrade : ★★★

Poêlée avec beurre doux

Poêlée avec beurre salé

Poêlée avec huile végétale

Poêlée avec margarine végétale non salée

Poêlée avec margarine végétale salée

Poêlée avec saindoux ou graisse d'oie ou de canard

Poêlée sans matière grasse : ★★★

Salée et fumée : ★

Séchée : ★★★

Surgelée : ★★★

Remarque : pas de poivre ni aucune autre épice sauf le curcuma. Pas de jus de citron en fin de cuisson ni aucun autre acide.

Carré de porc : voir « Porc (viande de) ».

Carré de veau - Carrelet

Carré de veau : voir « Veau (viande de) ».

Carrelet : poisson marin plat à chair blanche.
Conservé par le sel : ★★
Conservé sous vide : ★★★
Consommation cru
Cuisson à la milanaise avec beurre doux
Cuisson à la milanaise avec beurre salé
Cuisson à la milanaise avec huile végétale
Cuisson à la milanaise avec margarine végétale non salée
Cuisson à la milanaise avec margarine végétale salée
Cuisson à la milanaise avec saindoux ou graisse d'oie ou de canard
Cuisson à la milanaise sans matière grasse : ★★★
Cuisson à l'étouffée avec beurre doux : ★★
Cuisson à l'étouffée avec beurre salé : ★★
Cuisson à l'étouffée avec huile végétale : ★★
Cuisson à l'étouffée avec margarine végétale non salée : ★★
Cuisson à l'étouffée avec margarine végétale salée : ★★
Cuisson à l'étouffée avec saindoux ou graisse d'oie ou de canard : ★★
Cuisson à l'étouffée sans matière grasse : ★★★
Cuisson au court bouillon : ★★★
Cuisson en braisé avec beurre doux : ★★
Cuisson en braisé avec beurre salé : ★★
Cuisson en braisé avec huile végétale : ★★
Cuisson en braisé avec margarine végétale non salée : ★★
Cuisson en braisé avec margarine végétale salée : ★★
Cuisson en braisé avec saindoux ou graisse d'oie ou de canard : ★★
Cuisson en braisé sans matière grasse : ★★★
Cuisson en friture
Cuisson en meunière avec beurre doux
Cuisson en meunière avec beurre salé
Cuisson en meunière avec huile végétale
Cuisson en meunière avec margarine végétale non salée
Cuisson en meunière avec margarine végétale salée
Cuisson en meunière avec saindoux ou graisse d'oie ou de canard
Cuisson en meunière sans matière grasse : ★★★

Cuisson en sauté (idem poêlé).
Cuisson rôti au four avec beurre doux : ★★
Cuisson rôti au four avec beurre salé : ★★
Cuisson rôti au four avec huile végétale : ★★
Cuisson rôti au four avec margarine végétale non salée : ★★
Cuisson rôti au four avec margarine végétale salée : ★★
Cuisson rôti au four avec saindoux ou graisse d'oie ou de canard : ★★
Cuisson rôti au four sans matière grasse ajoutée : ★★★
Cuisson vapeur : ★★★
Grillé : ★★★
Pierrade : ★★★
Poêlé avec beurre doux
Poêlé avec beurre salé
Poêlé avec huile végétale
Poêlé avec margarine végétale non salée
Poêlé avec margarine végétale salée
Poêlé avec saindoux ou graisse d'oie ou de canard
Poêlé sans matière grasse : ★★★
Salé et fumé : ★
Séché : ★★★
Surgelé : ★★★
Remarque : pas de poivre ni aucune autre épice sauf le curcuma. Pas de jus de citron en fin de cuisson ni aucun autre acide.

Cassis : fruit, petite baie noire.
A l'anglaise : ★★
Au sirop : ★★
Au sirop léger : ★★★
Confit : ★★
Conserve au naturel : ★★★★
Conservé dans l'alcool
Conservé sous vide : ★★★★ ★
Consommation cru : ★★★★
En beignet
En compote (avec sucre ajouté) : ★★★
En compote sans sucre ajouté : ★★★
En confiture : ★★
En confiture allégée en sucre : ★★

Cassis - Céleri branche

En confiture sans sucre : ★★★
Fraîchement récolté : ★★★★
Poché sans sucre : ★★★★
Séché : ★★★★
Surgelé : ★★★★

Céleri à couper : voir « Céleri branche ».

Céleri branche : plante potagère dont on consomme les côtes des pétioles. Légume vert.
Conserve en saumure (eau salée) : ★★★
Conservé sous vide : ★★★
Consommation cru : ★★★
Cuisson à l'étouffée avec beurre doux : ★★
Cuisson à l'étouffée avec beurre salé : ★★
Cuisson à l'étouffée avec huile végétale : ★★
Cuisson à l'étouffée avec margarine végétale non salée : ★★
Cuisson à l'étouffée avec margarine végétale salée : ★★
Cuisson à l'étouffée avec saindoux ou graisse d'oie ou de canard : ★★
Cuisson à l'étouffée sans matière grasse : ★★★
Cuisson au court bouillon : ★★★
Cuisson en braisé avec beurre doux : ★★
Cuisson en braisé avec beurre salé : ★★
Cuisson en braisé avec huile végétale : ★★
Cuisson en braisé avec margarine végétale non salée : ★★
Cuisson en braisé avec margarine végétale salée : ★★
Cuisson en braisé avec saindoux ou graisse d'oie ou de canard : ★★
Cuisson en braisé sans matière grasse : ★★★
Cuisson en friture
Cuisson en papillote : ★★★
Cuisson en sauté (idem poêlé).
Cuisson vapeur : ★★★
Déshydraté : ★★★
Poêlé avec beurre doux
Poêlé avec beurre salé
Poêlé avec huile végétale
Poêlé avec margarine végétale non salée
Poêlé avec margarine végétale salée

Poêlé avec saindoux ou graisse d'oie ou de canard
Poêlé sans matière grasse : ★★★
Potage crème : ★★
Potage nature sans matière grasse ajoutée : ★★★
Potage velouté : ★★
Surgelé : ★★★
Remarque : pas de poivre ni aucune autre épice sauf le curcuma. Pas de jus de citron en fin de cuisson ni aucun autre acide.

Céleri-rave : plante potagère, variété de céleri dont on consomme la base charnue. Légume vert.
Conserve en saumure (eau salée) : ★★★
Conservé sous vide : ★★★
Consommation cru : ★★★
Cuisson à la milanaise avec beurre doux
Cuisson à la milanaise avec beurre salé
Cuisson à la milanaise avec huile végétale
Cuisson à la milanaise avec margarine végétale non salée
Cuisson à la milanaise avec margarine végétale salée
Cuisson à la milanaise avec saindoux ou graisse d'oie ou de canard
Cuisson à la milanaise sans matière grasse : ★★★
Cuisson à l'étouffée avec beurre doux : ★★
Cuisson à l'étouffée avec beurre salé : ★★
Cuisson à l'étouffée avec huile végétale : ★★
Cuisson à l'étouffée avec margarine végétale non salée : ★★
Cuisson à l'étouffée avec margarine végétale salée : ★★
Cuisson à l'étouffée avec saindoux ou graisse d'oie ou de canard : ★★
Cuisson à l'étouffée sans matière grasse : ★★★
Cuisson au court bouillon : ★★★
Cuisson en braisé avec beurre doux : ★★
Cuisson en braisé avec beurre salé : ★★
Cuisson en braisé avec huile végétale : ★★
Cuisson en braisé avec margarine végétale non salée : ★★
Cuisson en braisé avec margarine végétale salée : ★★
Cuisson en braisé avec saindoux ou graisse d'oie ou de canard : ★★
Cuisson en braisé sans matière grasse : ★★★

Cuisson en friture
Cuisson en meunière avec beurre doux
Cuisson en meunière avec beurre salé
Cuisson en meunière avec huile végétale
Cuisson en meunière avec margarine végétale non salée
Cuisson en meunière avec margarine végétale salée
Cuisson en meunière avec saindoux ou graisse d'oie ou de canard
Cuisson en meunière sans matière grasse : ★★★
Cuisson en papillote : ★★★
Cuisson en ragoût avec beurre doux
Cuisson en ragoût avec beurre salé
Cuisson en ragoût avec huile végétale
Cuisson en ragoût avec margarine végétale non salée
Cuisson en ragoût avec margarine végétale salée
Cuisson en ragoût avec saindoux ou graisse d'oie ou de canard
Cuisson en sauté (idem poêlé).
Cuisson vapeur : ★★★
Déshydraté : ★★★
Pierrade : ★★★
Poêlé avec beurre doux
Poêlé avec beurre salé
Poêlé avec huile végétale
Poêlé avec margarine végétale non salée
Poêlé avec margarine végétale salée
Poêlé avec saindoux ou graisse d'oie ou de canard
Poêlé sans matière grasse : ★★★
Potage crème : ★★
Potage nature sans matière grasse ajoutée : ★★★
Potage velouté : ★★
Surgelé : ★★★
Remarque : pas de poivre ni aucune autre épice sauf le curcuma. Pas de jus de citron en fin de cuisson ni aucun autre acide.

Cèpe : voir « Champignon ».

Cerf (viande de) : viande rouge, gibier.
Conservée par le sel : ★
Conservée sous vide : ★

Consommation crue
Cuisson à la milanaise avec beurre doux
Cuisson à la milanaise avec beurre salé
Cuisson à la milanaise avec huile végétale
Cuisson à la milanaise avec margarine végétale non salée
Cuisson à la milanaise avec margarine végétale salée
Cuisson à la milanaise avec saindoux ou graisse d'oie ou de canard
Cuisson à la milanaise sans matière grasse : ★
Cuisson à l'étouffée avec beurre doux : ★
Cuisson à l'étouffée avec beurre salé : ★
Cuisson à l'étouffée avec huile végétale : ★
Cuisson à l'étouffée avec margarine végétale non salée : ★
Cuisson à l'étouffée avec margarine végétale salée : ★
Cuisson à l'étouffée avec saindoux ou graisse d'oie ou de canard : ★
Cuisson à l'étouffée sans matière grasse : ★
Cuisson au court bouillon : ★
Cuisson en braisé avec beurre doux : ★
Cuisson en braisé avec beurre salé : ★
Cuisson en braisé avec huile végétale : ★
Cuisson en braisé avec margarine végétale non salée : ★
Cuisson en braisé avec margarine végétale salée : ★
Cuisson en braisé avec saindoux ou graisse d'oie ou de canard : ★
Cuisson en braisé sans matière grasse : ★
Cuisson en friture
Cuisson en meunière avec beurre doux
Cuisson en meunière avec beurre salé
Cuisson en meunière avec huile végétale
Cuisson en meunière avec margarine végétale non salée
Cuisson en meunière avec margarine végétale salée
Cuisson en meunière avec saindoux ou graisse d'oie ou de canard
Cuisson en meunière sans matière grasse : ★
Cuisson en ragoût avec beurre doux
Cuisson en ragoût avec beurre salé
Cuisson en ragoût avec huile végétale
Cuisson en ragoût avec margarine végétale non salée
Cuisson en ragoût avec margarine végétale salée

Cuisson en ragoût avec saindoux ou graisse d'oie ou de canard
Cuisson en sauté (idem poêlée).
Cuisson rôtie à la broche : ★
Cuisson rôtie au four avec beurre doux : ★
Cuisson rôtie au four avec beurre salé : ★
Cuisson rôtie au four avec huile végétale : ★
Cuisson rôtie au four avec margarine végétale non salée : ★
Cuisson rôtie au four avec margarine végétale salée : ★
Cuisson rôtie au four avec saindoux ou graisse d'oie ou de canard : ★
Cuisson rôtie au four sans matière grasse ajoutée : ★
Cuisson vapeur : ★
Faisandée
Grillée : ★
Pierrade : ★
Poêlée avec beurre doux
Poêlée avec beurre salé
Poêlée avec huile végétale
Poêlée avec margarine végétale non salée
Poêlée avec margarine végétale salée
Poêlée avec saindoux ou graisse d'oie ou de canard
Poêlée sans matière grasse : ★
Salée et fumée : ★
Séchée : ★
Surgelée : ★
Remarque : pas de poivre ni aucune autre épice sauf le curcuma. Pas de jus de citron en fin de cuisson ni aucun autre acide.

Cerfeuil : feuille d'une plante aromatique servant de condiment. Légume vert.
Conservé sous vide : ★★★
Consommation cru : ★★★
Consommation cuit : ★★★
Déshydraté : ★★★
Fraîchement récolté : ★★★
Potage : ★★★
Surgelé : ★★★

Cerfeuil tubéreux : variété de cerfeuil dont on consomme la racine. Légume vert.

Conserve en saumure (eau salée) : ★★★
Conservé sous vide : ★★★
Consommation cru : ★★★
Cuisson à l'étouffée avec beurre doux : ★★
Cuisson à l'étouffée avec beurre salé : ★★
Cuisson à l'étouffée avec huile végétale : ★★
Cuisson à l'étouffée avec margarine végétale non salée : ★★
Cuisson à l'étouffée avec margarine végétale salée : ★★
Cuisson à l'étouffée avec saindoux ou graisse d'oie ou de canard : ★★
Cuisson à l'étouffée sans matière grasse : ★★★
Cuisson au court bouillon : ★★★
Cuisson en braisé avec beurre doux : ★★
Cuisson en braisé avec beurre salé : ★★
Cuisson en braisé avec huile végétale : ★★
Cuisson en braisé avec margarine végétale non salée : ★★
Cuisson en braisé avec margarine végétale salée : ★★
Cuisson en braisé avec saindoux ou graisse d'oie ou de canard : ★★
Cuisson en braisé sans matière grasse : ★★★
Cuisson en friture
Cuisson en papillote : ★★★
Cuisson en ragoût avec beurre doux
Cuisson en ragoût avec beurre salé
Cuisson en ragoût avec huile végétale
Cuisson en ragoût avec margarine végétale non salée
Cuisson en ragoût avec margarine végétale salée
Cuisson en ragoût avec saindoux ou graisse d'oie ou de canard
Cuisson en sauté (idem poêlé).
Cuisson vapeur : ★★★
Poêlé avec beurre doux
Poêlé avec beurre salé
Poêlé avec huile végétale
Poêlé avec margarine végétale non salée
Poêlé avec margarine végétale salée
Poêlé avec saindoux ou graisse d'oie ou de canard
Poêlé sans matière grasse : ★★★
Potage crème : ★★

Potage nature sans matière grasse ajoutée : ★★★
Potage velouté : ★★
Surgelé : ★★★
Remarque : pas de poivre ni aucune autre épice sauf le curcuma. Pas de jus de citron en fin de cuisson ni aucun autre acide.

Cerise : fruit du cerisier.
A l'anglaise : ★★
Au sirop : ★★
Au sirop léger : ★★★
Confite : ★★
Conserve au naturel : ★★★
Conservée dans l'alcool
Conservée sous vide : ★★★
Consommation crue : ★★★
En beignet
En compote (avec sucre ajouté) : ★★★
En compote sans sucre ajouté : ★★★
En confiture : ★★
En confiture allégée en sucre : ★★
En confiture sans sucre : ★★★
Flambée (cerise pochée) : ★
Fraîchement récoltée : ★★★
Pochée sans sucre : ★★★
Séchée : ★★★★
Surgelée : ★★★

Cervelle : cerveau de certains animaux destiné à la consommation.
Conservée par le sel : ★★
Conservée sous vide : ★★★
Consommation crue
Cuisson à la milanaise avec beurre doux
Cuisson à la milanaise avec beurre salé
Cuisson à la milanaise avec huile végétale
Cuisson à la milanaise avec margarine végétale non salée
Cuisson à la milanaise avec margarine végétale salée
Cuisson à la milanaise avec saindoux ou graisse d'oie ou de canard

Cuisson à la milanaise sans matière grasse : ★★★
Cuisson à l'étouffée avec beurre doux : ★★
Cuisson à l'étouffée avec beurre salé : ★★
Cuisson à l'étouffée avec huile végétale : ★★
Cuisson à l'étouffée avec margarine végétale non salée : ★★
Cuisson à l'étouffée avec margarine végétale salée : ★★
Cuisson à l'étouffée avec saindoux ou graisse d'oie ou de canard : ★★
Cuisson à l'étouffée sans matière grasse : ★★★
Cuisson au court bouillon : ★★★
Cuisson en beignet
Cuisson en braisé avec beurre doux : ★★
Cuisson en braisé avec beurre salé : ★★
Cuisson en braisé avec huile végétale : ★★
Cuisson en braisé avec margarine végétale non salée : ★★
Cuisson en braisé avec margarine végétale salée : ★★
Cuisson en braisé avec saindoux ou graisse d'oie ou de canard : ★★
Cuisson en braisé sans matière grasse : ★★★
Cuisson en friture
Cuisson en meunière avec beurre doux
Cuisson en meunière avec beurre salé
Cuisson en meunière avec huile végétale
Cuisson en meunière avec margarine végétale non salée
Cuisson en meunière avec margarine végétale salée
Cuisson en meunière avec saindoux ou graisse d'oie ou de canard
Cuisson en meunière sans matière grasse : ★★★
Cuisson en sauté (idem poêlée).
Cuisson rôtie au four avec beurre doux : ★★
Cuisson rôtie au four avec beurre salé : ★★
Cuisson rôtie au four avec huile végétale : ★★
Cuisson rôtie au four avec margarine végétale non salée : ★★
Cuisson rôtie au four avec margarine végétale salée : ★★
Cuisson rôtie au four avec saindoux ou graisse d'oie ou de canard : ★★
Cuisson rôtie au four sans matière grasse ajoutée : ★★★
Cuisson vapeur : ★★★
Pierrade : ★★★
Poêlée avec beurre doux

Poêlée avec beurre salé
Poêlée avec huile végétale
Poêlée avec margarine végétale non salée
Poêlée avec margarine végétale salée
Poêlée avec saindoux ou graisse d'oie ou de canard
Poêlée sans matière grasse : ★★★
Surgelée : ★★★
Remarque : pas de poivre ni aucune autre épice sauf le curcuma. Pas de jus de citron en fin de cuisson ni aucun autre acide.

Céteau : voir « Sole ».

Chabot : poisson d'eau douce à chair blanche.
Conservé par le sel : ★★
Conservé sous vide : ★★★
Consommation cru
Cuisson à la milanaise avec beurre doux
Cuisson à la milanaise avec beurre salé
Cuisson à la milanaise avec huile végétale
Cuisson à la milanaise avec margarine végétale non salée
Cuisson à la milanaise avec margarine végétale salée
Cuisson à la milanaise avec saindoux ou graisse d'oie ou de canard
Cuisson à la milanaise sans matière grasse : ★★★
Cuisson en beignet
Cuisson en friture
Cuisson en meunière avec beurre doux
Cuisson en meunière avec beurre salé
Cuisson en meunière avec huile végétale
Cuisson en meunière avec margarine végétale non salée
Cuisson en meunière avec margarine végétale salée
Cuisson en meunière avec saindoux ou graisse d'oie ou de canard
Cuisson en meunière sans matière grasse : ★★★
Cuisson en sauté (idem poêlé).
Pierrade : ★★★
Poêlé avec beurre doux
Poêlé avec beurre salé
Poêlé avec huile végétale

Poêlé avec margarine végétale non salée
Poêlé avec margarine végétale salée
Poêlé avec saindoux ou graisse d'oie ou de canard
Poêlé sans matière grasse : ★★★
Salé et fumé : ★
Séché : ★★★
Surgelé : ★★★
Remarque : pas de poivre ni aucune autre épice sauf le curcuma. Pas de jus de citron en fin de cuisson ni aucun autre acide.

Champignon : cryptogame sans chlorophylle. Seulement quelques centaines d'entre eux sur plus de 50000 sont comestibles. Légume vert.
Conservé dans du vinaigre
Conserve en saumure (eau salée) : ★★★
Conservé sous vide : ★★★
Consommation cru (uniquement le champignon de Paris) : ★★★
Cuisson à l'étouffée avec beurre doux : ★★
Cuisson à l'étouffée avec beurre salé : ★★
Cuisson à l'étouffée avec huile végétale : ★★
Cuisson à l'étouffée avec margarine végétale non salée : ★★
Cuisson à l'étouffée avec margarine végétale salée : ★★
Cuisson à l'étouffée avec saindoux ou graisse d'oie ou de canard : ★★
Cuisson à l'étouffée sans matière grasse : ★★★
Cuisson au court bouillon : ★★★
Cuisson en beignet
Cuisson en braisé avec beurre doux : ★★
Cuisson en braisé avec beurre salé : ★★
Cuisson en braisé avec huile végétale : ★★
Cuisson en braisé avec margarine végétale non salée : ★★
Cuisson en braisé avec margarine végétale salée : ★★
Cuisson en braisé avec saindoux ou graisse d'oie ou de canard : ★★
Cuisson en braisé sans matière grasse : ★★★
Cuisson en friture
Cuisson en papillote : ★★★
Cuisson en ragoût avec beurre doux

Cuisson en ragoût avec beurre salé
Cuisson en ragoût avec huile végétale
Cuisson en ragoût avec margarine végétale non salée
Cuisson en ragoût avec margarine végétale salée
Cuisson en ragoût avec saindoux ou graisse d'oie ou de canard
Cuisson en sauté (idem poêlé).
Cuisson vapeur : ★★★
Grillé : ★★★
Pierrade : ★★★
Poêlé avec beurre doux
Poêlé avec beurre salé
Poêlé avec huile végétale
Poêlé avec margarine végétale non salée
Poêlé avec margarine végétale salée
Poêlé avec saindoux ou graisse d'oie ou de canard
Poêlé sans matière grasse : ★★★
Potage crème : ★★
Potage nature sans matière grasse ajoutée : ★★★
Potage velouté : ★★
Séché : ★★★
Surgelé : ★★★

Remarque : pas de poivre ni aucune autre épice sauf le curcuma. Pas de jus de citron en fin de cuisson ni aucun autre acide.

Champignon de Paris : voir « Champignon ».

Chanterelle : voir « Champignon ».

Chapon : voir « Poulet ».

Châtaigne : fruit du châtaigner, riche en amidon. Féculent.
A l'anglaise : ★★
Confite : ★★
Conserve au naturel : ★★★
Conservée sous vide : ★★★
Consommation crue
Grillée : ★★★
En confiture : ★★
En confiture allégée en sucre : ★★

84

En confiture sans sucre : ★★★
Fraîchement récoltée : ★★★
Pochée sans sucre : ★★★
Potage crème : ★★
Potage nature sans matière grasse ajoutée : ★★★
Potage velouté : ★★
Surgelée : ★★★

Chateaubriand : voir « Bœuf (viande de) ».

Chatrou : voir « Poulpe ».

Chevaine : poisson d'eau douce à chair blanche.
Conservé par le sel : ★★
Conservé sous vide : ★★★
Consommation cru
Cuisson à la milanaise avec beurre doux
Cuisson à la milanaise avec beurre salé
Cuisson à la milanaise avec huile végétale
Cuisson à la milanaise avec margarine végétale non salée
Cuisson à la milanaise avec margarine végétale salée
Cuisson à la milanaise avec saindoux ou graisse d'oie ou de canard
Cuisson à la milanaise sans matière grasse : ★★★
Cuisson à l'étouffée avec beurre doux : ★★
Cuisson à l'étouffée avec beurre salé : ★★
Cuisson à l'étouffée avec huile végétale : ★★
Cuisson à l'étouffée avec margarine végétale non salée : ★★
Cuisson à l'étouffée avec margarine végétale salée : ★★
Cuisson à l'étouffée avec saindoux ou graisse d'oie ou de canard : ★★
Cuisson à l'étouffée sans matière grasse : ★★★
Cuisson au court bouillon : ★★★
Cuisson en braisé avec beurre doux : ★★
Cuisson en braisé avec beurre salé : ★★
Cuisson en braisé avec huile végétale : ★★
Cuisson en braisé avec margarine végétale non salée : ★★
Cuisson en braisé avec margarine végétale salée : ★★
Cuisson en braisé avec saindoux ou graisse d'oie ou de canard : ★★

Chevaine - Cheval (viande de)

Cuisson en braisé sans matière grasse : ★★★
Cuisson en friture
Cuisson en meunière avec beurre doux
Cuisson en meunière avec beurre salé
Cuisson en meunière avec huile végétale
Cuisson en meunière avec margarine végétale non salée
Cuisson en meunière avec margarine végétale salée
Cuisson en meunière avec saindoux ou graisse d'oie ou de canard
Cuisson en meunière sans matière grasse : ★★★
Cuisson en sauté (idem poêlé).
Cuisson rôti à la broche : ★★★
Cuisson rôti au four avec beurre doux : ★★
Cuisson rôti au four avec beurre salé : ★★
Cuisson rôti au four avec huile végétale : ★★
Cuisson rôti au four avec margarine végétale non salée : ★★
Cuisson rôti au four avec margarine végétale salée : ★★
Cuisson rôti au four avec saindoux ou graisse d'oie ou de canard : ★★
Cuisson rôti au four sans matière grasse ajoutée : ★★★
Cuisson vapeur : ★★★
Grillé : ★★★
Pierrade : ★★★
Poêlé avec beurre doux
Poêlé avec beurre salé
Poêlé avec huile végétale
Poêlé avec margarine végétale non salée
Poêlé avec margarine végétale salée
Poêlé avec saindoux ou graisse d'oie ou de canard
Poêlé sans matière grasse : ★★★
Salé et fumé : ★
Séché : ★★★
Surgelé : ★★★

Remarque : pas de poivre ni aucune autre épice sauf le curcuma. Pas de jus de citron en fin de cuisson ni aucun autre acide.

Cheval (viande de) : viande rouge, viande de boucherie.
Conservée par le sel : ★
Conservée sous vide : ★

Consommation crue
Cuisson à la milanaise avec beurre doux
Cuisson à la milanaise avec beurre salé
Cuisson à la milanaise avec huile végétale
Cuisson à la milanaise avec margarine végétale non salée
Cuisson à la milanaise avec margarine végétale salée
Cuisson à la milanaise avec saindoux ou graisse d'oie ou de canard
Cuisson à la milanaise sans matière grasse : ★
Cuisson à l'étouffée avec beurre doux : ★
Cuisson à l'étouffée avec beurre salé : ★
Cuisson à l'étouffée avec huile végétale : ★
Cuisson à l'étouffée avec margarine végétale non salée : ★
Cuisson à l'étouffée avec margarine végétale salée : ★
Cuisson à l'étouffée avec saindoux ou graisse d'oie ou de canard : ★
Cuisson à l'étouffée sans matière grasse : ★
Cuisson au court bouillon : ★
Cuisson en braisé avec beurre doux : ★
Cuisson en braisé avec beurre salé : ★
Cuisson en braisé avec huile végétale : ★
Cuisson en braisé avec margarine végétale non salée : ★
Cuisson en braisé avec margarine végétale salée : ★
Cuisson en braisé avec saindoux ou graisse d'oie ou de canard : ★
Cuisson en braisé sans matière grasse : ★
Cuisson en friture
Cuisson en meunière avec beurre doux
Cuisson en meunière avec beurre salé
Cuisson en meunière avec huile végétale
Cuisson en meunière avec margarine végétale non salée
Cuisson en meunière avec margarine végétale salée
Cuisson en meunière avec saindoux ou graisse d'oie ou de canard
Cuisson en meunière sans matière grasse : ★
Cuisson en ragoût avec beurre doux
Cuisson en ragoût avec beurre salé
Cuisson en ragoût avec huile végétale
Cuisson en ragoût avec margarine végétale non salée
Cuisson en ragoût avec margarine végétale salée

Cuisson en ragoût avec saindoux ou graisse d'oie ou de canard
Cuisson en sauté (idem poêlée).
Cuisson rôtie à la broche : ★
Cuisson rôtie au four avec beurre doux : ★
Cuisson rôtie au four avec beurre salé : ★
Cuisson rôtie au four avec huile végétale : ★
Cuisson rôtie au four avec margarine végétale non salée : ★
Cuisson rôtie au four avec margarine végétale salée : ★
Cuisson rôtie au four avec saindoux ou graisse d'oie ou de canard : ★
Cuisson rôtie au four sans matière grasse ajoutée : ★
Cuisson vapeur : ★
Grillée : ★
Pierrade : ★
Poêlée avec beurre doux
Poêlée avec beurre salé
Poêlée avec huile végétale
Poêlée avec margarine végétale non salée
Poêlée avec margarine végétale salée
Poêlée avec saindoux ou graisse d'oie ou de canard
Poêlée sans matière grasse : ★
Salée et fumée : ★
Séchée : ★
Surgelée : ★

Remarque : pas de poivre ni aucune autre épice sauf le curcuma. Pas de jus de citron en fin de cuisson ni aucun autre acide.

Chevreuil (viande de) : viande rouge et gibier.
Conservée par le sel : ★
Conservée sous vide : ★
Consommation crue
Cuisson à la milanaise avec beurre doux
Cuisson à la milanaise avec beurre salé
Cuisson à la milanaise avec huile végétale
Cuisson à la milanaise avec margarine végétale non salée
Cuisson à la milanaise avec margarine végétale salée
Cuisson à la milanaise avec saindoux ou graisse d'oie ou de canard
Cuisson à la milanaise sans matière grasse : ★

Cuisson à l'étouffée avec beurre doux : ★
Cuisson à l'étouffée avec beurre salé : ★
Cuisson à l'étouffée avec huile végétale : ★
Cuisson à l'étouffée avec margarine végétale non salée : ★
Cuisson à l'étouffée avec margarine végétale salée : ★
Cuisson à l'étouffée avec saindoux ou graisse d'oie ou de canard : ★
Cuisson à l'étouffée sans matière grasse : ★
Cuisson au court bouillon : ★
Cuisson en braisé avec beurre doux : ★
Cuisson en braisé avec beurre salé : ★
Cuisson en braisé avec huile végétale : ★
Cuisson en braisé avec margarine végétale non salée : ★
Cuisson en braisé avec margarine végétale salée : ★
Cuisson en braisé avec saindoux ou graisse d'oie ou de canard : ★
Cuisson en braisé sans matière grasse : ★
Cuisson en friture
Cuisson en meunière avec beurre doux
Cuisson en meunière avec beurre salé
Cuisson en meunière avec huile végétale
Cuisson en meunière avec margarine végétale non salée
Cuisson en meunière avec margarine végétale salée
Cuisson en meunière avec saindoux ou graisse d'oie ou de canard
Cuisson en meunière sans matière grasse : ★
Cuisson en ragoût avec beurre doux
Cuisson en ragoût avec beurre salé
Cuisson en ragoût avec huile végétale
Cuisson en ragoût avec margarine végétale non salée
Cuisson en ragoût avec margarine végétale salée
Cuisson en ragoût avec saindoux ou graisse d'oie ou de canard
Cuisson en sauté (idem poêlée).
Cuisson rôtie à la broche : ★
Cuisson rôtie au four avec beurre doux : ★
Cuisson rôtie au four avec beurre salé : ★
Cuisson rôtie au four avec huile végétale : ★
Cuisson rôtie au four avec margarine végétale non salée : ★
Cuisson rôtie au four avec margarine végétale salée : ★

Cuisson rôtie au four avec saindoux ou graisse d'oie ou de canard : ★
Cuisson rôtie au four sans matière grasse ajoutée : ★
Cuisson vapeur : ★
Faisandée
Grillée : ★
Pierrade : ★
Poêlée avec beurre doux
Poêlée avec beurre salé
Poêlée avec huile végétale
Poêlée avec margarine végétale non salée
Poêlée avec margarine végétale salée
Poêlée avec saindoux ou graisse d'oie ou de canard
Poêlée sans matière grasse : ★
Salée et fumée : ★
Séchée : ★
Surgelée : ★
Remarque : pas de poivre ni aucune autre épice sauf le curcuma. Pas de jus de citron en fin de cuisson ni aucun autre acide.

Chinchard : poisson gras marin.
Conservé par le sel : ★
Conservé sous vide : ★
Consommation cru
Cuisson à la milanaise avec beurre doux
Cuisson à la milanaise avec beurre salé
Cuisson à la milanaise avec huile végétale
Cuisson à la milanaise avec margarine végétale non salée
Cuisson à la milanaise avec margarine végétale salée
Cuisson à la milanaise avec saindoux ou graisse d'oie ou de canard
Cuisson à la milanaise sans matière grasse : ★
Cuisson à l'étouffée avec beurre doux : ★
Cuisson à l'étouffée avec beurre salé : ★
Cuisson à l'étouffée avec huile végétale : ★
Cuisson à l'étouffée avec margarine végétale non salée : ★
Cuisson à l'étouffée avec margarine végétale salée : ★
Cuisson à l'étouffée avec saindoux ou graisse d'oie ou de canard : ★

Cuisson à l'étouffée sans matière grasse : ✶
Cuisson au court bouillon : ✶
Cuisson en braisé avec beurre doux : ✶
Cuisson en braisé avec beurre salé : ✶
Cuisson en braisé avec huile végétale : ✶
Cuisson en braisé avec margarine végétale non salée : ✶
Cuisson en braisé avec margarine végétale salée : ✶
Cuisson en braisé avec saindoux ou graisse d'oie ou de canard : ✶
Cuisson en braisé sans matière grasse : ✶
Cuisson en friture
Cuisson en meunière avec beurre doux
Cuisson en meunière avec beurre salé
Cuisson en meunière avec huile végétale
Cuisson en meunière avec margarine végétale non salée
Cuisson en meunière avec margarine végétale salée
Cuisson en meunière avec saindoux ou graisse d'oie ou de canard
Cuisson en meunière sans matière grasse : ✶
Cuisson en sauté (idem poêlé).
Cuisson rôti à la broche : ✶
Cuisson rôti au four avec beurre doux : ✶
Cuisson rôti au four avec beurre salé : ✶
Cuisson rôti au four avec huile végétale : ✶
Cuisson rôti au four avec margarine végétale non salée : ✶
Cuisson rôti au four avec margarine végétale salée : ✶
Cuisson rôti au four avec saindoux ou graisse d'oie ou de canard : ✶
Cuisson rôti au four sans matière grasse ajoutée : ✶
Cuisson vapeur : ✶
Grillé : ✶
Pierrade : ✶
Poêlé avec beurre doux
Poêlé avec beurre salé
Poêlé avec huile végétale
Poêlé avec margarine végétale non salée
Poêlé avec margarine végétale salée
Poêlé avec saindoux ou graisse d'oie ou de canard
Poêlé sans matière grasse : ✶
Salé et fumé

Séché : ★
Surgelé : ★
Remarque : pas de poivre ni aucune autre épice sauf le curcuma. Pas de jus de citron en fin de cuisson ni aucun autre acide.

Chipolata : voir « Porc (viande de)».

Chou brocoli : chou dont on consomme l'inflorescence centrale.
Conservé dans du vinaigre
Conserve en saumure (eau salée) : ★★★
Conservé sous vide : ★★★
Consommation cru
Cuisson à l'étouffée avec beurre doux : ★★
Cuisson à l'étouffée avec beurre salé : ★★
Cuisson à l'étouffée avec huile végétale : ★★
Cuisson à l'étouffée avec margarine végétale non salée : ★★
Cuisson à l'étouffée avec margarine végétale salée : ★★
Cuisson à l'étouffée avec saindoux ou graisse d'oie ou de canard : ★★
Cuisson à l'étouffée sans matière grasse : ★★★
Cuisson au court bouillon : ★★★
Cuisson en braisé avec beurre doux : ★★
Cuisson en braisé avec beurre salé : ★★
Cuisson en braisé avec huile végétale : ★★
Cuisson en braisé avec margarine végétale non salée : ★★
Cuisson en braisé avec margarine végétale salée : ★★
Cuisson en braisé avec saindoux ou graisse d'oie ou de canard : ★★
Cuisson en braisé sans matière grasse : ★★★
Cuisson en friture
Cuisson papillote : ★★★
Cuisson en sauté (idem poêlé).
Cuisson vapeur : ★★★
Poêlé avec beurre doux
Poêlé avec beurre salé
Poêlé avec huile végétale
Poêlé avec margarine végétale non salée
Poêlé avec margarine végétale salée

Poêlé avec saindoux ou graisse d'oie ou de canard
Poêlé sans matière grasse : ★★★
Potage crème : ★★
Potage nature sans matière grasse ajoutée : ★★★
Potage velouté : ★★
Surgelé : ★★★
Remarque : pas de poivre ni aucune autre épice sauf le curcuma. Pas de jus de citron en fin de cuisson ni aucun autre acide.

Chou cabus : variété de chou à pomme lisse.
Conserve en saumure (eau salée) : ★★★
Conservé sous vide : ★★★
Consommation cru
Cuisson à l'étouffée avec beurre doux : ★★
Cuisson à l'étouffée avec beurre salé : ★★
Cuisson à l'étouffée avec huile végétale : ★★
Cuisson à l'étouffée avec margarine végétale non salée : ★★
Cuisson à l'étouffée avec margarine végétale salée : ★★
Cuisson à l'étouffée avec saindoux ou graisse d'oie ou de canard : ★★
Cuisson à l'étouffée sans matière grasse : ★★★
Cuisson au court bouillon : ★★★
Cuisson en braisé avec beurre doux : ★★
Cuisson en braisé avec beurre salé : ★★
Cuisson en braisé avec huile végétale : ★★
Cuisson en braisé avec margarine végétale non salée : ★★
Cuisson en braisé avec margarine végétale salée : ★★
Cuisson en braisé avec saindoux ou graisse d'oie ou de canard : ★★
Cuisson en braisé sans matière grasse : ★★★
Cuisson en friture
Cuisson en papillote : ★★★
Cuisson en sauté (idem poêlé).
Cuisson vapeur : ★★★
Poêlé avec beurre doux
Poêlé avec beurre salé
Poêlé avec huile végétale
Poêlé avec margarine végétale non salée
Poêlé avec margarine végétale salée

Chou cabus - Chou chinois

Poêlé avec saindoux ou graisse d'oie ou de canard
Poêlé sans matière grasse : ★★★
Potage crème : ★★
Potage nature sans matière grasse ajoutée : ★★★
Potage velouté : ★★
Surgelé : ★★★
Remarque : pas de poivre ni aucune autre épice sauf le curcuma. Pas de jus de citron en fin de cuisson ni aucun autre acide.

Chou chinois : variété de deux choux : pet saï et pet Choi.
Conserve en saumure (eau salée) : ★★★
Conservé sous vide : ★★★
Consommation cru
Cuisson à l'étouffée avec beurre doux : ★★
Cuisson à l'étouffée avec beurre salé : ★★
Cuisson à l'étouffée avec huile végétale : ★★
Cuisson à l'étouffée avec margarine végétale non salée : ★★
Cuisson à l'étouffée avec margarine végétale salée : ★★
Cuisson à l'étouffée avec saindoux ou graisse d'oie ou de canard : ★★
Cuisson à l'étouffée sans matière grasse : ★★★
Cuisson au court bouillon : ★★★
Cuisson en braisé avec beurre doux : ★★
Cuisson en braisé avec beurre salé : ★★
Cuisson en braisé avec huile végétale : ★★
Cuisson en braisé avec margarine végétale non salée : ★★
Cuisson en braisé avec margarine végétale salée : ★★
Cuisson en braisé avec saindoux ou graisse d'oie ou de canard : ★★
Cuisson en braisé sans matière grasse : ★★★
Cuisson en friture
Cuisson en papillote : ★★★
Cuisson en sauté (idem poêlé).
Cuisson vapeur : ★★★
Poêlé avec beurre doux
Poêlé avec beurre salé
Poêlé avec huile végétale
Poêlé avec margarine végétale non salée
Poêlé avec margarine végétale salée

Poêlé avec saindoux ou graisse d'oie ou de canard
Poêlé sans matière grasse : ★★★
Potage crème : ★★
Potage nature sans matière grasse ajoutée : ★★★
Potage velouté : ★★
Surgelé : ★★★
Remarque : pas de poivre ni aucune autre épice sauf le curcuma. Pas de jus de citron en fin de cuisson ni aucun autre acide.

Chou de Bruxelles : plante potagère dont on consomme uniquement les capitules qui se forment sur sa tige principale.
Conserve en saumure (eau salée) : ★★★
Conservé sous vide : ★★★
Consommation cru
Cuisson à l'étouffée avec beurre doux : ★★
Cuisson à l'étouffée avec beurre salé : ★★
Cuisson à l'étouffée avec huile végétale : ★★
Cuisson à l'étouffée avec margarine végétale non salée : ★★
Cuisson à l'étouffée avec margarine végétale salée : ★★
Cuisson à l'étouffée avec saindoux ou graisse d'oie ou de canard : ★★
Cuisson à l'étouffée sans matière grasse : ★★★
Cuisson au court bouillon : ★★★
Cuisson en braisé avec beurre doux : ★★
Cuisson en braisé avec beurre salé : ★★
Cuisson en braisé avec huile végétale : ★★
Cuisson en braisé avec margarine végétale non salée : ★★
Cuisson en braisé avec margarine végétale salée : ★★
Cuisson en braisé avec saindoux ou graisse d'oie ou de canard : ★★
Cuisson en braisé sans matière grasse : ★★★
Cuisson en friture
Cuisson en papillote : ★★★
Cuisson en sauté (idem poêlé).
Cuisson vapeur : ★★★
Poêlé avec beurre doux
Poêlé avec beurre salé
Poêlé avec huile végétale
Poêlé avec margarine végétale non salée

Chou de Bruxelles - Chou-fleur

Poêlé avec margarine végétale salée
Poêlé avec saindoux ou graisse d'oie ou de canard
Poêlé sans matière grasse : ★★★
Potage crème : ★★
Potage nature sans matière grasse ajoutée : ★★★
Potage velouté : ★★
Surgelé : ★★★
Remarque : pas de poivre ni aucune autre épice sauf le curcuma. Pas de jus de citron en fin de cuisson ni aucun autre acide.

Chou-fleur : chou dont on consomme l'inflorescence centrale.
Conservé dans du vinaigre
Conserve en saumure (eau salée) : ★★★
Conservé sous vide : ★★★
Consommation cru
Cuisson à l'étouffée avec beurre doux : ★★
Cuisson à l'étouffée avec beurre salé : ★★
Cuisson à l'étouffée avec huile végétale : ★★
Cuisson à l'étouffée avec margarine végétale non salée : ★★
Cuisson à l'étouffée avec margarine végétale salée : ★★
Cuisson à l'étouffée avec saindoux ou graisse d'oie ou de canard : ★★
Cuisson à l'étouffée sans matière grasse : ★★★
Cuisson au court bouillon : ★★★
Cuisson en braisé avec beurre doux : ★★
Cuisson en braisé avec beurre salé : ★★
Cuisson en braisé avec huile végétale : ★★
Cuisson en braisé avec margarine végétale non salée : ★★
Cuisson en braisé avec margarine végétale salée : ★★
Cuisson en braisé avec saindoux ou graisse d'oie ou de canard : ★★
Cuisson en braisé sans matière grasse : ★★★
Cuisson en friture
Cuisson papillote : ★★★
Cuisson en sauté (idem poêlé).
Cuisson vapeur : ★★★
Poêlé avec beurre doux
Poêlé avec beurre salé
Poêlé avec huile végétale

Poêlé avec margarine végétale non salée
Poêlé avec margarine végétale salée
Poêlé avec saindoux ou graisse d'oie ou de canard
Poêlé sans matière grasse : ★★★
Potage crème : ★★
Potage nature sans matière grasse ajoutée : ★★★
Potage velouté : ★★
Surgelé : ★★★
Remarque : pas de poivre ni aucune autre épice sauf le curcuma. Pas de jus de citron en fin de cuisson ni aucun autre acide.

Chou frisé : plante potagère dont on consomme la totalité de la feuillure.
Conserve en saumure (eau salée) : ★★★
Conservé sous vide : ★★★
Consommation cru
Cuisson à l'étouffée avec beurre doux : ★★
Cuisson à l'étouffée avec beurre salé : ★★
Cuisson à l'étouffée avec huile végétale : ★★
Cuisson à l'étouffée avec margarine végétale non salée : ★★
Cuisson à l'étouffée avec margarine végétale salée : ★★
Cuisson à l'étouffée avec saindoux ou graisse d'oie ou de canard : ★★
Cuisson à l'étouffée sans matière grasse : ★★★
Cuisson au court bouillon : ★★★
Cuisson en braisé avec beurre doux : ★★
Cuisson en braisé avec beurre salé : ★★
Cuisson en braisé avec huile végétale : ★★
Cuisson en braisé avec margarine végétale non salée : ★★
Cuisson en braisé avec margarine végétale salée : ★★
Cuisson en braisé avec saindoux ou graisse d'oie ou de canard : ★★
Cuisson en braisé sans matière grasse : ★★★
Cuisson en friture
Cuisson en papillote : ★★★
Cuisson en sauté (idem poêlé).
Cuisson vapeur : ★★★
Poêlé avec beurre doux
Poêlé avec beurre salé

Chou frisé - Chou pommé

Poêlé avec huile végétale
Poêlé avec margarine végétale non salée
Poêlé avec margarine végétale salée
Poêlé avec saindoux ou graisse d'oie ou de canard
Poêlé sans matière grasse : ★★★
Potage crème : ★★
Potage nature sans matière grasse ajoutée : ★★★
Potage velouté : ★★
Surgelé : ★★★
Remarque : pas de poivre ni aucune autre épice sauf le curcuma. Pas de jus de citron en fin de cuisson ni aucun autre acide.

Chou kale : voir « Chou frisé ».

Chou-navet : voir « Rutabaga ».

Chou pommé (rouge, blanc, vert) : plante potagère dont on consomme la totalité de la feuillure.
Conserve en saumure (eau salée) : ★★★
Conservé sous vide : ★★★
Consommation cru : ★★★
Cuisson à l'étouffée avec beurre doux : ★★
Cuisson à l'étouffée avec beurre salé : ★★
Cuisson à l'étouffée avec huile végétale : ★★
Cuisson à l'étouffée avec margarine végétale non salée : ★★
Cuisson à l'étouffée avec margarine végétale salée : ★★
Cuisson à l'étouffée avec saindoux ou graisse d'oie ou de canard : ★★
Cuisson à l'étouffée sans matière grasse : ★★★
Cuisson au court bouillon : ★★★
Cuisson en braisé avec beurre doux : ★★
Cuisson en braisé avec beurre salé : ★★
Cuisson en braisé avec huile végétale : ★★
Cuisson en braisé avec margarine végétale non salée : ★★
Cuisson en braisé avec margarine végétale salée : ★★
Cuisson en braisé avec saindoux ou graisse d'oie ou de canard : ★★
Cuisson en braisé sans matière grasse : ★★★
Cuisson en friture

Cuisson en papillote : ★★★
Cuisson en sauté (idem poêlé).
Cuisson vapeur : ★★★
Fermenté (choucroute) : ★★★
Poêlé avec beurre doux
Poêlé avec beurre salé
Poêlé avec huile végétale
Poêlé avec margarine végétale non salée
Poêlé avec margarine végétale salée
Poêlé avec saindoux ou graisse d'oie ou de canard
Poêlé sans matière grasse : ★★★
Potage crème : ★★
Potage nature sans matière grasse ajoutée : ★★★
Potage velouté : ★★
Surgelé : ★★★

Remarque : pas de poivre ni aucune autre épice sauf le curcuma. Pas de jus de citron en fin de cuisson ni aucun autre acide.

Chou-rave : plante potagère dont on consomme le renflement de la tige.
Conserve en saumure (eau salée) : ★★★
Conservé sous vide : ★★★
Consommation cru : ★★★
Cuisson à la milanaise avec beurre doux
Cuisson à la milanaise avec beurre salé
Cuisson à la milanaise avec huile végétale
Cuisson à la milanaise avec margarine végétale non salée
Cuisson à la milanaise avec margarine végétale salée
Cuisson à la milanaise avec saindoux ou graisse d'oie ou de canard
Cuisson à la milanaise sans matière grasse : ★★★
Cuisson à l'étouffée avec beurre doux : ★★
Cuisson à l'étouffée avec beurre salé : ★★
Cuisson à l'étouffée avec huile végétale : ★★
Cuisson à l'étouffée avec margarine végétale non salée : ★★
Cuisson à l'étouffée avec margarine végétale salée : ★★
Cuisson à l'étouffée avec saindoux ou graisse d'oie ou de canard : ★★
Cuisson à l'étouffée sans matière grasse : ★★★

Chou-rave

Cuisson au court bouillon : ★★★
Cuisson en braisé avec beurre doux : ★★
Cuisson en braisé avec beurre salé : ★★
Cuisson en braisé avec huile végétale : ★★
Cuisson en braisé avec margarine végétale non salée : ★★
Cuisson en braisé avec margarine végétale salée : ★★
Cuisson en braisé avec saindoux ou graisse d'oie ou de canard :
★★
Cuisson en braisé sans matière grasse : ★★★
Cuisson en friture
Cuisson en papillote : ★★★
Cuisson en meunière avec beurre doux
Cuisson en meunière avec beurre salé
Cuisson en meunière avec huile végétale
Cuisson en meunière avec margarine végétale non salée
Cuisson en meunière avec margarine végétale salée
Cuisson en meunière avec saindoux ou graisse d'oie ou de canard
Cuisson en meunière sans matière grasse : ★★★
Cuisson en ragoût avec beurre doux
Cuisson en ragoût avec beurre salé
Cuisson en ragoût avec huile végétale
Cuisson en ragoût avec margarine végétale non salée
Cuisson en ragoût avec margarine végétale salée
Cuisson en ragoût avec saindoux ou graisse d'oie ou de canard
Cuisson en sauté (idem poêlé).
Cuisson vapeur : ★★★
Poêlé avec beurre doux
Poêlé avec beurre salé
Poêlé avec huile végétale
Poêlé avec margarine végétale non salée
Poêlé avec margarine végétale salée
Poêlé avec saindoux ou graisse d'oie ou de canard
Poêlé sans matière grasse : ★★★
Potage crème : ★★
Potage nature sans matière grasse ajoutée : ★★★
Potage velouté : ★★
Surgelé : ★★★

Remarque : pas de poivre ni aucune autre épice sauf le curcuma. Pas de jus de citron en fin de cuisson ni aucun autre acide.

Chou romanesco : chou dont on consomme l'inflorescence centrale.

Conservé dans du vinaigre

Conserve en saumure (eau salée) : ★★★

Conservé sous vide : ★★★

Consommation cru

Cuisson à l'étouffée avec beurre doux : ★★

Cuisson à l'étouffée avec beurre salé : ★★

Cuisson à l'étouffée avec huile végétale : ★★

Cuisson à l'étouffée avec margarine végétale non salée : ★★

Cuisson à l'étouffée avec margarine végétale salée : ★★

Cuisson à l'étouffée avec saindoux ou graisse d'oie ou de canard : ★★

Cuisson à l'étouffée sans matière grasse : ★★★

Cuisson au court bouillon : ★★★

Cuisson en braisé avec beurre doux : ★★

Cuisson en braisé avec beurre salé : ★★

Cuisson en braisé avec huile végétale : ★★

Cuisson en braisé avec margarine végétale non salée : ★★

Cuisson en braisé avec margarine végétale salée : ★★

Cuisson en braisé avec saindoux ou graisse d'oie ou de canard : ★★

Cuisson en braisé sans matière grasse : ★★★

Cuisson en friture

Cuisson papillote : ★★★

Cuisson en sauté (idem poêlé).

Cuisson vapeur : ★★★

Poêlé avec beurre doux

Poêlé avec beurre salé

Poêlé avec huile végétale

Poêlé avec margarine végétale non salée

Poêlé avec margarine végétale salée

Poêlé avec saindoux ou graisse d'oie ou de canard

Poêlé sans matière grasse : ★★★

Potage crème : ★★

Potage nature sans matière grasse ajoutée : ★★★

Potage velouté : ★★
Surgelé : ★★★
Remarque : pas de poivre ni aucune autre épice sauf le curcuma. Pas de jus de citron en fin de cuisson ni aucun autre acide.

Ciboule : plante voisine de l'ail dont on consomme les feuilles ventrues.
Conservée sous vide : ★★★
Consommation crue : ★★★
Consommation cuite : ★★★
Déshydratée : ★★★
Fraîchement récoltée : ★★★
Surgelée : ★★★

Ciboulette : plante dont on consomme les feuilles creuses et cylindriques.
Conservée sous vide : ★★★
Consommation crue : ★★★
Consommation cuite : ★★★
Déshydratée : ★★★
Fraîchement récoltée : ★★★
Surgelée : ★★★

Citron : fruit du citronnier. Agrume.

Citronnelle : graminée utilisée comme plante aromatique.
Conservée sous vide : ★★★
Déshydratée : ★★★
Fraîchement récoltée : ★★★
Surgelée : ★★★

Citrouille : variété de courge, très gros fruit d'automne. Légume vert.
Conserve en saumure (eau salée) : ★★★
Conservée sous vide : ★★★
Consommation crue
Cuisson à l'étouffée avec beurre doux : ★★
Cuisson à l'étouffée avec beurre salé : ★★
Cuisson à l'étouffée avec huile végétale : ★★

Cuisson à l'étouffée avec margarine végétale non salée : ★★
Cuisson à l'étouffée avec margarine végétale salée : ★★
Cuisson à l'étouffée avec saindoux ou graisse d'oie ou de canard : ★★
Cuisson à l'étouffée sans matière grasse : ★★★
Cuisson au court bouillon : ★★★
Cuisson en braisé avec beurre doux : ★★
Cuisson en braisé avec beurre salé : ★★
Cuisson en braisé avec huile végétale : ★★
Cuisson en braisé avec margarine végétale non salée : ★★
Cuisson en braisé avec margarine végétale salée : ★★
Cuisson en braisé avec saindoux ou graisse d'oie ou de canard : ★★
Cuisson en braisé sans matière grasse : ★★★
Cuisson en friture
Cuisson en papillote : ★★★
Cuisson en ragoût avec beurre doux
Cuisson en ragoût avec beurre salé
Cuisson en ragoût avec huile végétale
Cuisson en ragoût avec margarine végétale non salée
Cuisson en ragoût avec margarine végétale salée
Cuisson en ragoût avec saindoux ou graisse d'oie ou de canard
Cuisson en sauté (idem poêlée).
Cuisson vapeur : ★★★
Poêlée avec beurre doux
Poêlée avec beurre salé
Poêlée avec huile végétale
Poêlée avec margarine végétale non salée
Poêlée avec margarine végétale salée
Poêlée avec saindoux ou graisse d'oie ou de canard
Poêlée sans matière grasse : ★★★
Potage crème : ★★
Potage nature sans matière grasse ajoutée : ★★★
Potage velouté : ★★
Surgelée : ★★★
Remarque : pas de poivre ni aucune autre épice sauf le curcuma. Pas de jus de citron en fin de cuisson ni aucun autre acide.

Cive : voir « Ciboule ».

Civette - Cœur d'artichaut

Civette : voir « Ciboulette ».

Clam : voir « Palourde ».

Clavaire doré : voir « Champignon ».

Clémentine : fruit issu du clémentinier. Agrume.

Clovisse : voir « Palourde ».

Cochon : voir « Porc (viande de) ».

Cœur : voir « Viande de... ».

Cœur d'artichaut : cœur de la fleur de l'artichaut comestible. Légume vert.
Conserve en saumure (eau salée) : ★ ★ ★
Conservé sous vide : ★ ★ ★
Consommation cru
Cuisson à l'étouffée avec beurre doux : ★ ★
Cuisson à l'étouffée avec beurre salé : ★ ★
Cuisson à l'étouffée avec huile végétale : ★ ★
Cuisson à l'étouffée avec margarine végétale non salée : ★ ★
Cuisson à l'étouffée avec margarine végétale salée : ★ ★
Cuisson à l'étouffée avec saindoux ou graisse d'oie ou de canard : ★ ★
Cuisson à l'étouffée sans matière grasse : ★ ★ ★
Cuisson au court bouillon : ★ ★ ★
Cuisson en braisé avec beurre doux : ★ ★
Cuisson en braisé avec beurre salé : ★ ★
Cuisson en braisé avec huile végétale : ★ ★
Cuisson en braisé avec margarine végétale non salée : ★ ★
Cuisson en braisé avec margarine végétale salée : ★ ★
Cuisson en braisé avec saindoux ou graisse d'oie ou de canard : ★ ★
Cuisson en braisé sans matière grasse : ★ ★ ★
Cuisson en friture
Cuisson en papillote : ★ ★ ★
Cuisson en sauté (idem poêlé).
Cuisson vapeur : ★ ★ ★

Poêlé avec beurre doux
Poêlé avec beurre salé
Poêlé avec huile végétale
Poêlé avec margarine végétale non salée
Poêlé avec margarine végétale salée
Poêlé avec saindoux ou graisse d'oie ou de canard
Poêlé sans matière grasse : ★★★
Potage crème : ★★
Potage nature sans matière grasse ajoutée : ★★★
Potage velouté : ★★
Surgelé : ★★★

Remarque : pas de poivre ni aucune autre épice sauf le curcuma. Pas de jus de citron en fin de cuisson ni aucun autre acide.

Cœur de palmier : cœur de palmier comestible. Légume vert.
Conserve en saumure (eau salée) : ★★★
Conservé sous vide : ★★★
Consommation cru
Cuisson à l'étouffée avec beurre doux : ★★
Cuisson à l'étouffée avec beurre salé : ★★
Cuisson à l'étouffée avec huile végétale : ★★
Cuisson à l'étouffée avec margarine végétale non salée : ★★
Cuisson à l'étouffée avec margarine végétale salée : ★★
Cuisson à l'étouffée avec saindoux ou graisse d'oie ou de canard : ★★
Cuisson à l'étouffée sans matière grasse : ★★★
Cuisson au court bouillon : ★★★
Cuisson en braisé avec beurre doux : ★★
Cuisson en braisé avec beurre salé : ★★
Cuisson en braisé avec huile végétale : ★★
Cuisson en braisé avec margarine végétale non salée : ★★
Cuisson en braisé avec margarine végétale salée : ★★
Cuisson en braisé avec saindoux ou graisse d'oie ou de canard : ★★
Cuisson en braisé sans matière grasse : ★★★
Cuisson en friture
Cuisson en papillote : ★★★
Cuisson en sauté (idem poêlé).
Cuisson vapeur : ★★★

Cœur de palmier - Colin

Poêlé avec beurre doux
Poêlé avec beurre salé
Poêlé avec huile végétale
Poêlé avec margarine végétale non salée
Poêlé avec margarine végétale salée
Poêlé avec saindoux ou graisse d'oie ou de canard
Poêlé sans matière grasse : ★★★
Potage crème : ★★
Potage nature sans matière grasse ajoutée : ★★★
Potage velouté : ★★
Surgelé : ★★★
Remarque : pas de poivre ni aucune autre épice sauf le curcuma. Pas de jus de citron en fin de cuisson ni aucun autre acide.

Coing : fruit jaune du cognassier.
A l'anglaise : ★★
Au sirop : ★★
Au sirop léger : ★★★
Confit : ★★
Conserve au naturel : ★★★
Conservé dans l'alcool
Conservé sous vide : ★★★
Consommation cru
En beignet
En compote (avec sucre ajouté) : ★★★
En compote sans sucre ajouté : ★★★
En confiture : ★★
En confiture allégée en sucre : ★★
En confiture sans sucre : ★★★
Fraîchement récolté : ★★★
Poché sans sucre : ★★★
Séché : ★★★★
Surgelé : ★★★

Colin : poisson marin à chair blanche.
Conservé par le sel : ★★
Conservé sous vide : ★★★
Consommation cru
Cuisson à la milanaise avec beurre doux

Cuisson à la milanaise avec beurre salé
Cuisson à la milanaise avec huile végétale
Cuisson à la milanaise avec margarine végétale non salée
Cuisson à la milanaise avec margarine végétale salée
Cuisson à la milanaise avec saindoux ou graisse d'oie ou de canard
Cuisson à la milanaise sans matière grasse : ★★★
Cuisson à l'étouffée avec beurre doux : ★★
Cuisson à l'étouffée avec beurre salé : ★★
Cuisson à l'étouffée avec huile végétale : ★★
Cuisson à l'étouffée avec margarine végétale non salée : ★★
Cuisson à l'étouffée avec margarine végétale salée : ★★
Cuisson à l'étouffée avec saindoux ou graisse d'oie ou de canard : ★★
Cuisson à l'étouffée sans matière grasse : ★★★
Cuisson au court bouillon : ★★★
Cuisson en braisé avec beurre doux : ★★
Cuisson en braisé avec beurre salé : ★★
Cuisson en braisé avec huile végétale : ★★
Cuisson en braisé avec margarine végétale non salée : ★★
Cuisson en braisé avec margarine végétale salée : ★★
Cuisson en braisé avec saindoux ou graisse d'oie ou de canard : ★★
Cuisson en braisé sans matière grasse : ★★★
Cuisson en friture
Cuisson en meunière avec beurre doux
Cuisson en meunière avec beurre salé
Cuisson en meunière avec huile végétale
Cuisson en meunière avec margarine végétale non salée
Cuisson en meunière avec margarine végétale salée
Cuisson en meunière avec saindoux ou graisse d'oie ou de canard
Cuisson en meunière sans matière grasse : ★★★
Cuisson en sauté (idem poêlé).
Cuisson rôti à la broche : ★★★
Cuisson rôti au four avec beurre doux : ★★
Cuisson rôti au four avec beurre salé : ★★
Cuisson rôti au four avec huile végétale : ★★
Cuisson rôti au four avec margarine végétale non salée : ★★
Cuisson rôti au four avec margarine végétale salée : ★★

Cuisson rôti au four avec saindoux ou graisse d'oie ou de canard : ★★
Cuisson rôti au four sans matière grasse ajoutée : ★★★
Cuisson vapeur : ★★★
Grillé : ★★★
Pierrade : ★★★
Poêlé avec beurre doux
Poêlé avec beurre salé
Poêlé avec huile végétale
Poêlé avec margarine végétale non salée
Poêlé avec margarine végétale salée
Poêlé avec saindoux ou graisse d'oie ou de canard
Poêlé sans matière grasse : ★★★
Salé et fumé : ★
Séché : ★★★
Surgelé : ★★★
Remarque : pas de poivre ni aucune autre épice sauf le curcuma. Pas de jus de citron en fin de cuisson ni aucun autre acide.

Collet d'agneau : voir « Agneau (viande de) ».

Collet de veau : voir « Veau (viande de) ».

Colvert : voir « Canard sauvage (viande de) ».

Concombre : plante potagère cultivée pour son fruit allongé.
Conserve en saumure (eau salée) : ★★★
Conservé sous vide : ★★★
Consommation cru : ★★★
Cuisson à la milanaise avec beurre doux
Cuisson à la milanaise avec beurre salé
Cuisson à la milanaise avec huile végétale
Cuisson à la milanaise avec margarine végétale non salée
Cuisson à la milanaise avec margarine végétale salée
Cuisson à la milanaise avec saindoux ou graisse d'oie ou de canard
Cuisson à la milanaise sans matière grasse : ★★★
Cuisson à l'étouffée avec beurre doux : ★★
Cuisson à l'étouffée avec beurre salé : ★★

Cuisson à l'étouffée avec huile végétale : ★★
Cuisson à l'étouffée avec margarine végétale non salée : ★★
Cuisson à l'étouffée avec margarine végétale salée : ★★
Cuisson à l'étouffée avec saindoux ou graisse d'oie ou de canard : ★★
Cuisson à l'étouffée sans matière grasse : ★★★
Cuisson au court bouillon : ★★★
Cuisson en braisé avec beurre doux : ★★
Cuisson en braisé avec beurre salé : ★★
Cuisson en braisé avec huile végétale : ★★
Cuisson en braisé avec margarine végétale non salée : ★★
Cuisson en braisé avec margarine végétale salée : ★★
Cuisson en braisé avec saindoux ou graisse d'oie ou de canard : ★★
Cuisson en braisé sans matière grasse : ★★★
Cuisson en friture
Cuisson en meunière avec beurre doux
Cuisson en meunière avec beurre salé
Cuisson en meunière avec huile végétale
Cuisson en meunière avec margarine végétale non salée
Cuisson en meunière avec margarine végétale salée
Cuisson en meunière avec saindoux ou graisse d'oie ou de canard
Cuisson en meunière sans matière grasse : ★★★
Cuisson en papillote : ★★★
Cuisson en sauté (idem poêlé).
Cuisson vapeur : ★★★
Grillé : ★★★
Pierrade : ★★★
Poêlé avec beurre doux
Poêlé avec beurre salé
Poêlé avec huile végétale
Poêlé avec margarine végétale non salée
Poêlé avec margarine végétale salée
Poêlé avec saindoux ou graisse d'oie ou de canard
Poêlé sans matière grasse : ★★★
Potage crème : ★★
Potage nature sans matière grasse ajoutée : ★★★
Potage velouté : ★★
Surgelé : ★★★

Congre

Congre : poisson gras marin.
Conservé par le sel : ★
Conservé sous vide : ★
Consommation cru
Cuisson à la milanaise avec beurre doux
Cuisson à la milanaise avec beurre salé
Cuisson à la milanaise avec huile végétale
Cuisson à la milanaise avec margarine végétale non salée
Cuisson à la milanaise avec margarine végétale salée
Cuisson à la milanaise avec saindoux ou graisse d'oie ou de canard
Cuisson à la milanaise sans matière grasse : ★
Cuisson à l'étouffée avec beurre doux : ★
Cuisson à l'étouffée avec beurre salé : ★
Cuisson à l'étouffée avec huile végétale : ★
Cuisson à l'étouffée avec margarine végétale non salée : ★
Cuisson à l'étouffée avec margarine végétale salée : ★
Cuisson à l'étouffée avec saindoux ou graisse d'oie ou de canard : ★
Cuisson à l'étouffée sans matière grasse : ★
Cuisson au court bouillon : ★
Cuisson en braisé avec beurre doux : ★
Cuisson en braisé avec beurre salé : ★
Cuisson en braisé avec huile végétale : ★
Cuisson en braisé avec margarine végétale non salée : ★
Cuisson en braisé avec margarine végétale salée : ★
Cuisson en braisé avec saindoux ou graisse d'oie ou de canard : ★
Cuisson en braisé sans matière grasse : ★
Cuisson en friture
Cuisson en meunière avec beurre doux
Cuisson en meunière avec beurre salé
Cuisson en meunière avec huile végétale
Cuisson en meunière avec margarine végétale non salée
Cuisson en meunière avec margarine végétale salée

Cuisson en meunière avec saindoux ou graisse d'oie ou de canard
Cuisson en meunière sans matière grasse : ★
Cuisson en ragoût avec beurre doux
Cuisson en ragoût avec beurre salé
Cuisson en ragoût avec huile végétale
Cuisson en ragoût avec margarine végétale non salée
Cuisson en ragoût avec margarine végétale salée
Cuisson en ragoût avec saindoux ou graisse d'oie ou de canard
Cuisson en sauté (idem poêlé).
Cuisson rôti au four avec beurre doux : ★
Cuisson rôti au four avec beurre salé : ★
Cuisson rôti au four avec huile végétale : ★
Cuisson rôti au four avec margarine végétale non salée : ★
Cuisson rôti au four avec margarine végétale salée : ★
Cuisson rôti au four avec saindoux ou graisse d'oie ou de canard : ★
Cuisson rôti au four sans matière grasse ajoutée : ★
Cuisson vapeur : ★
Grillé : ★
Pierrade : ★
Poêlé avec beurre doux
Poêlé avec beurre salé
Poêlé avec huile végétale
Poêlé avec margarine végétale non salée
Poêlé avec margarine végétale salée
Poêlé avec saindoux ou graisse d'oie ou de canard
Poêlé sans matière grasse : ★
Salé et fumé
Séché : ★
Surgelé : ★

Remarque : pas de poivre ni aucune autre épice sauf le curcuma. Pas de jus de citron en fin de cuisson ni aucun autre acide.

Contre-filet : voir « Bœuf (viande de) ».

Coprin chevelu : voir « Champignon ».

Coq : voir « Poulet ».

Coque - Coquille saint Jacques

Coque : voir « Palourde ».

Coquelet : voir « Poulet (viande de)».

Coquille saint Jacques : mollusque marin comestible.
Conservée par le sel : ★★
Conservée sous vide : ★★★
Consommation crue
Cuisson à la milanaise avec beurre doux
Cuisson à la milanaise avec beurre salé
Cuisson à la milanaise avec huile végétale
Cuisson à la milanaise avec margarine végétale non salée
Cuisson à la milanaise avec margarine végétale salée
Cuisson à la milanaise avec saindoux ou graisse d'oie ou de canard
Cuisson à la milanaise sans matière grasse : ★★★
Cuisson à l'étouffée avec beurre doux : ★★
Cuisson à l'étouffée avec beurre salé : ★★
Cuisson à l'étouffée avec huile végétale : ★★
Cuisson à l'étouffée avec margarine végétale non salée : ★★
Cuisson à l'étouffée avec margarine végétale salée : ★★
Cuisson à l'étouffée avec saindoux ou graisse d'oie ou de canard : ★★
Cuisson à l'étouffée sans matière grasse : ★★★
Cuisson au court bouillon : ★★★
Cuisson en braisé avec beurre doux : ★★
Cuisson en braisé avec beurre salé : ★★
Cuisson en braisé avec huile végétale : ★★
Cuisson en braisé avec margarine végétale non salée : ★★
Cuisson en braisé avec margarine végétale salée : ★★
Cuisson en braisé avec saindoux ou graisse d'oie ou de canard : ★★
Cuisson en braisé sans matière grasse : ★★★
Cuisson en friture
Cuisson en meunière avec beurre doux
Cuisson en meunière avec beurre salé
Cuisson en meunière avec huile végétale
Cuisson en meunière avec margarine végétale non salée
Cuisson en meunière avec margarine végétale salée

Cuisson en meunière avec saindoux ou graisse d'oie ou de canard
Cuisson en meunière sans matière grasse : ★★★
Cuisson en sauté (idem poêlée).
Cuisson vapeur : ★★★
Grillée en brochette : ★★★
Pierrade : ★★★
Poêlée avec beurre doux
Poêlée avec beurre salé
Poêlée avec huile végétale
Poêlée avec margarine végétale non salée
Poêlée avec margarine végétale salée
Poêlée avec saindoux ou graisse d'oie ou de canard
Poêlée sans matière grasse : ★★★
Séchée : ★★★
Surgelée : ★★★
Remarque : pas de poivre ni aucune autre épice sauf le curcuma. Pas de jus de citron en fin de cuisson ni aucun autre acide.

Corail : voir « Coquille saint Jacques ».

Corégone : poisson d'eau douce à chair blanche.
Conservée par le sel : ★★
Conservée sous vide : ★★★
Consommation crue
Cuisson à la milanaise avec beurre doux
Cuisson à la milanaise avec beurre salé
Cuisson à la milanaise avec huile végétale
Cuisson à la milanaise avec margarine végétale non salée
Cuisson à la milanaise avec margarine végétale salée
Cuisson à la milanaise avec saindoux ou graisse d'oie ou de canard
Cuisson à la milanaise sans matière grasse : ★★★
Cuisson à l'étouffée avec beurre doux : ★★
Cuisson à l'étouffée avec beurre salé : ★★
Cuisson à l'étouffée avec huile végétale : ★★
Cuisson à l'étouffée avec margarine végétale non salée : ★★
Cuisson à l'étouffée avec margarine végétale salée : ★★

Cuisson à l'étouffée avec saindoux ou graisse d'oie ou de canard : ★★
Cuisson à l'étouffée sans matière grasse : ★★★
Cuisson au court bouillon : ★★★
Cuisson en braisé avec beurre doux : ★★
Cuisson en braisé avec beurre salé : ★★
Cuisson en braisé avec huile végétale : ★★
Cuisson en braisé avec margarine végétale non salée : ★★
Cuisson en braisé avec margarine végétale salée : ★★
Cuisson en braisé avec saindoux ou graisse d'oie ou de canard : ★★
Cuisson en braisé sans matière grasse : ★★★
Cuisson en friture
Cuisson en meunière avec beurre doux
Cuisson en meunière avec beurre salé
Cuisson en meunière avec huile végétale
Cuisson en meunière avec margarine végétale non salée
Cuisson en meunière avec margarine végétale salée
Cuisson en meunière avec saindoux ou graisse d'oie ou de canard
Cuisson en meunière sans matière grasse : ★★★
Cuisson en sauté (idem poêlée).
Cuisson rôtie à la broche : ★★★
Cuisson rôtie au four avec beurre doux : ★★
Cuisson rôtie au four avec beurre salé : ★★
Cuisson rôtie au four avec huile végétale : ★★
Cuisson rôtie au four avec margarine végétale non salée : ★★
Cuisson rôtie au four avec margarine végétale salée : ★★
Cuisson rôtie au four avec saindoux ou graisse d'oie ou de canard : ★★
Cuisson rôtie au four sans matière grasse ajoutée : ★★★
Cuisson vapeur : ★★★
Grillée : ★★★
Pierrade : ★★★
Poêlée avec beurre doux
Poêlée avec beurre salé
Poêlée avec huile végétale
Poêlée avec margarine végétale non salée
Poêlée avec margarine végétale salée
Poêlée avec saindoux ou graisse d'oie ou de canard

Poêlée sans matière grasse : ★★★
Salée et fumée : ★
Séchée : ★★★
Surgelée : ★★★
Remarque : pas de poivre ni aucune autre épice sauf le curcuma. Pas de jus de citron en fin de cuisson ni aucun autre acide.

Coriandre : plante aromatique utilisée comme condiment. Légume vert.
Conservée sous vide : ★★★
Consommation crue : ★★★
Consommation cuite : ★★★
Déshydratée : ★★★
Fraîchement récoltée : ★★★
Surgelée : ★★★

Cornichon : type de concombre récolté jeune ou très jeune. Légume vert.
Conservé dans du vinaigre
Conserve en saumure (eau salée) : ★★★
Conservé sous vide : ★★★
Consommation cru : ★★★
Cuisson à l'étouffée avec beurre doux : ★★
Cuisson à l'étouffée avec beurre salé : ★★
Cuisson à l'étouffée avec huile végétale : ★★
Cuisson à l'étouffée avec margarine végétale non salée : ★★
Cuisson à l'étouffée avec margarine végétale salée : ★★
Cuisson à l'étouffée avec saindoux ou graisse d'oie ou de canard : ★★
Cuisson à l'étouffée sans matière grasse : ★★★
Cuisson au court bouillon : ★★★
Cuisson en braisé avec beurre doux : ★★
Cuisson en braisé avec beurre salé : ★★
Cuisson en braisé avec huile végétale : ★★
Cuisson en braisé avec margarine végétale non salée : ★★
Cuisson en braisé avec margarine végétale salée : ★★
Cuisson en braisé avec saindoux ou graisse d'oie ou de canard : ★★
Cuisson en braisé sans matière grasse : ★★★

Cuisson en friture
Cuisson en papillote : ★★★
Cuisson en sauté (idem poêlé).
Cuisson vapeur : ★★★
Grillé : ★★★
Pierrade : ★★★
Poêlé avec beurre doux
Poêlé avec beurre salé
Poêlé avec huile végétale
Poêlé avec margarine végétale non salée
Poêlé avec margarine végétale salée
Poêlé avec saindoux ou graisse d'oie ou de canard
Poêlé sans matière grasse : ★★★
Potage crème : ★★
Potage nature sans matière grasse ajoutée : ★★★
Potage velouté : ★★
Surgelé : ★★★
Remarque : pas de poivre ni aucune autre épice sauf le curcuma. Pas de jus de citron en fin de cuisson ni aucun autre acide.

Cortinaire comestible : voir « Champignon ».

Côte d'agneau : voir « Agneau (viande d') ».

Côte de bœuf : voir « Bœuf (viande de) ».

Côte de porc : voir « Porc (viande de) ».

Côte de veau : voir « Veau (viande de) ».

Coulemelle : voir « Champignon ».

Courge : voir « Courgette ».

Courgette : variété de courge à fruit allongé ou rond. Légume vert.
Confite : ★★★
Conserve en saumure (eau salée) : ★★★
Conservée sous vide : ★★★

Consommation crue
Cuisson à la milanaise avec beurre doux
Cuisson à la milanaise avec beurre salé
Cuisson à la milanaise avec huile végétale
Cuisson à la milanaise avec margarine végétale non salée
Cuisson à la milanaise avec margarine végétale salée
Cuisson à la milanaise avec saindoux ou graisse d'oie ou de canard
Cuisson à la milanaise sans matière grasse : ★★★
Cuisson à l'étouffée avec beurre doux : ★★
Cuisson à l'étouffée avec beurre salé : ★★
Cuisson à l'étouffée avec huile végétale : ★★
Cuisson à l'étouffée avec margarine végétale non salée : ★★
Cuisson à l'étouffée avec margarine végétale salée : ★★
Cuisson à l'étouffée avec saindoux ou graisse d'oie ou de canard : ★★
Cuisson à l'étouffée sans matière grasse : ★★★
Cuisson au court bouillon : ★★★
Cuisson en beignet
Cuisson en braisé avec beurre doux : ★★
Cuisson en braisé avec beurre salé : ★★
Cuisson en braisé avec huile végétale : ★★
Cuisson en braisé avec margarine végétale non salée : ★★
Cuisson en braisé avec margarine végétale salée : ★★
Cuisson en braisé avec saindoux ou graisse d'oie ou de canard : ★★
Cuisson en braisé sans matière grasse : ★★★
Cuisson en friture
Cuisson en meunière avec beurre doux
Cuisson en meunière avec beurre salé
Cuisson en meunière avec huile végétale
Cuisson en meunière avec margarine végétale non salée
Cuisson en meunière avec margarine végétale salée
Cuisson en meunière avec saindoux ou graisse d'oie ou de canard
Cuisson en meunière sans matière grasse : ★★★
Cuisson en papillote : ★★★
Cuisson en sauté (idem poêlée).
Cuisson vapeur : ★★★
Grillée : ★★★

Pierrade : ★★★
Poêlée avec beurre doux
Poêlée avec beurre salé
Poêlée avec huile végétale
Poêlée avec margarine végétale non salée
Poêlée avec margarine végétale salée
Poêlée avec saindoux ou graisse d'oie ou de canard
Poêlée sans matière grasse : ★★★
Potage crème : ★★
Potage nature sans matière grasse ajoutée : ★★★
Potage velouté : ★★
Surgelée : ★★★
Remarque : pas de poivre ni aucune autre épice sauf le curcuma. Pas de jus de citron en fin de cuisson ni aucun autre acide.

Couteau : voir « Palourde ».

Cranberry (baie de) : voir « Canneberge ».

Craterelle : voir « Champignon ».

Crépinette : charcuterie à base de viande de porc.

Crevette : petit crustacé marin.
Conservée par le sel : ★★
Conservée sous vide : ★★★
Consommation crue
Cuisson à la milanaise avec beurre doux
Cuisson à la milanaise avec beurre salé
Cuisson à la milanaise avec huile végétale
Cuisson à la milanaise avec margarine végétale non salée
Cuisson à la milanaise avec margarine végétale salée
Cuisson à la milanaise avec saindoux ou graisse d'oie ou de canard
Cuisson à la milanaise sans matière grasse : ★★★
Cuisson à l'étouffée avec beurre doux : ★★
Cuisson à l'étouffée avec beurre salé : ★★
Cuisson à l'étouffée avec huile végétale : ★★
Cuisson à l'étouffée avec margarine végétale non salée : ★★

Cuisson à l'étouffée avec margarine végétale salée : ★★
Cuisson à l'étouffée avec saindoux ou graisse d'oie ou de canard : ★★
Cuisson à l'étouffée sans matière grasse : ★★★
Cuisson au court bouillon : ★★★
Cuisson en beignet
Cuisson en braisé avec beurre doux : ★★
Cuisson en braisé avec beurre salé : ★★
Cuisson en braisé avec huile végétale : ★★
Cuisson en braisé avec margarine végétale non salée : ★★
Cuisson en braisé avec margarine végétale salée : ★★
Cuisson en braisé avec saindoux ou graisse d'oie ou de canard : ★★
Cuisson en braisé sans matière grasse : ★★★
Cuisson en friture
Cuisson en meunière avec beurre doux
Cuisson en meunière avec beurre salé
Cuisson en meunière avec huile végétale
Cuisson en meunière avec margarine végétale non salée
Cuisson en meunière avec margarine végétale salée
Cuisson en meunière avec saindoux ou graisse d'oie ou de canard
Cuisson en meunière sans matière grasse : ★★★
Cuisson en ragoût avec beurre doux
Cuisson en ragoût avec beurre salé
Cuisson en ragoût avec huile végétale
Cuisson en ragoût avec margarine végétale non salée
Cuisson en ragoût avec margarine végétale salée
Cuisson en ragoût avec saindoux ou graisse d'oie ou de canard
Cuisson en sauté (idem poêlée).
Cuisson vapeur : ★★★
Grillée : ★★★
Pierrade : ★★★
Poêlée avec beurre doux
Poêlée avec beurre salé
Poêlée avec huile végétale
Poêlée avec margarine végétale non salée
Poêlée avec margarine végétale salée
Poêlée avec saindoux ou graisse d'oie ou de canard
Poêlée sans matière grasse : ★★★

Crevette - Crosne du Japon

Séchée : ★★★
Surgelée : ★★★
Remarque : pas de poivre ni aucune autre épice sauf le curcuma. Pas de jus de citron en fin de cuisson ni aucun autre acide.

Crosne du Japon : plante potagère dont on consomme les rhizomes. Légume vert.
Conserve en saumure (eau salée) : ★★★
Conservé sous vide : ★★★
Consommation cru
Cuisson à l'étouffée avec beurre doux : ★★
Cuisson à l'étouffée avec beurre salé : ★★
Cuisson à l'étouffée avec huile végétale : ★★
Cuisson à l'étouffée avec margarine végétale non salée : ★★
Cuisson à l'étouffée avec margarine végétale salée : ★★
Cuisson à l'étouffée avec saindoux ou graisse d'oie ou de canard : ★★
Cuisson à l'étouffée sans matière grasse : ★★★
Cuisson au court bouillon : ★★★
Cuisson en braisé avec beurre doux : ★★
Cuisson en braisé avec beurre salé : ★★
Cuisson en braisé avec huile végétale : ★★
Cuisson en braisé avec margarine végétale non salée : ★★
Cuisson en braisé avec margarine végétale salée : ★★
Cuisson en braisé avec saindoux ou graisse d'oie ou de canard : ★★
Cuisson en braisé sans matière grasse : ★★★
Cuisson en friture
Cuisson en papillote : ★★★
Cuisson en ragoût avec beurre doux
Cuisson en ragoût avec beurre salé
Cuisson en ragoût avec huile végétale
Cuisson en ragoût avec margarine végétale non salée
Cuisson en ragoût avec margarine végétale salée
Cuisson en ragoût avec saindoux ou graisse d'oie ou de canard
Cuisson en sauté (idem poêlé).
Cuisson vapeur : ★★★
Poêlé avec beurre doux
Poêlé avec beurre salé

Poêlé avec huile végétale
Poêlé avec margarine végétale non salée
Poêlé avec margarine végétale salée
Poêlé avec saindoux ou graisse d'oie ou de canard
Poêlé sans matière grasse : ★★★
Potage crème : ★★
Potage nature sans matière grasse ajoutée : ★★★
Potage velouté : ★★
Surgelé : ★★★

Remarque : pas de poivre ni aucune autre épice sauf le curcuma. Pas de jus de citron en fin de cuisson ni aucun autre acide.

Cuisse de grenouille : cuisse de grenouille comestible.
Conservée par le sel : ★★
Conservée sous vide : ★★★
Consommation crue
Cuisson à la milanaise avec beurre doux
Cuisson à la milanaise avec beurre salé
Cuisson à la milanaise avec huile végétale
Cuisson à la milanaise avec margarine végétale non salée
Cuisson à la milanaise avec margarine végétale salée
Cuisson à la milanaise avec saindoux ou graisse d'oie ou de canard
Cuisson à la milanaise sans matière grasse : ★★★
Cuisson à l'étouffée avec beurre doux : ★★
Cuisson à l'étouffée avec beurre salé : ★★
Cuisson à l'étouffée avec huile végétale : ★★
Cuisson à l'étouffée avec margarine végétale non salée : ★★
Cuisson à l'étouffée avec margarine végétale salée : ★★
Cuisson à l'étouffée avec saindoux ou graisse d'oie ou de canard : ★★
Cuisson à l'étouffée sans matière grasse : ★★★
Cuisson au court bouillon : ★★★
Cuisson en braisé avec beurre doux : ★★
Cuisson en braisé avec beurre salé : ★★
Cuisson en braisé avec huile végétale : ★★
Cuisson en braisé avec margarine végétale non salée : ★★
Cuisson en braisé avec margarine végétale salée : ★★

Cuisse de grenouille - Culotte de veau

Cuisson en braisé avec saindoux ou graisse d'oie ou de canard :
★★
Cuisson en braisé sans matière grasse : ★★★
Cuisson en friture
Cuisson en meunière avec beurre doux
Cuisson en meunière avec beurre salé
Cuisson en meunière avec huile végétale
Cuisson en meunière avec margarine végétale non salée
Cuisson en meunière avec margarine végétale salée
Cuisson en meunière avec saindoux ou graisse d'oie ou de canard
Cuisson en meunière sans matière grasse : ★★★
Cuisson en ragoût avec beurre doux
Cuisson en ragoût avec beurre salé
Cuisson en ragoût avec huile végétale
Cuisson en ragoût avec margarine végétale non salée
Cuisson en ragoût avec margarine végétale salée
Cuisson en ragoût avec saindoux ou graisse d'oie ou de canard
Cuisson en sauté (idem poêlée).
Cuisson vapeur : ★★★
Grillée : ★★★
Pierrade : ★★★
Poêlée avec beurre doux
Poêlée avec beurre salé
Poêlée avec huile végétale
Poêlée avec margarine végétale non salée
Poêlée avec margarine végétale salée
Poêlée avec saindoux ou graisse d'oie ou de canard
Poêlée sans matière grasse : ★★★
Salée et fumée : ★
Séchée : ★★★
Surgelée : ★★★
Remarque : pas de poivre ni aucune autre épice sauf le curcuma. Pas de jus de citron en fin de cuisson ni aucun autre acide.

Culotte de bœuf : voir « Bœuf (viande de) ».

Culotte de veau : voir « Veau (viande de) ».

Cyprin : poisson d'eau douce à chair blanche.
Conservé par le sel : ★★
Conservé sous vide : ★★★
Consommation cru
Cuisson à la milanaise avec beurre doux
Cuisson à la milanaise avec beurre salé
Cuisson à la milanaise avec huile végétale
Cuisson à la milanaise avec margarine végétale non salée
Cuisson à la milanaise avec margarine végétale salée
Cuisson à la milanaise avec saindoux ou graisse d'oie ou de canard
Cuisson à la milanaise sans matière grasse : ★★★
Cuisson à l'étouffée avec beurre doux : ★★
Cuisson à l'étouffée avec beurre salé : ★★
Cuisson à l'étouffée avec huile végétale : ★★
Cuisson à l'étouffée avec margarine végétale non salée : ★★
Cuisson à l'étouffée avec margarine végétale salée : ★★
Cuisson à l'étouffée avec saindoux ou graisse d'oie ou de canard : ★★
Cuisson à l'étouffée sans matière grasse : ★★★
Cuisson au court bouillon : ★★★
Cuisson en braisé avec beurre doux : ★★
Cuisson en braisé avec beurre salé : ★★
Cuisson en braisé avec huile végétale : ★★
Cuisson en braisé avec margarine végétale non salée : ★★
Cuisson en braisé avec margarine végétale salée : ★★
Cuisson en braisé avec saindoux ou graisse d'oie ou de canard : ★★
Cuisson en braisé sans matière grasse : ★★★
Cuisson en friture
Cuisson en meunière avec beurre doux
Cuisson en meunière avec beurre salé
Cuisson en meunière avec huile végétale
Cuisson en meunière avec margarine végétale non salée
Cuisson en meunière avec margarine végétale salée
Cuisson en meunière avec saindoux ou graisse d'oie ou de canard
Cuisson en meunière sans matière grasse : ★★★
Cuisson en sauté (idem poêlé).
Cuisson rôti à la broche : ★★★

Cuisson rôti au four avec beurre doux : ★★
Cuisson rôti au four avec beurre salé : ★★
Cuisson rôti au four avec huile végétale : ★★
Cuisson rôti au four avec margarine végétale non salée : ★★
Cuisson rôti au four avec margarine végétale salée : ★★
Cuisson rôti au four avec saindoux ou graisse d'oie ou de canard : ★★
Cuisson rôti au four sans matière grasse ajoutée : ★★★
Cuisson vapeur : ★★★
Grillé : ★★★
Pierrade : ★★★
Poêlé avec beurre doux
Poêlé avec beurre salé
Poêlé avec huile végétale
Poêlé avec margarine végétale non salée
Poêlé avec margarine végétale salée
Poêlé avec saindoux ou graisse d'oie ou de canard
Poêlé sans matière grasse : ★★★
Salé et fumé : ★
Séché : ★★★
Surgelé : ★★★
Remarque : pas de poivre ni aucune autre épice sauf le curcuma. Pas de jus de citron en fin de cuisson ni aucun autre acide.

Daim (viande de) : gibier dont on consomme la viande. Viande rouge.
Conservée par le sel : ★
Conservée sous vide : ★
Consommation crue
Cuisson à la milanaise avec beurre doux
Cuisson à la milanaise avec beurre salé
Cuisson à la milanaise avec huile végétale
Cuisson à la milanaise avec margarine végétale non salée

Cuisson à la milanaise avec margarine végétale salée
Cuisson à la milanaise avec saindoux ou graisse d'oie ou de canard
Cuisson à la milanaise sans matière grasse : ★
Cuisson à l'étouffée avec beurre doux : ★
Cuisson à l'étouffée avec beurre salé : ★
Cuisson à l'étouffée avec huile végétale : ★
Cuisson à l'étouffée avec margarine végétale non salée : ★
Cuisson à l'étouffée avec margarine végétale salée : ★
Cuisson à l'étouffée avec saindoux ou graisse d'oie ou de canard : ★
Cuisson à l'étouffée sans matière grasse : ★
Cuisson au court bouillon : ★
Cuisson en braisé avec beurre doux : ★
Cuisson en braisé avec beurre salé : ★
Cuisson en braisé avec huile végétale : ★
Cuisson en braisé avec margarine végétale non salée : ★
Cuisson en braisé avec margarine végétale salée : ★
Cuisson en braisé avec saindoux ou graisse d'oie ou de canard : ★
Cuisson en braisé sans matière grasse : ★
Cuisson en friture
Cuisson en meunière avec beurre doux
Cuisson en meunière avec beurre salé
Cuisson en meunière avec huile végétale
Cuisson en meunière avec margarine végétale non salée
Cuisson en meunière avec margarine végétale salée
Cuisson en meunière avec saindoux ou graisse d'oie ou de canard
Cuisson en meunière sans matière grasse : ★
Cuisson en ragoût avec beurre doux
Cuisson en ragoût avec beurre salé
Cuisson en ragoût avec huile végétale
Cuisson en ragoût avec margarine végétale non salée
Cuisson en ragoût avec margarine végétale salée
Cuisson en ragoût avec saindoux ou graisse d'oie ou de canard
Cuisson en sauté (idem poêlée).
Cuisson rôtie à la broche : ★
Cuisson rôtie au four avec beurre doux : ★
Cuisson rôtie au four avec beurre salé : ★

Cuisson rôtie au four avec huile végétale : ★
Cuisson rôtie au four avec margarine végétale non salée : ★
Cuisson rôtie au four avec margarine végétale salée : ★
Cuisson rôtie au four avec saindoux ou graisse d'oie ou de canard : ★
Cuisson rôtie au four sans matière grasse ajoutée : ★
Cuisson vapeur : ★
Faisandée
Grillée : ★
Pierrade : ★
Poêlée avec beurre doux
Poêlée avec beurre salé
Poêlée avec huile végétale
Poêlée avec margarine végétale non salée
Poêlée avec margarine végétale salée
Poêlée avec saindoux ou graisse d'oie ou de canard
Poêlée sans matière grasse : ★
Salée et fumée : ★
Séchée : ★
Surgelée : ★
Remarque : pas de poivre ni aucune autre épice sauf le curcuma. Pas de jus de citron en fin de cuisson ni aucun autre acide.

Datte : fruit du dattier. Fruit exotique.
A l'anglaise : ★★
Au sirop : ★★
Au sirop léger : ★★★
Confite : ★★
Conserve au naturel : ★★★
Conservée dans l'alcool
Conservée sous vide : ★★★
Consommation crue : ★★★
En beignet
En compote (avec sucre ajouté) : ★★★
En compote sans sucre ajouté : ★★★
En confiture : ★★
En confiture allégée en sucre : ★★
En confiture sans sucre : ★★★
Fraîchement récoltée : ★★★

Pochée sans sucre : ★★★
Séchée : ★★★★
Surgelée : ★★★

Daube : voir « Bœuf (viande de) » section *Cuisson à l'étouffée.*

Daurade : poisson marin à chair blanche.
Conservée par le sel : ★★
Conservée sous vide : ★★★
Consommation crue
Cuisson à la milanaise avec beurre doux
Cuisson à la milanaise avec beurre salé
Cuisson à la milanaise avec huile végétale
Cuisson à la milanaise avec margarine végétale non salée
Cuisson à la milanaise avec margarine végétale salée
Cuisson à la milanaise avec saindoux ou graisse d'oie ou de canard
Cuisson à la milanaise sans matière grasse : ★★★
Cuisson à l'étouffée avec beurre doux : ★★
Cuisson à l'étouffée avec beurre salé : ★★
Cuisson à l'étouffée avec huile végétale : ★★
Cuisson à l'étouffée avec margarine végétale non salée : ★★
Cuisson à l'étouffée avec margarine végétale salée : ★★
Cuisson à l'étouffée avec saindoux ou graisse d'oie ou de canard : ★★
Cuisson à l'étouffée sans matière grasse : ★★★
Cuisson au court bouillon : ★★★
Cuisson en braisé avec beurre doux : ★★
Cuisson en braisé avec beurre salé : ★★
Cuisson en braisé avec huile végétale : ★★
Cuisson en braisé avec margarine végétale non salée : ★★
Cuisson en braisé avec margarine végétale salée : ★★
Cuisson en braisé avec saindoux ou graisse d'oie ou de canard : ★★
Cuisson en braisé sans matière grasse : ★★★
Cuisson en friture
Cuisson en meunière avec beurre doux
Cuisson en meunière avec beurre salé
Cuisson en meunière avec huile végétale
Cuisson en meunière avec margarine végétale non salée

Cuisson en meunière avec margarine végétale salée
Cuisson en meunière avec saindoux ou graisse d'oie ou de canard
Cuisson en meunière sans matière grasse : ★★★
Cuisson en sauté (idem poêlée).
Cuisson rôtie à la broche : ★★★
Cuisson rôtie au four avec beurre doux : ★★
Cuisson rôtie au four avec beurre salé : ★★
Cuisson rôtie au four avec huile végétale : ★★
Cuisson rôtie au four avec margarine végétale non salée : ★★
Cuisson rôtie au four avec margarine végétale salée : ★★
Cuisson rôtie au four avec saindoux ou graisse d'oie ou de canard : ★★
Cuisson rôtie au four sans matière grasse ajoutée : ★★★
Cuisson vapeur : ★★★
Grillée : ★★★
Pierrade : ★★★
Poêlée avec beurre doux
Poêlée avec beurre salé
Poêlée avec huile végétale
Poêlée avec margarine végétale non salée
Poêlée avec margarine végétale salée
Poêlée avec saindoux ou graisse d'oie ou de canard
Poêlée sans matière grasse : ★★★
Salée et fumée : ★
Séchée : ★★★
Surgelée : ★★★

Remarque : pas de poivre ni aucune autre épice sauf le curcuma. Pas de jus de citron en fin de cuisson ni aucun autre acide.

Dinde : volaille à chair blanche.
Conservée par le sel : ★★
Conservée sous vide : ★★★
Consommation crue
Cuisson à la milanaise avec beurre doux
Cuisson à la milanaise avec beurre salé
Cuisson à la milanaise avec huile végétale
Cuisson à la milanaise avec margarine végétale non salée
Cuisson à la milanaise avec margarine végétale salée

Cuisson à la milanaise avec saindoux ou graisse d'oie ou de canard
Cuisson à la milanaise sans matière grasse : ★★★
Cuisson à l'étouffée avec beurre doux : ★★
Cuisson à l'étouffée avec beurre salé : ★★
Cuisson à l'étouffée avec huile végétale : ★★
Cuisson à l'étouffée avec margarine végétale non salée : ★★
Cuisson à l'étouffée avec margarine végétale salée : ★★
Cuisson à l'étouffée avec saindoux ou graisse d'oie ou de canard : ★★
Cuisson à l'étouffée sans matière grasse : ★★★
Cuisson au court bouillon : ★★★
Cuisson en braisé avec beurre doux : ★★
Cuisson en braisé avec beurre salé : ★★
Cuisson en braisé avec huile végétale : ★★
Cuisson en braisé avec margarine végétale non salée : ★★
Cuisson en braisé avec margarine végétale salée : ★★
Cuisson en braisé avec saindoux ou graisse d'oie ou de canard : ★★
Cuisson en braisé sans matière grasse : ★★★
Cuisson en friture
Cuisson en meunière avec beurre doux
Cuisson en meunière avec beurre salé
Cuisson en meunière avec huile végétale
Cuisson en meunière avec margarine végétale non salée
Cuisson en meunière avec margarine végétale salée
Cuisson en meunière avec saindoux ou graisse d'oie ou de canard
Cuisson en meunière sans matière grasse : ★★★
Cuisson en ragoût avec beurre doux
Cuisson en ragoût avec beurre salé
Cuisson en ragoût avec huile végétale
Cuisson en ragoût avec margarine végétale non salée
Cuisson en ragoût avec margarine végétale salée
Cuisson en ragoût avec saindoux ou graisse d'oie ou de canard
Cuisson en sauté (idem poêlée).
Cuisson rôtie à la broche : ★★★
Cuisson rôtie au four avec beurre doux : ★★
Cuisson rôtie au four avec beurre salé : ★★
Cuisson rôtie au four avec huile végétale : ★★

Cuisson rôtie au four avec margarine végétale non salée : ★★
Cuisson rôtie au four avec margarine végétale salée : ★★
Cuisson rôtie au four avec saindoux ou graisse d'oie ou de canard : ★★
Cuisson rôtie au four sans matière grasse ajoutée : ★★★
Cuisson vapeur : ★★★
Grillée : ★★★
Pierrade : ★★★
Poêlée avec beurre doux
Poêlée avec beurre salé
Poêlée avec huile végétale
Poêlée avec margarine végétale non salée
Poêlée avec margarine végétale salée
Poêlée avec saindoux ou graisse d'oie ou de canard
Poêlée sans matière grasse : ★★★
Salée et fumée : ★
Séchée : ★★★
Surgelée : ★★★
Remarque : pas de poivre ni aucune autre épice sauf le curcuma. Pas de jus de citron en fin de cuisson ni aucun autre acide.

Dindon : voir « Dinde ».

Dindonneau (rôti de) : voir « Dinde ».

Dolique (gousse jeune) : plante ressemblant au haricot qui pousse dans les régions tropicales. Légume vert.
Conserve en saumure (eau salée) : ★★★
Conservée sous vide : ★★★
Consommation crue
Cuisson à l'étouffée avec beurre doux : ★★
Cuisson à l'étouffée avec beurre salé : ★★
Cuisson à l'étouffée avec huile végétale : ★★
Cuisson à l'étouffée avec margarine végétale non salée : ★★
Cuisson à l'étouffée avec margarine végétale salée : ★★
Cuisson à l'étouffée avec saindoux ou graisse d'oie ou de canard : ★★
Cuisson à l'étouffée sans matière grasse : ★★★
Cuisson au court bouillon : ★★★

Cuisson en braisé avec beurre doux : ★★
Cuisson en braisé avec beurre salé : ★★
Cuisson en braisé avec huile végétale : ★★
Cuisson en braisé avec margarine végétale non salée : ★★
Cuisson en braisé avec margarine végétale salée : ★★
Cuisson en braisé avec saindoux ou graisse d'oie ou de canard :
★★
Cuisson en braisé sans matière grasse : ★★★
Cuisson en friture
Cuisson en papillote : ★★★
Cuisson en ragoût avec beurre doux
Cuisson en ragoût avec beurre salé
Cuisson en ragoût avec huile végétale
Cuisson en ragoût avec margarine végétale non salée
Cuisson en ragoût avec margarine végétale salée
Cuisson en ragoût avec saindoux ou graisse d'oie ou de canard
Cuisson en sauté (idem poêlée).
Cuisson vapeur : ★★★
Poêlée avec beurre doux
Poêlée avec beurre salé
Poêlée avec huile végétale
Poêlée avec margarine végétale non salée
Poêlée avec margarine végétale salée
Poêlée avec saindoux ou graisse d'oie ou de canard
Poêlée sans matière grasse : ★★★
Potage crème : ★★
Potage nature sans matière grasse ajoutée : ★★★
Potage velouté : ★★
Surgelée : ★★★
Remarque : pas de poivre ni aucune autre épice sauf le curcuma. Pas de jus de citron en fin de cuisson ni aucun autre acide.

Dolique (graine) : voir « Haricot sec ».

Donax : voir « Palourde ».

Doré : poisson d'eau douce très semblable au sandre.
Conservé par le sel : ★★
Conservé sous vide : ★★★

Doré

Consommation cru
Cuisson à la milanaise avec beurre doux
Cuisson à la milanaise avec beurre salé
Cuisson à la milanaise avec huile végétale
Cuisson à la milanaise avec margarine végétale non salée
Cuisson à la milanaise avec margarine végétale salée
Cuisson à la milanaise avec saindoux ou graisse d'oie ou de canard
Cuisson à la milanaise sans matière grasse : ★★★
Cuisson à l'étouffée avec beurre doux : ★★
Cuisson à l'étouffée avec beurre salé : ★★
Cuisson à l'étouffée avec huile végétale : ★★
Cuisson à l'étouffée avec margarine végétale non salée : ★★
Cuisson à l'étouffée avec margarine végétale salée : ★★
Cuisson à l'étouffée avec saindoux ou graisse d'oie ou de canard : ★★
Cuisson à l'étouffée sans matière grasse : ★★★
Cuisson au court bouillon : ★★★
Cuisson en braisé avec beurre doux : ★★
Cuisson en braisé avec beurre salé : ★★
Cuisson en braisé avec huile végétale : ★★
Cuisson en braisé avec margarine végétale non salée : ★★
Cuisson en braisé avec margarine végétale salée : ★★
Cuisson en braisé avec saindoux ou graisse d'oie ou de canard : ★★
Cuisson en braisé sans matière grasse : ★★★
Cuisson en friture
Cuisson en meunière avec beurre doux
Cuisson en meunière avec beurre salé
Cuisson en meunière avec huile végétale
Cuisson en meunière avec margarine végétale non salée
Cuisson en meunière avec margarine végétale salée
Cuisson en meunière avec saindoux ou graisse d'oie ou de canard
Cuisson en meunière sans matière grasse : ★★★
Cuisson en sauté (idem poêlé).
Cuisson rôti à la broche : ★★★
Cuisson rôti au four avec beurre doux : ★★
Cuisson rôti au four avec beurre salé : ★★
Cuisson rôti au four avec huile végétale : ★★

Cuisson rôti au four avec margarine végétale non salée : ★★
Cuisson rôti au four avec margarine végétale salée : ★★
Cuisson rôti au four avec saindoux ou graisse d'oie ou de canard : ★★
Cuisson rôti au four sans matière grasse ajoutée : ★★★
Cuisson vapeur : ★★★
Grillé : ★★★
Pierrade : ★★★
Poêlé avec beurre doux
Poêlé avec beurre salé
Poêlé avec huile végétale
Poêlé avec margarine végétale non salée
Poêlé avec margarine végétale salée
Poêlé avec saindoux ou graisse d'oie ou de canard
Poêlé sans matière grasse : ★★★
Salé et fumé : ★
Séché : ★★★
Surgelé : ★★★
Remarque : pas de poivre ni aucune autre épice sauf le curcuma. Pas de jus de citron en fin de cuisson ni aucun autre acide.

Dorée : voir « Saint-pierre ».

Durian : fruit exotique provenant d'Asie.
A l'anglaise : ★★
Au sirop : ★★
Au sirop léger : ★★★
Confit : ★★
Conserve au naturel : ★★★
Conservé dans l'alcool
Conservé sous vide : ★★★
Consommation cru : ★★★
En beignet
En compote (avec sucre ajouté) : ★★★
En compote sans sucre ajouté : ★★★
En confiture : ★★
En confiture allégée en sucre : ★★
En confiture sans sucre : ★★★
Fraîchement récolté : ★★★

Poché sans sucre : ★★★
Séché : ★★★★
Surgelé : ★★★

E

Echalote : plante potagère voisine de l'oignon cultivée pour son bulbe. Légume vert.
Conservée dans le vinaigre
Conservée en saumure : ★★★
Conservée sous vide : ★★★
Consommation crue : ★★★
Consommation cuite : ★★★
Déshydratée : ★★★
Fraîchement récoltée : ★★★
Surgelée : ★★★

Echine de bœuf : voir « Bœuf (viande de) ».

Echine de porc : voir « Porc (viande de) ».

Ecrevisse : crustacé d'eau douce apprécié pour sa chair.
Conservée par le sel : ★★
Conservée sous vide : ★★★
Consommation crue
Cuisson à la milanaise avec beurre doux
Cuisson à la milanaise avec beurre salé
Cuisson à la milanaise avec huile végétale
Cuisson à la milanaise avec margarine végétale non salée
Cuisson à la milanaise avec margarine végétale salée
Cuisson à la milanaise avec saindoux ou graisse d'oie ou de canard
Cuisson à la milanaise sans matière grasse : ★★★
Cuisson à l'étouffée avec beurre doux : ★★
Cuisson à l'étouffée avec beurre salé : ★★
Cuisson à l'étouffée avec huile végétale : ★★

Cuisson à l'étouffée avec margarine végétale non salée : ★★
Cuisson à l'étouffée avec margarine végétale salée : ★★
Cuisson à l'étouffée avec saindoux ou graisse d'oie ou de canard : ★★
Cuisson à l'étouffée sans matière grasse : ★★★
Cuisson au court bouillon : ★★★
Cuisson en braisé avec beurre doux : ★★
Cuisson en braisé avec beurre salé : ★★
Cuisson en braisé avec huile végétale : ★★
Cuisson en braisé avec margarine végétale non salée : ★★
Cuisson en braisé avec margarine végétale salée : ★★
Cuisson en braisé avec saindoux ou graisse d'oie ou de canard : ★★
Cuisson en braisé sans matière grasse : ★★★
Cuisson en friture
Cuisson en meunière avec beurre doux
Cuisson en meunière avec beurre salé
Cuisson en meunière avec huile végétale
Cuisson en meunière avec margarine végétale non salée
Cuisson en meunière avec margarine végétale salée
Cuisson en meunière avec saindoux ou graisse d'oie ou de canard
Cuisson en meunière sans matière grasse : ★★★
Cuisson en ragoût avec beurre doux
Cuisson en ragoût avec beurre salé
Cuisson en ragoût avec huile végétale
Cuisson en ragoût avec margarine végétale non salée
Cuisson en ragoût avec margarine végétale salée
Cuisson en ragoût avec saindoux ou graisse d'oie ou de canard
Cuisson en sauté (idem poêlée).
Cuisson vapeur : ★★★
Grillée : ★★★
Pierrade : ★★★
Poêlée avec beurre doux
Poêlée avec beurre salé
Poêlée avec huile végétale
Poêlée avec margarine végétale non salée
Poêlée avec margarine végétale salée
Poêlée avec saindoux ou graisse d'oie ou de canard
Poêlée sans matière grasse : ★★★

Séchée : ★★★
Surgelée : ★★★
Remarque : pas de poivre ni aucune autre épice sauf le curcuma. Pas de jus de citron en fin de cuisson ni aucun autre acide.

Eglefin : poisson marin à chair blanche.
Conservé par le sel : ★★
Conservé sous vide : ★★★
Consommation cru
Cuisson à la milanaise avec beurre doux
Cuisson à la milanaise avec beurre salé
Cuisson à la milanaise avec huile végétale
Cuisson à la milanaise avec margarine végétale non salée
Cuisson à la milanaise avec margarine végétale salée
Cuisson à la milanaise avec saindoux ou graisse d'oie ou de canard
Cuisson à la milanaise sans matière grasse : ★★★
Cuisson à l'étouffée avec beurre doux : ★★
Cuisson à l'étouffée avec beurre salé : ★★
Cuisson à l'étouffée avec huile végétale : ★★
Cuisson à l'étouffée avec margarine végétale non salée : ★★
Cuisson à l'étouffée avec margarine végétale salée : ★★
Cuisson à l'étouffée avec saindoux ou graisse d'oie ou de canard : ★★
Cuisson à l'étouffée sans matière grasse : ★★★
Cuisson au court bouillon : ★★★
Cuisson en braisé avec beurre doux : ★★
Cuisson en braisé avec beurre salé : ★★
Cuisson en braisé avec huile végétale : ★★
Cuisson en braisé avec margarine végétale non salée : ★★
Cuisson en braisé avec margarine végétale salée : ★★
Cuisson en braisé avec saindoux ou graisse d'oie ou de canard : ★★
Cuisson en braisé sans matière grasse : ★★★
Cuisson en friture
Cuisson en meunière avec beurre doux
Cuisson en meunière avec beurre salé
Cuisson en meunière avec huile végétale
Cuisson en meunière avec margarine végétale non salée

Cuisson en meunière avec margarine végétale salée
Cuisson en meunière avec saindoux ou graisse d'oie ou de canard
Cuisson en meunière sans matière grasse : ★★★
Cuisson en sauté (idem poêlé).
Cuisson rôti à la broche : ★★★
Cuisson rôti au four avec beurre doux : ★★
Cuisson rôti au four avec beurre salé : ★★
Cuisson rôti au four avec huile végétale : ★★
Cuisson rôti au four avec margarine végétale non salée : ★★
Cuisson rôti au four avec margarine végétale salée : ★★
Cuisson rôti au four avec saindoux ou graisse d'oie ou de canard : ★★
Cuisson rôti au four sans matière grasse ajoutée : ★★★
Cuisson vapeur : ★★★
Grillé : ★★★
Pierrade : ★★★
Poêlé avec beurre doux
Poêlé avec beurre salé
Poêlé avec huile végétale
Poêlé avec margarine végétale non salée
Poêlé avec margarine végétale salée
Poêlé avec saindoux ou graisse d'oie ou de canard
Poêlé sans matière grasse : ★★★
Salé et fumé : ★
Séché : ★★★
Surgelé : ★★★

Remarque : pas de poivre ni aucune autre épice sauf le curcuma. Pas de jus de citron en fin de cuisson ni aucun autre acide.

Emissole : petit requin comestible, à chair blanche.
Conservé par le sel : ★★
Conservé sous vide : ★★★
Consommation cru
Cuisson à la milanaise avec beurre doux
Cuisson à la milanaise avec beurre salé
Cuisson à la milanaise avec huile végétale
Cuisson à la milanaise avec margarine végétale non salée
Cuisson à la milanaise avec margarine végétale salée

Emissole

Cuisson à la milanaise avec saindoux ou graisse d'oie ou de canard
Cuisson à la milanaise sans matière grasse : ★★★
Cuisson à l'étouffée avec beurre doux : ★★
Cuisson à l'étouffée avec beurre salé : ★★
Cuisson à l'étouffée avec huile végétale : ★★
Cuisson à l'étouffée avec margarine végétale non salée : ★★
Cuisson à l'étouffée avec margarine végétale salée : ★★
Cuisson à l'étouffée avec saindoux ou graisse d'oie ou de canard : ★★
Cuisson à l'étouffée sans matière grasse : ★★★
Cuisson au court bouillon : ★★★
Cuisson en braisé avec beurre doux : ★★
Cuisson en braisé avec beurre salé : ★★
Cuisson en braisé avec huile végétale : ★★
Cuisson en braisé avec margarine végétale non salée : ★★
Cuisson en braisé avec margarine végétale salée : ★★
Cuisson en braisé avec saindoux ou graisse d'oie ou de canard : ★★
Cuisson en braisé sans matière grasse : ★★★
Cuisson en friture
Cuisson en meunière avec beurre doux
Cuisson en meunière avec beurre salé
Cuisson en meunière avec huile végétale
Cuisson en meunière avec margarine végétale non salée
Cuisson en meunière avec margarine végétale salée
Cuisson en meunière avec saindoux ou graisse d'oie ou de canard
Cuisson en meunière sans matière grasse : ★★★
Cuisson en ragoût avec beurre doux
Cuisson en ragoût avec beurre salé
Cuisson en ragoût avec huile végétale
Cuisson en ragoût avec margarine végétale non salée
Cuisson en ragoût avec margarine végétale salée
Cuisson en ragoût avec saindoux ou graisse d'oie ou de canard
Cuisson en sauté (idem poêlé).
Cuisson rôti à la broche : ★★★
Cuisson rôti au four avec beurre doux : ★★
Cuisson rôti au four avec beurre salé : ★★
Cuisson rôti au four avec huile végétale : ★★

Cuisson rôti au four avec margarine végétale non salée : ★★
Cuisson rôti au four avec margarine végétale salée : ★★
Cuisson rôti au four avec saindoux ou graisse d'oie ou de canard : ★★
Cuisson rôti au four sans matière grasse ajoutée : ★★★
Cuisson vapeur : ★★★
Grillé : ★★★
Pierrade : ★★★
Poêlé avec beurre doux
Poêlé avec beurre salé
Poêlé avec huile végétale
Poêlé avec margarine végétale non salée
Poêlé avec margarine végétale salée
Poêlé avec saindoux ou graisse d'oie ou de canard
Poêlé sans matière grasse : ★★★
Salé et fumé : ★
Séché : ★★★
Surgelé : ★★★
Remarque : pas de poivre ni aucune autre épice sauf le curcuma. Pas de jus de citron en fin de cuisson ni aucun autre acide.

Empereur : poisson marin à chair blanche.
Conservé par le sel : ★★
Conservé sous vide : ★★★
Consommation cru
Cuisson à la milanaise avec beurre doux
Cuisson à la milanaise avec beurre salé
Cuisson à la milanaise avec huile végétale
Cuisson à la milanaise avec margarine végétale non salée
Cuisson à la milanaise avec margarine végétale salée
Cuisson à la milanaise avec saindoux ou graisse d'oie ou de canard
Cuisson à la milanaise sans matière grasse : ★★★
Cuisson à l'étouffée avec beurre doux : ★★
Cuisson à l'étouffée avec beurre salé : ★★
Cuisson à l'étouffée avec huile végétale : ★★
Cuisson à l'étouffée avec margarine végétale non salée : ★★
Cuisson à l'étouffée avec margarine végétale salée : ★★

Empereur

Cuisson à l'étouffée avec saindoux ou graisse d'oie ou de canard : ★★
Cuisson à l'étouffée sans matière grasse : ★★★
Cuisson au court bouillon : ★★★
Cuisson en braisé avec beurre doux : ★★
Cuisson en braisé avec beurre salé : ★★
Cuisson en braisé avec huile végétale : ★★
Cuisson en braisé avec margarine végétale non salée : ★★
Cuisson en braisé avec margarine végétale salée : ★★
Cuisson en braisé avec saindoux ou graisse d'oie ou de canard : ★★
Cuisson en braisé sans matière grasse : ★★★
Cuisson en friture
Cuisson en meunière avec beurre doux
Cuisson en meunière avec beurre salé
Cuisson en meunière avec huile végétale
Cuisson en meunière avec margarine végétale non salée
Cuisson en meunière avec margarine végétale salée
Cuisson en meunière avec saindoux ou graisse d'oie ou de canard
Cuisson en meunière sans matière grasse : ★★★
Cuisson en sauté (idem poêlé).
Cuisson rôti à la broche : ★★★
Cuisson rôti au four avec beurre doux : ★★
Cuisson rôti au four avec beurre salé : ★★
Cuisson rôti au four avec huile végétale : ★★
Cuisson rôti au four avec margarine végétale non salée : ★★
Cuisson rôti au four avec margarine végétale salée : ★★
Cuisson rôti au four avec saindoux ou graisse d'oie ou de canard : ★★
Cuisson rôti au four sans matière grasse ajoutée : ★★★
Cuisson vapeur : ★★★
Grillé : ★★★
Pierrade : ★★★
Poêlé avec beurre doux
Poêlé avec beurre salé
Poêlé avec huile végétale
Poêlé avec margarine végétale non salée
Poêlé avec margarine végétale salée
Poêlé avec saindoux ou graisse d'oie ou de canard

Poêlé sans matière grasse : ★★★
Salé et fumé : ★
Séché : ★★★
Surgelé : ★★★
Remarque : pas de poivre ni aucune autre épice sauf le curcuma. Pas de jus de citron en fin de cuisson ni aucun autre acide.

Encornet : voir « Calamar ».

Endive : bourgeon hypertrophié que l'on consomme en salade ou en légume. Légume vert.
Conserve en saumure (eau salée) : ★★★
Conservée sous vide : ★★★
Consommation crue : ★★★
Cuisson à l'étouffée avec beurre doux : ★★
Cuisson à l'étouffée avec beurre salé : ★★
Cuisson à l'étouffée avec huile végétale : ★★
Cuisson à l'étouffée avec margarine végétale non salée : ★★
Cuisson à l'étouffée avec margarine végétale salée : ★★
Cuisson à l'étouffée avec saindoux ou graisse d'oie ou de canard : ★★
Cuisson à l'étouffée sans matière grasse : ★★★
Cuisson au court bouillon : ★★★
Cuisson en braisé avec beurre doux : ★★
Cuisson en braisé avec beurre salé : ★★
Cuisson en braisé avec huile végétale : ★★
Cuisson en braisé avec margarine végétale non salée : ★★
Cuisson en braisé avec margarine végétale salée : ★★
Cuisson en braisé avec saindoux ou graisse d'oie ou de canard : ★★
Cuisson en braisé sans matière grasse : ★★★
Cuisson en papillote : ★★★
Cuisson en sauté (idem poêlée).
Cuisson vapeur : ★★★
Poêlée avec beurre doux
Poêlée avec beurre salé
Poêlée avec huile végétale
Poêlée avec margarine végétale non salée
Poêlée avec margarine végétale salée

Poêlée avec saindoux ou graisse d'oie ou de canard
Poêlée sans matière grasse : ★★★
Potage crème : ★★
Potage nature sans matière grasse ajoutée : ★★★
Potage velouté : ★★
Surgelée : ★★★
Remarque : pas de poivre ni aucune autre épice sauf le curcuma. Pas de jus de citron en fin de cuisson ni aucun autre acide.

Entrecôte : voir « Bœuf (viande de) ».

Epaule d'agneau : voir « Agneau (viande de) ».

Epaule de veau : voir « Veau (viande de) ».

Eperlan : poisson marin à chair blanche.
Conservé par le sel : ★★
Conservé sous vide : ★★★
Consommation cru
Cuisson à la milanaise avec beurre doux
Cuisson à la milanaise avec beurre salé
Cuisson à la milanaise avec huile végétale
Cuisson à la milanaise avec margarine végétale non salée
Cuisson à la milanaise avec margarine végétale salée
Cuisson à la milanaise avec saindoux ou graisse d'oie ou de canard
Cuisson à la milanaise sans matière grasse : ★★★
Cuisson en beignet
Cuisson en friture
Cuisson en meunière avec beurre doux
Cuisson en meunière avec beurre salé
Cuisson en meunière avec huile végétale
Cuisson en meunière avec margarine végétale non salée
Cuisson en meunière avec margarine végétale salée
Cuisson en meunière avec saindoux ou graisse d'oie ou de canard
Cuisson en meunière sans matière grasse : ★★★
Cuisson en sauté (idem poêlé).
Pierrade : ★★★

Poêlé avec beurre doux
Poêlé avec beurre salé
Poêlé avec huile végétale
Poêlé avec margarine végétale non salée
Poêlé avec margarine végétale salée
Poêlé avec saindoux ou graisse d'oie ou de canard
Poêlé sans matière grasse : ★★★
Salé et fumé : ★
Séché : ★★★
Surgelé : ★★★
Remarque : pas de poivre ni aucune autre épice sauf le curcuma. Pas de jus de citron en fin de cuisson ni aucun autre acide.

Epigramme d'agneau : voir « Agneau (viande de) ».

Epinoche : petit poisson d'eau douce à chair blanche.
Conservée par le sel : ★★
Conservée sous vide : ★★★
Consommation crue
Cuisson à la milanaise avec beurre doux
Cuisson à la milanaise avec beurre salé
Cuisson à la milanaise avec huile végétale
Cuisson à la milanaise avec margarine végétale non salée
Cuisson à la milanaise avec margarine végétale salée
Cuisson à la milanaise avec saindoux ou graisse d'oie ou de canard
Cuisson à la milanaise sans matière grasse : ★★★
Cuisson en beignet
Cuisson en friture
Cuisson en meunière avec beurre doux
Cuisson en meunière avec beurre salé
Cuisson en meunière avec huile végétale
Cuisson en meunière avec margarine végétale non salée
Cuisson en meunière avec margarine végétale salée
Cuisson en meunière avec saindoux ou graisse d'oie ou de canard
Cuisson en meunière sans matière grasse : ★★★
Cuisson en sauté (idem poêlée).
Pierrade : ★★★

Poêlée avec beurre doux
Poêlée avec beurre salé
Poêlée avec huile végétale
Poêlée avec margarine végétale non salée
Poêlée avec margarine végétale salée
Poêlée avec saindoux ou graisse d'oie ou de canard
Poêlée sans matière grasse : ★★★
Salée et fumée : ★
Séchée : ★★★
Surgelée : ★★★
Remarque : pas de poivre ni aucune autre épice sauf le curcuma. Pas de jus de citron en fin de cuisson ni aucun autre acide.

Epinochette : petit poisson d'eau douce à chair blanche.
Conservée par le sel : ★★
Conservée sous vide : ★★★
Consommation crue
Cuisson à la milanaise avec beurre doux
Cuisson à la milanaise avec beurre salé
Cuisson à la milanaise avec huile végétale
Cuisson à la milanaise avec margarine végétale non salée
Cuisson à la milanaise avec margarine végétale salée
Cuisson à la milanaise avec saindoux ou graisse d'oie ou de canard
Cuisson à la milanaise sans matière grasse : ★★★
Cuisson en beignet
Cuisson en friture
Cuisson en meunière avec beurre doux
Cuisson en meunière avec beurre salé
Cuisson en meunière avec huile végétale
Cuisson en meunière avec margarine végétale non salée
Cuisson en meunière avec margarine végétale salée
Cuisson en meunière avec saindoux ou graisse d'oie ou de canard
Cuisson en meunière sans matière grasse : ★★★
Cuisson en sauté (idem poêlée).
Pierrade : ★★★
Poêlée avec beurre doux
Poêlée avec beurre salé

Poêlée avec huile végétale
Poêlée avec margarine végétale non salée
Poêlée avec margarine végétale salée
Poêlée avec saindoux ou graisse d'oie ou de canard
Poêlée sans matière grasse : ★★★
Salée et fumée : ★
Séchée : ★★★
Surgelée : ★★★
Remarque : pas de poivre ni aucune autre épice sauf le curcuma. Pas de jus de citron en fin de cuisson ni aucun autre acide.

Equille : petit poisson long marin à chair blanche.
Conservée par le sel : ★★
Conservée sous vide : ★★★
Consommation crue
Cuisson à la milanaise avec beurre doux
Cuisson à la milanaise avec beurre salé
Cuisson à la milanaise avec huile végétale
Cuisson à la milanaise avec margarine végétale non salée
Cuisson à la milanaise avec margarine végétale salée
Cuisson à la milanaise avec saindoux ou graisse d'oie ou de canard
Cuisson à la milanaise sans matière grasse : ★★★
Cuisson en beignet
Cuisson en friture
Cuisson en meunière avec beurre doux
Cuisson en meunière avec beurre salé
Cuisson en meunière avec huile végétale
Cuisson en meunière avec margarine végétale non salée
Cuisson en meunière avec margarine végétale salée
Cuisson en meunière avec saindoux ou graisse d'oie ou de canard
Cuisson en meunière sans matière grasse : ★★★
Cuisson en sauté (idem poêlée).
Pierrade : ★★★
Poêlée avec beurre doux
Poêlée avec beurre salé
Poêlée avec huile végétale
Poêlée avec margarine végétale non salée

Poêlée avec margarine végétale salée
Poêlée avec saindoux ou graisse d'oie ou de canard
Poêlée sans matière grasse : ★★★
Salée et fumée : ★
Séchée : ★★★
Surgelée : ★★★
Remarque : pas de poivre ni aucune autre épice sauf le curcuma. Pas de jus de citron en fin de cuisson ni aucun autre acide.

Espadon : poisson gras des mers chaudes.
Conservé par le sel : ★
Conservé sous vide : ★
Consommation cru
Cuisson à la milanaise avec beurre doux
Cuisson à la milanaise avec beurre salé
Cuisson à la milanaise avec huile végétale
Cuisson à la milanaise avec margarine végétale non salée
Cuisson à la milanaise avec margarine végétale salée
Cuisson à la milanaise avec saindoux ou graisse d'oie ou de canard
Cuisson à la milanaise sans matière grasse : ★
Cuisson à l'étouffée avec beurre doux : ★
Cuisson à l'étouffée avec beurre salé : ★
Cuisson à l'étouffée avec huile végétale : ★
Cuisson à l'étouffée avec margarine végétale non salée : ★
Cuisson à l'étouffée avec margarine végétale salée : ★
Cuisson à l'étouffée avec saindoux ou graisse d'oie ou de canard : ★
Cuisson à l'étouffée sans matière grasse : ★
Cuisson au court bouillon : ★
Cuisson en braisé avec beurre doux : ★
Cuisson en braisé avec beurre salé : ★
Cuisson en braisé avec huile végétale : ★
Cuisson en braisé avec margarine végétale non salée : ★
Cuisson en braisé avec margarine végétale salée : ★
Cuisson en braisé avec saindoux ou graisse d'oie ou de canard : ★
Cuisson en braisé sans matière grasse : ★
Cuisson en friture

Cuisson en meunière avec beurre doux
Cuisson en meunière avec beurre salé
Cuisson en meunière avec huile végétale
Cuisson en meunière avec margarine végétale non salée
Cuisson en meunière avec margarine végétale salée
Cuisson en meunière avec saindoux ou graisse d'oie ou de canard
Cuisson en meunière sans matière grasse : ★
Cuisson en ragoût avec beurre doux
Cuisson en ragoût avec beurre salé
Cuisson en ragoût avec huile végétale
Cuisson en ragoût avec margarine végétale non salée
Cuisson en ragoût avec margarine végétale salée
Cuisson en ragoût avec saindoux ou graisse d'oie ou de canard
Cuisson en sauté (idem poêlé).
Cuisson rôti à la broche : ★
Cuisson rôti au four avec beurre doux : ★
Cuisson rôti au four avec beurre salé : ★
Cuisson rôti au four avec huile végétale : ★
Cuisson rôti au four avec margarine végétale non salée : ★
Cuisson rôti au four avec margarine végétale salée : ★
Cuisson rôti au four avec saindoux ou graisse d'oie ou de canard : ★
Cuisson rôti au four sans matière grasse ajoutée : ★
Cuisson vapeur : ★
Grillé : ★
Pierrade : ★
Poêlé avec beurre doux
Poêlé avec beurre salé
Poêlé avec huile végétale
Poêlé avec margarine végétale non salée
Poêlé avec margarine végétale salée
Poêlé avec saindoux ou graisse d'oie ou de canard
Poêlé sans matière grasse : ★
Salé et fumé
Séché : ★
Surgelé : ★

Remarque : pas de poivre ni aucune autre épice sauf le curcuma. Pas de jus de citron en fin de cuisson ni aucun autre acide.

Estragon : plante aromatique utilisée comme condiment.
Conservé sous vide : ★★★
Consommation cru : ★★★
Consommation cuit : ★★★
Déshydraté : ★★★
Fraîchement récolté : ★★★
Surgelé : ★★★

$\mathcal{F}$

Faisan : oiseau gallinacé à chair estimée. Gibier.
Conservé par le sel : ★★
Conservé sous vide : ★★★
Consommation cru
Cuisson à la milanaise avec beurre doux
Cuisson à la milanaise avec beurre salé
Cuisson à la milanaise avec huile végétale
Cuisson à la milanaise avec margarine végétale non salée
Cuisson à la milanaise avec margarine végétale salée
Cuisson à la milanaise avec saindoux ou graisse d'oie ou de canard
Cuisson à la milanaise sans matière grasse : ★★★
Cuisson à l'étouffée avec beurre doux : ★★
Cuisson à l'étouffée avec beurre salé : ★★
Cuisson à l'étouffée avec huile végétale : ★★
Cuisson à l'étouffée avec margarine végétale non salée : ★★
Cuisson à l'étouffée avec margarine végétale salée : ★★
Cuisson à l'étouffée avec saindoux ou graisse d'oie ou de canard : ★★
Cuisson à l'étouffée sans matière grasse : ★★★
Cuisson au court bouillon : ★★★
Cuisson en braisé avec beurre doux : ★★
Cuisson en braisé avec beurre salé : ★★
Cuisson en braisé avec huile végétale : ★★
Cuisson en braisé avec margarine végétale non salée : ★★
Cuisson en braisé avec margarine végétale salée : ★★

Cuisson en braisé avec saindoux ou graisse d'oie ou de canard : ★★
Cuisson en braisé sans matière grasse : ★★★
Cuisson en friture
Cuisson en meunière avec beurre doux
Cuisson en meunière avec beurre salé
Cuisson en meunière avec huile végétale
Cuisson en meunière avec margarine végétale non salée
Cuisson en meunière avec margarine végétale salée
Cuisson en meunière avec saindoux ou graisse d'oie ou de canard
Cuisson en meunière sans matière grasse : ★★★
Cuisson en ragoût avec beurre doux
Cuisson en ragoût avec beurre salé
Cuisson en ragoût avec huile végétale
Cuisson en ragoût avec margarine végétale non salée
Cuisson en ragoût avec margarine végétale salée
Cuisson en ragoût avec saindoux ou graisse d'oie ou de canard
Cuisson en sauté (idem poêlé).
Cuisson rôti à la broche : ★★★
Cuisson rôti au four avec beurre doux : ★★
Cuisson rôti au four avec beurre salé : ★★
Cuisson rôti au four avec huile végétale : ★★
Cuisson rôti au four avec margarine végétale non salée : ★★
Cuisson rôti au four avec margarine végétale salée : ★★
Cuisson rôti au four avec saindoux ou graisse d'oie ou de canard : ★★
Cuisson rôti au four sans matière grasse ajoutée : ★★★
Cuisson vapeur : ★★★
Faisandé
Grillé : ★★★
Pierrade : ★★★
Poêlé avec beurre doux
Poêlé avec beurre salé
Poêlé avec huile végétale
Poêlé avec margarine végétale non salée
Poêlé avec margarine végétale salée
Poêlé avec saindoux ou graisse d'oie ou de canard
Poêlé sans matière grasse : ★★★
Salé et fumé : ★

Séché : ★★★
Surgelé : ★★★
Remarque : pas de poivre ni aucune autre épice sauf le curcuma. Pas de jus de citron en fin de cuisson ni aucun autre acide.

Faux-filet : voir « Bœuf (viande de) ».

Fenouil : plante aromatique potagère dont on consomme la base des pétioles charnus. Légume vert.
Conserve en saumure (eau salée) : ★★★
Conservé sous vide : ★★★
Consommation cru : ★★★
Cuisson à la milanaise avec beurre doux
Cuisson à la milanaise avec beurre salé
Cuisson à la milanaise avec huile végétale
Cuisson à la milanaise avec margarine végétale non salée
Cuisson à la milanaise avec margarine végétale salée
Cuisson à la milanaise avec saindoux ou graisse d'oie ou de canard
Cuisson à la milanaise sans matière grasse : ★★★
Cuisson à l'étouffée avec beurre doux : ★★
Cuisson à l'étouffée avec beurre salé : ★★
Cuisson à l'étouffée avec huile végétale : ★★
Cuisson à l'étouffée avec margarine végétale non salée : ★★
Cuisson à l'étouffée avec margarine végétale salée : ★★
Cuisson à l'étouffée avec saindoux ou graisse d'oie ou de canard : ★★
Cuisson à l'étouffée sans matière grasse : ★★★
Cuisson au court bouillon : ★★★
Cuisson en braisé avec beurre doux : ★★
Cuisson en braisé avec beurre salé : ★★
Cuisson en braisé avec huile végétale : ★★
Cuisson en braisé avec margarine végétale non salée : ★★
Cuisson en braisé avec margarine végétale salée : ★★
Cuisson en braisé avec saindoux ou graisse d'oie ou de canard : ★★
Cuisson en braisé sans matière grasse : ★★★
Cuisson en friture
Cuisson en meunière avec beurre doux

Cuisson en meunière avec beurre salé
Cuisson en meunière avec huile végétale
Cuisson en meunière avec margarine végétale non salée
Cuisson en meunière avec margarine végétale salée
Cuisson en meunière avec saindoux ou graisse d'oie ou de canard
Cuisson en meunière sans matière grasse : ★★★
Cuisson en papillote : ★★★
Cuisson en ragoût avec beurre doux
Cuisson en ragoût avec beurre salé
Cuisson en ragoût avec huile végétale
Cuisson en ragoût avec margarine végétale non salée
Cuisson en ragoût avec margarine végétale salée
Cuisson en ragoût avec saindoux ou graisse d'oie ou de canard
Cuisson en sauté (idem poêlé).
Cuisson vapeur : ★★★
Grillé : ★★★
Pierrade : ★★★
Poêlé avec beurre doux
Poêlé avec beurre salé
Poêlé avec huile végétale
Poêlé avec margarine végétale non salée
Poêlé avec margarine végétale salée
Poêlé avec saindoux ou graisse d'oie ou de canard
Poêlé sans matière grasse : ★★★
Potage crème : ★★
Potage nature sans matière grasse ajoutée : ★★★
Potage velouté : ★★
Surgelé : ★★★
Remarque : pas de poivre ni aucune autre épice sauf le curcuma. Pas de jus de citron en fin de cuisson ni aucun autre acide.

Fève : graine d'une plante annuelle potagère. Féculent.
Conserve à l'étuvé : ★★★
Conserve en saumure (eau salée) : ★★★
Conservée sous vide : ★★★
Consommation crue
Cuisson à l'étouffée avec beurre doux : ★★
Cuisson à l'étouffée avec beurre salé : ★★

Cuisson à l'étouffée avec huile végétale : ★★
Cuisson à l'étouffée avec margarine végétale non salée : ★★
Cuisson à l'étouffée avec margarine végétale salée : ★★
Cuisson à l'étouffée avec saindoux ou graisse d'oie ou de canard : ★★
Cuisson à l'étouffée sans matière grasse : ★★★
Cuisson au court bouillon : ★★★
Cuisson en braisé avec beurre doux : ★★
Cuisson en braisé avec beurre salé : ★★
Cuisson en braisé avec huile végétale : ★★
Cuisson en braisé avec margarine végétale non salée : ★★
Cuisson en braisé avec margarine végétale salée : ★★
Cuisson en braisé avec saindoux ou graisse d'oie ou de canard : ★★
Cuisson en braisé sans matière grasse : ★★★
Cuisson en friture
Cuisson en ragoût avec beurre doux
Cuisson en ragoût avec beurre salé
Cuisson en ragoût avec huile végétale
Cuisson en ragoût avec margarine végétale non salée
Cuisson en ragoût avec margarine végétale salée
Cuisson en ragoût avec saindoux ou graisse d'oie ou de canard
Potage crème : ★★
Potage nature sans matière grasse ajoutée : ★★★
Potage velouté : ★★
Surgelée : ★★★
Remarque : pas de poivre ni aucune autre épice sauf le curcuma. Pas de jus de citron en fin de cuisson ni aucun autre acide.

Figue : fruit frais du figuier.
A l'anglaise : ★★
Au sirop : ★★
Au sirop léger : ★★★
Confite : ★★
Conserve au naturel : ★★★
Conservée dans l'alcool
Conservée sous vide : ★★★
Consommation crue : ★★★
En beignet

En compote (avec sucre ajouté) : ★★★
En compote sans sucre ajouté : ★★★
En confiture : ★★
En confiture allégée en sucre : ★★
En confiture sans sucre : ★★★
Fraîchement récoltée : ★★★
Pochée sans sucre : ★★★
Séchée : ★★★★
Surgelée : ★★★

Flageolet : graine d'une légumineuse potagère. Féculent.
Conserve à l'étuvé : ★★★
Conserve en saumure (eau salée) : ★★★
Conservé sous vide : ★★★
Consommation cru
Cuisson à l'étouffée avec beurre doux : ★★
Cuisson à l'étouffée avec beurre salé : ★★
Cuisson à l'étouffée avec huile végétale : ★★
Cuisson à l'étouffée avec margarine végétale non salée : ★★
Cuisson à l'étouffée avec margarine végétale salée : ★★
Cuisson à l'étouffée avec saindoux ou graisse d'oie ou de canard : ★★
Cuisson à l'étouffée sans matière grasse : ★★★
Cuisson au court bouillon : ★★★
Cuisson en braisé avec beurre doux : ★★
Cuisson en braisé avec beurre salé : ★★
Cuisson en braisé avec huile végétale : ★★
Cuisson en braisé avec margarine végétale non salée : ★★
Cuisson en braisé avec margarine végétale salée : ★★
Cuisson en braisé avec saindoux ou graisse d'oie ou de canard : ★★
Cuisson en braisé sans matière grasse : ★★★
Cuisson en friture
Cuisson en ragoût avec beurre doux
Cuisson en ragoût avec beurre salé
Cuisson en ragoût avec huile végétale
Cuisson en ragoût avec margarine végétale non salée
Cuisson en ragoût avec margarine végétale salée
Cuisson en ragoût avec saindoux ou graisse d'oie ou de canard
Potage crème : ★★

Potage nature sans matière grasse ajoutée : ★★★
Potage velouté : ★★
Sec : ★★★
Surgelé : ★★★
Remarque : pas de poivre ni aucune autre épice sauf le curcuma. Pas de jus de citron en fin de cuisson ni aucun autre acide.

Flanchet (de bœuf) : voir « Bœuf (viande de) ».

Flanchet (de veau) : voir « Veau (viande de) ».

Flet : poisson marin plat à chair blanche.
Conservé par le sel : ★★
Conservé sous vide : ★★★
Consommation cru
Cuisson à la milanaise avec beurre doux
Cuisson à la milanaise avec beurre salé
Cuisson à la milanaise avec huile végétale
Cuisson à la milanaise avec margarine végétale non salée
Cuisson à la milanaise avec margarine végétale salée
Cuisson à la milanaise avec saindoux ou graisse d'oie ou de canard
Cuisson à la milanaise sans matière grasse : ★★★
Cuisson à l'étouffée avec beurre doux : ★★
Cuisson à l'étouffée avec beurre salé : ★★
Cuisson à l'étouffée avec huile végétale : ★★
Cuisson à l'étouffée avec margarine végétale non salée : ★★
Cuisson à l'étouffée avec margarine végétale salée : ★★
Cuisson à l'étouffée avec saindoux ou graisse d'oie ou de canard : ★★
Cuisson à l'étouffée sans matière grasse : ★★★
Cuisson au court bouillon : ★★★
Cuisson en braisé avec beurre doux : ★★
Cuisson en braisé avec beurre salé : ★★
Cuisson en braisé avec huile végétale : ★★
Cuisson en braisé avec margarine végétale non salée : ★★
Cuisson en braisé avec margarine végétale salée : ★★
Cuisson en braisé avec saindoux ou graisse d'oie ou de canard : ★★

Cuisson en braisé sans matière grasse : ★★★
Cuisson en friture
Cuisson en meunière avec beurre doux
Cuisson en meunière avec beurre salé
Cuisson en meunière avec huile végétale
Cuisson en meunière avec margarine végétale non salée
Cuisson en meunière avec margarine végétale salée
Cuisson en meunière avec saindoux ou graisse d'oie ou de canard
Cuisson en meunière sans matière grasse : ★★★
Cuisson en sauté (idem poêlé).
Cuisson rôti au four avec beurre doux : ★★
Cuisson rôti au four avec beurre salé : ★★
Cuisson rôti au four avec huile végétale : ★★
Cuisson rôti au four avec margarine végétale non salée : ★★
Cuisson rôti au four avec margarine végétale salée : ★★
Cuisson rôti au four avec saindoux ou graisse d'oie ou de canard : ★★
Cuisson rôti au four sans matière grasse ajoutée : ★★★
Cuisson vapeur : ★★★
Grillé : ★★★
Pierrade : ★★★
Poêlé avec beurre doux
Poêlé avec beurre salé
Poêlé avec huile végétale
Poêlé avec margarine végétale non salée
Poêlé avec margarine végétale salée
Poêlé avec saindoux ou graisse d'oie ou de canard
Poêlé sans matière grasse : ★★★
Salé et fumé : ★
Séché : ★★★
Surgelé : ★★★
Remarque : pas de poivre ni aucune autre épice sauf le curcuma. Pas de jus de citron en fin de cuisson ni aucun autre acide.

Flétan : grand poisson marin plat à chair blanche.
Conservé par le sel : ★★
Conservé sous vide : ★★★
Consommation cru

Flétan

Cuisson à la milanaise avec beurre doux
Cuisson à la milanaise avec beurre salé
Cuisson à la milanaise avec huile végétale
Cuisson à la milanaise avec margarine végétale non salée
Cuisson à la milanaise avec margarine végétale salée
Cuisson à la milanaise avec saindoux ou graisse d'oie ou de canard
Cuisson à la milanaise sans matière grasse : ★★★
Cuisson à l'étouffée avec beurre doux : ★★
Cuisson à l'étouffée avec beurre salé : ★★
Cuisson à l'étouffée avec huile végétale : ★★
Cuisson à l'étouffée avec margarine végétale non salée : ★★
Cuisson à l'étouffée avec margarine végétale salée : ★★
Cuisson à l'étouffée avec saindoux ou graisse d'oie ou de canard : ★★
Cuisson à l'étouffée sans matière grasse : ★★★
Cuisson au court bouillon : ★★★
Cuisson en braisé avec beurre doux : ★★
Cuisson en braisé avec beurre salé : ★★
Cuisson en braisé avec huile végétale : ★★
Cuisson en braisé avec margarine végétale non salée : ★★
Cuisson en braisé avec margarine végétale salée : ★★
Cuisson en braisé avec saindoux ou graisse d'oie ou de canard : ★★
Cuisson en braisé sans matière grasse : ★★★
Cuisson en friture
Cuisson en meunière avec beurre doux
Cuisson en meunière avec beurre salé
Cuisson en meunière avec huile végétale
Cuisson en meunière avec margarine végétale non salée
Cuisson en meunière avec margarine végétale salée
Cuisson en meunière avec saindoux ou graisse d'oie ou de canard
Cuisson en meunière sans matière grasse : ★★★
Cuisson en sauté (idem poêlé).
Cuisson rôti au four avec beurre doux : ★★
Cuisson rôti au four avec beurre salé : ★★
Cuisson rôti au four avec huile végétale : ★★
Cuisson rôti au four avec margarine végétale non salée : ★★
Cuisson rôti au four avec margarine végétale salée : ★★

Cuisson rôti au four avec saindoux ou graisse d'oie ou de canard : ★★
Cuisson rôti au four sans matière grasse ajoutée : ★★★
Cuisson vapeur : ★★★
Grillé : ★★★
Pierrade : ★★★
Poêlé avec beurre doux
Poêlé avec beurre salé
Poêlé avec huile végétale
Poêlé avec margarine végétale non salée
Poêlé avec margarine végétale salée
Poêlé avec saindoux ou graisse d'oie ou de canard
Poêlé sans matière grasse : ★★★
Salé et fumé : ★
Séché : ★★★
Surgelé : ★★★
Remarque : pas de poivre ni aucune autre épice sauf le curcuma. Pas de jus de citron en fin de cuisson ni aucun autre acide.

Foie d'agneau : voir « Agneau (viande de) ».

Foie de bœuf : voir « Bœuf (viande de) ».

Foie de porc : voir « Porc (viande de) ».

Foie de veau : voir « Veau (viande de) ».

Fondue bourguignonne : voir « Bœuf (viande de) » section *Cuisson en friture.*

Fondue bourguignonne au vin : voir « Bœuf (viande de) » section *Cuisson au court bouillon.*

Fondue chinoise : voir « Bœuf (viande de) » section *Cuisson au court bouillon.*

Fraise : fruit charnu provenant du fraisier.
A l'anglaise : ★★
Au sirop : ★★

Fraise - Frites

Au sirop léger : ★★★
Confite : ★★
Conserve au naturel : ★★★★
Conservée dans l'alcool
Conservée sous vide : ★★★★
Consommation crue : ★★★★
En beignet
En compote (avec sucre ajouté) : ★★★
En compote sans sucre ajouté : ★★★
En confiture : ★★
En confiture allégée en sucre : ★★
En confiture sans sucre : ★★★
Fraîchement récoltée : ★★★★
Pochée sans sucre : ★★★★
Séchée : ★★★★
Surgelée : ★★★★

Framboise : fruit frais provenant du framboisier.
A l'anglaise : ★★
Au sirop : ★★
Au sirop léger : ★★★
Confite : ★★
Conserve au naturel : ★★★
Conservée dans l'alcool
Conservée sous vide : ★★★
Consommation crue : ★★★
En beignet
En compote (avec sucre ajouté) : ★★★
En compote sans sucre ajouté : ★★★
En confiture : ★★
En confiture allégée en sucre : ★★
En confiture sans sucre : ★★★
Fraîchement récoltée : ★★★
Pochée sans sucre : ★★★
Séchée : ★★★★
Surgelée : ★★★

Frites : voir « Pomme de terre » section *Cuisson en friture.*

Frites au four : voir « Pomme de terre » section *Poêlée sans matière grasse.*

G

Gamba : voir « Crevette ».

Gardon : poisson d'eau douce à chair blanche.
Conservé par le sel : ★★
Conservé sous vide : ★★★
Consommation cru
Cuisson à la milanaise avec beurre doux
Cuisson à la milanaise avec beurre salé
Cuisson à la milanaise avec huile végétale
Cuisson à la milanaise avec margarine végétale non salée
Cuisson à la milanaise avec margarine végétale salée
Cuisson à la milanaise avec saindoux ou graisse d'oie ou de canard
Cuisson à la milanaise sans matière grasse : ★★★
Cuisson à l'étouffée avec beurre doux : ★★
Cuisson à l'étouffée avec beurre salé : ★★
Cuisson à l'étouffée avec huile végétale : ★★
Cuisson à l'étouffée avec margarine végétale non salée : ★★
Cuisson à l'étouffée avec margarine végétale salée : ★★
Cuisson à l'étouffée avec saindoux ou graisse d'oie ou de canard : ★★
Cuisson à l'étouffée sans matière grasse : ★★★
Cuisson au court bouillon : ★★★
Cuisson en braisé avec beurre doux : ★★
Cuisson en braisé avec beurre salé : ★★
Cuisson en braisé avec huile végétale : ★★
Cuisson en braisé avec margarine végétale non salée : ★★
Cuisson en braisé avec margarine végétale salée : ★★
Cuisson en braisé avec saindoux ou graisse d'oie ou de canard : ★★
Cuisson en braisé sans matière grasse : ★★★

Cuisson en friture
Cuisson en meunière avec beurre doux
Cuisson en meunière avec beurre salé
Cuisson en meunière avec huile végétale
Cuisson en meunière avec margarine végétale non salée
Cuisson en meunière avec margarine végétale salée
Cuisson en meunière avec saindoux ou graisse d'oie ou de canard
Cuisson en meunière sans matière grasse : ★★★
Cuisson en sauté (idem poêlé).
Cuisson rôti au four avec beurre doux : ★★
Cuisson rôti au four avec beurre salé : ★★
Cuisson rôti au four avec huile végétale : ★★
Cuisson rôti au four avec margarine végétale non salée : ★★
Cuisson rôti au four avec margarine végétale salée : ★★
Cuisson rôti au four avec saindoux ou graisse d'oie ou de canard : ★★
Cuisson rôti au four sans matière grasse ajoutée : ★★★
Cuisson vapeur : ★★★
Grillé : ★★★
Pierrade : ★★★
Poêlé avec beurre doux
Poêlé avec beurre salé
Poêlé avec huile végétale
Poêlé avec margarine végétale non salée
Poêlé avec margarine végétale salée
Poêlé avec saindoux ou graisse d'oie ou de canard
Poêlé sans matière grasse : ★★★
Salé et fumé : ★
Séché : ★★★
Surgelé : ★★★
Remarque : pas de poivre ni aucune autre épice sauf le curcuma. Pas de jus de citron en fin de cuisson ni aucun autre acide.

Gendarme : charcuterie fumée à base de viande de porc.

Germon : voir « Thon ».

Gigot : voir « Agneau (viande d') ».

Gingembre : rhizome aromatique utilisé comme condiment.
Légume vert.
Confit : ★★
Conserve en saumure (eau salée) : ★★★
Conservé sous vide : ★★★
Consommation cru : ★★★
Cuisson à l'étouffée avec beurre doux : ★★
Cuisson à l'étouffée avec beurre salé : ★★
Cuisson à l'étouffée avec huile végétale : ★★
Cuisson à l'étouffée avec margarine végétale non salée : ★★
Cuisson à l'étouffée avec margarine végétale salée : ★★
Cuisson à l'étouffée avec saindoux ou graisse d'oie ou de canard : ★★
Cuisson à l'étouffée sans matière grasse : ★★★
Cuisson au court bouillon : ★★★
Cuisson en braisé avec beurre doux : ★★
Cuisson en braisé avec beurre salé : ★★
Cuisson en braisé avec huile végétale : ★★
Cuisson en braisé avec margarine végétale non salée : ★★
Cuisson en braisé avec margarine végétale salée : ★★
Cuisson en braisé avec saindoux ou graisse d'oie ou de canard : ★★
Cuisson en braisé sans matière grasse : ★★★
Cuisson en friture
Cuisson en papillote : ★★★
Cuisson en ragoût avec beurre doux
Cuisson en ragoût avec beurre salé
Cuisson en ragoût avec huile végétale
Cuisson en ragoût avec margarine végétale non salée
Cuisson en ragoût avec margarine végétale salée
Cuisson en ragoût avec saindoux ou graisse d'oie ou de canard
Cuisson en sauté (idem poêlé).
Cuisson vapeur : ★★★
Pierrade : ★★★
Poêlé avec beurre doux
Poêlé avec beurre salé
Poêlé avec huile végétale
Poêlé avec margarine végétale non salée
Poêlé avec margarine végétale salée
Poêlé avec saindoux ou graisse d'oie ou de canard

Poêlé sans matière grasse : ★★★
Potage crème : ★★
Potage nature sans matière grasse ajoutée : ★★★
Potage velouté : ★★
Surgelé : ★★★

Remarque : pas de poivre ni aucune autre épice sauf le curcuma. Pas de jus de citron en fin de cuisson ni aucun autre acide.

Giraumon : voir « Courgette ».

Girolle : voir « Champignon ».

Gîte : voir « Bœuf (viande de) ».

Gîte à la noix : voir « Bœuf (viande de) ».

Gombo : légume vert tropical.
Conserve en saumure (eau salée) : ★★★
Conservé sous vide : ★★★
Consommation cru
Cuisson à l'étouffée avec beurre doux : ★★
Cuisson à l'étouffée avec beurre salé : ★★
Cuisson à l'étouffée avec huile végétale : ★★
Cuisson à l'étouffée avec margarine végétale non salée : ★★
Cuisson à l'étouffée avec margarine végétale salée : ★★
Cuisson à l'étouffée avec saindoux ou graisse d'oie ou de canard : ★★
Cuisson à l'étouffée sans matière grasse : ★★★
Cuisson au court bouillon : ★★★
Cuisson en braisé avec beurre doux : ★★
Cuisson en braisé avec beurre salé : ★★
Cuisson en braisé avec huile végétale : ★★
Cuisson en braisé avec margarine végétale non salée : ★★
Cuisson en braisé avec margarine végétale salée : ★★
Cuisson en braisé avec saindoux ou graisse d'oie ou de canard : ★★
Cuisson en braisé sans matière grasse : ★★★
Cuisson en friture
Cuisson en papillote : ★★★

Cuisson en ragoût avec beurre doux
Cuisson en ragoût avec beurre salé
Cuisson en ragoût avec huile végétale
Cuisson en ragoût avec margarine végétale non salée
Cuisson en ragoût avec margarine végétale salée
Cuisson en ragoût avec saindoux ou graisse d'oie ou de canard
Cuisson en sauté (idem poêlé).
Cuisson vapeur : ★★★
Poêlé avec beurre doux
Poêlé avec beurre salé
Poêlé avec huile végétale
Poêlé avec margarine végétale non salée
Poêlé avec margarine végétale salée
Poêlé avec saindoux ou graisse d'oie ou de canard
Poêlé sans matière grasse : ★★★
Potage crème : ★★
Potage nature sans matière grasse ajoutée : ★★★
Potage velouté : ★★
Surgelé : ★★★
Remarque : pas de poivre ni aucune autre épice sauf le curcuma. Pas de jus de citron en fin de cuisson ni aucun autre acide.

Goujon : petit poisson d'eau douce à chair blanche.
Conservé par le sel : ★★
Conservé sous vide : ★★★
Consommation cru
Cuisson à la milanaise avec beurre doux
Cuisson à la milanaise avec beurre salé
Cuisson à la milanaise avec huile végétale
Cuisson à la milanaise avec margarine végétale non salée
Cuisson à la milanaise avec margarine végétale salée
Cuisson à la milanaise avec saindoux ou graisse d'oie ou de canard
Cuisson à la milanaise sans matière grasse : ★★★
Cuisson en beignet
Cuisson en friture
Cuisson en meunière avec beurre doux
Cuisson en meunière avec beurre salé
Cuisson en meunière avec huile végétale

Cuisson en meunière avec margarine végétale non salée
Cuisson en meunière avec margarine végétale salée
Cuisson en meunière avec saindoux ou graisse d'oie ou de canard
Cuisson en meunière sans matière grasse : ★★★
Cuisson en sauté (idem poêlé).
Pierrade : ★★★
Poêlé avec beurre doux
Poêlé avec beurre salé
Poêlé avec huile végétale
Poêlé avec margarine végétale non salée
Poêlé avec margarine végétale salée
Poêlé avec saindoux ou graisse d'oie ou de canard
Poêlé sans matière grasse : ★★★
Salé et fumé : ★
Séché : ★★★
Surgelé : ★★★
Remarque : pas de poivre ni aucune autre épice sauf le curcuma. Pas de jus de citron en fin de cuisson ni aucun autre acide.

Goyave : fruit du goyavier. Fruit exotique.

Grémille : poisson d'eau douce à chair blanche.
Conservée par le sel : ★★
Conservée sous vide : ★★★
Consommation crue
Cuisson à la milanaise avec beurre doux
Cuisson à la milanaise avec beurre salé
Cuisson à la milanaise avec huile végétale
Cuisson à la milanaise avec margarine végétale non salée
Cuisson à la milanaise avec margarine végétale salée
Cuisson à la milanaise avec saindoux ou graisse d'oie ou de canard
Cuisson à la milanaise sans matière grasse : ★★★
Cuisson en beignet
Cuisson en friture
Cuisson en meunière avec beurre doux
Cuisson en meunière avec beurre salé
Cuisson en meunière avec huile végétale

Cuisson en meunière avec margarine végétale non salée
Cuisson en meunière avec margarine végétale salée
Cuisson en meunière avec saindoux ou graisse d'oie ou de canard
Cuisson en meunière sans matière grasse : ★★★
Cuisson en sauté (idem poêlée).
Pierrade : ★★★
Poêlée avec beurre doux
Poêlée avec beurre salé
Poêlée avec huile végétale
Poêlée avec margarine végétale non salée
Poêlée avec margarine végétale salée
Poêlée avec saindoux ou graisse d'oie ou de canard
Poêlée sans matière grasse : ★★★
Salée et fumée : ★
Séchée : ★★★
Surgelée : ★★★
Remarque : pas de poivre ni aucune autre épice sauf le curcuma. Pas de jus de citron en fin de cuisson ni aucun autre acide.

Grenade : fruit du grenadier. Fruit exotique.
A l'anglaise : ★★
Au sirop : ★★
Au sirop léger : ★★★
Confite : ★★
Conserve au naturel : ★★★
Conservée dans l'alcool
Conservée sous vide : ★★★
Consommation crue : ★★★
En beignet
En compote (avec sucre ajouté) : ★★★
En compote sans sucre ajouté : ★★★
En confiture : ★★
En confiture allégée en sucre : ★★
En confiture sans sucre : ★★★
Fraîchement récoltée : ★★★
Pochée sans sucre : ★★★
Séchée : ★★★★
Surgelée : ★★★

Grenadille : fruit comestible d'une passiflore. Fruit exotique.

Grondin : poisson marin à chair blanche.
Conservé par le sel : ★★
Conservé sous vide : ★★★
Consommation cru
Cuisson à la milanaise avec beurre doux
Cuisson à la milanaise avec beurre salé
Cuisson à la milanaise avec huile végétale
Cuisson à la milanaise avec margarine végétale non salée
Cuisson à la milanaise avec margarine végétale salée
Cuisson à la milanaise avec saindoux ou graisse d'oie ou de canard
Cuisson à la milanaise sans matière grasse : ★★★
Cuisson à l'étouffée avec beurre doux : ★★
Cuisson à l'étouffée avec beurre salé : ★★
Cuisson à l'étouffée avec huile végétale : ★★
Cuisson à l'étouffée avec margarine végétale non salée : ★★
Cuisson à l'étouffée avec margarine végétale salée : ★★
Cuisson à l'étouffée avec saindoux ou graisse d'oie ou de canard : ★★
Cuisson à l'étouffée sans matière grasse : ★★★
Cuisson au court bouillon : ★★★
Cuisson en braisé avec beurre doux : ★★
Cuisson en braisé avec beurre salé : ★★
Cuisson en braisé avec huile végétale : ★★
Cuisson en braisé avec margarine végétale non salée : ★★
Cuisson en braisé avec margarine végétale salée : ★★
Cuisson en braisé avec saindoux ou graisse d'oie ou de canard : ★★
Cuisson en braisé sans matière grasse : ★★★
Cuisson en friture
Cuisson en meunière avec beurre doux
Cuisson en meunière avec beurre salé
Cuisson en meunière avec huile végétale
Cuisson en meunière avec margarine végétale non salée
Cuisson en meunière avec margarine végétale salée
Cuisson en meunière avec saindoux ou graisse d'oie ou de canard
Cuisson en meunière sans matière grasse : ★★★

Cuisson en sauté (idem poêlé).
Cuisson rôti à la broche : ★★★
Cuisson rôti au four avec beurre doux : ★★
Cuisson rôti au four avec beurre salé : ★★
Cuisson rôti au four avec huile végétale : ★★
Cuisson rôti au four avec margarine végétale non salée : ★★
Cuisson rôti au four avec margarine végétale salée : ★★
Cuisson rôti au four avec saindoux ou graisse d'oie ou de canard : ★★
Cuisson rôti au four sans matière grasse ajoutée : ★★★
Cuisson vapeur : ★★★
Grillé : ★★★
Pierrade : ★★★
Poêlé avec beurre doux
Poêlé avec beurre salé
Poêlé avec huile végétale
Poêlé avec margarine végétale non salée
Poêlé avec margarine végétale salée
Poêlé avec saindoux ou graisse d'oie ou de canard
Poêlé sans matière grasse : ★★★
Salé et fumé : ★
Séché : ★★★
Surgelé : ★★★
Remarque : pas de poivre ni aucune autre épice sauf le curcuma. Pas de jus de citron en fin de cuisson ni aucun autre acide.

Groseille : fruit comestible du groseillier.
A l'anglaise : ★★
Au sirop : ★★
Au sirop léger : ★★★
Confite : ★★
Conserve au naturel : ★★★★
Conservée dans l'alcool
Conservée sous vide : ★★★★
Consommation crue : ★★★★
En beignet
En compote (avec sucre ajouté) : ★★★
En compote sans sucre ajouté : ★★★
En confiture : ★★

En confiture allégée en sucre : ★★
En confiture sans sucre : ★★★
Fraîchement récoltée : ★★★★
Pochée sans sucre : ★★★★
Séchée : ★★★★
Surgelée : ★★★★

Gyromitre : voir « Champignon ».

ℋ

Ha : requin comestible.
Conservé par le sel : ★★
Conservé sous vide : ★★★
Consommation cru
Cuisson à la milanaise avec beurre doux
Cuisson à la milanaise avec beurre salé
Cuisson à la milanaise avec huile végétale
Cuisson à la milanaise avec margarine végétale non salée
Cuisson à la milanaise avec margarine végétale salée
Cuisson à la milanaise avec saindoux ou graisse d'oie ou de canard
Cuisson à la milanaise sans matière grasse : ★★★
Cuisson à l'étouffée avec beurre doux : ★★
Cuisson à l'étouffée avec beurre salé : ★★
Cuisson à l'étouffée avec huile végétale : ★★
Cuisson à l'étouffée avec margarine végétale non salée : ★★
Cuisson à l'étouffée avec margarine végétale salée : ★★
Cuisson à l'étouffée avec saindoux ou graisse d'oie ou de canard : ★★
Cuisson à l'étouffée sans matière grasse : ★★★
Cuisson au court bouillon : ★★★
Cuisson en braisé avec beurre doux : ★★
Cuisson en braisé avec beurre salé : ★★
Cuisson en braisé avec huile végétale : ★★
Cuisson en braisé avec margarine végétale non salée : ★★

Cuisson en braisé avec margarine végétale salée : ★★
Cuisson en braisé avec saindoux ou graisse d'oie ou de canard : ★★
Cuisson en braisé sans matière grasse : ★★★
Cuisson en friture
Cuisson en meunière avec beurre doux
Cuisson en meunière avec beurre salé
Cuisson en meunière avec huile végétale
Cuisson en meunière avec margarine végétale non salée
Cuisson en meunière avec margarine végétale salée
Cuisson en meunière avec saindoux ou graisse d'oie ou de canard
Cuisson en meunière sans matière grasse : ★★★
Cuisson en ragoût avec beurre doux
Cuisson en ragoût avec beurre salé
Cuisson en ragoût avec huile végétale
Cuisson en ragoût avec margarine végétale non salée
Cuisson en ragoût avec margarine végétale salée
Cuisson en ragoût avec saindoux ou graisse d'oie ou de canard
Cuisson en sauté (idem poêlé).
Cuisson rôti à la broche : ★★★
Cuisson rôti au four avec beurre doux : ★★
Cuisson rôti au four avec beurre salé : ★★
Cuisson rôti au four avec huile végétale : ★★
Cuisson rôti au four avec margarine végétale non salée : ★★
Cuisson rôti au four avec margarine végétale salée : ★★
Cuisson rôti au four avec saindoux ou graisse d'oie ou de canard : ★★
Cuisson rôti au four sans matière grasse ajoutée : ★★★
Cuisson vapeur : ★★★
Grillé : ★★★
Pierrade : ★★★
Poêlé avec beurre doux
Poêlé avec beurre salé
Poêlé avec huile végétale
Poêlé avec margarine végétale non salée
Poêlé avec margarine végétale salée
Poêlé avec saindoux ou graisse d'oie ou de canard
Poêlé sans matière grasse : ★★★
Salé et fumé : ★

Séché : ★★★
Surgelé : ★★★
Remarque : pas de poivre ni aucune autre épice sauf le curcuma. Pas de jus de citron en fin de cuisson ni aucun autre acide.

Haddock : voir « Eglefin » section *Salé et fumé.*

Hampe de bœuf : voir « Bœuf (viande de) ».

Hareng : poisson gras marin.
Conservé dans le vinaigre
Conservé par le sel : ★
Conservé sous vide : ★
Consommation cru
Cuisson à la milanaise avec beurre doux
Cuisson à la milanaise avec beurre salé
Cuisson à la milanaise avec huile végétale
Cuisson à la milanaise avec margarine végétale non salée
Cuisson à la milanaise avec margarine végétale salée
Cuisson à la milanaise avec saindoux ou graisse d'oie ou de canard
Cuisson à la milanaise sans matière grasse : ★
Cuisson à l'étouffée avec beurre doux : ★
Cuisson à l'étouffée avec beurre salé : ★
Cuisson à l'étouffée avec huile végétale : ★
Cuisson à l'étouffée avec margarine végétale non salée : ★
Cuisson à l'étouffée avec margarine végétale salée : ★
Cuisson à l'étouffée avec saindoux ou graisse d'oie ou de canard : ★
Cuisson à l'étouffée sans matière grasse : ★
Cuisson au court bouillon : ★
Cuisson en braisé avec beurre doux : ★
Cuisson en braisé avec beurre salé : ★
Cuisson en braisé avec huile végétale : ★
Cuisson en braisé avec margarine végétale non salée : ★
Cuisson en braisé avec margarine végétale salée : ★
Cuisson en braisé avec saindoux ou graisse d'oie ou de canard : ★
Cuisson en braisé sans matière grasse : ★

Cuisson en friture
Cuisson en meunière avec beurre doux
Cuisson en meunière avec beurre salé
Cuisson en meunière avec huile végétale
Cuisson en meunière avec margarine végétale non salée
Cuisson en meunière avec margarine végétale salée
Cuisson en meunière avec saindoux ou graisse d'oie ou de canard
Cuisson en meunière sans matière grasse : ★
Cuisson en sauté (idem poêlé).
Cuisson rôti à la broche : ★
Cuisson rôti au four avec beurre doux : ★
Cuisson rôti au four avec beurre salé : ★
Cuisson rôti au four avec huile végétale : ★
Cuisson rôti au four avec margarine végétale non salée : ★
Cuisson rôti au four avec margarine végétale salée : ★
Cuisson rôti au four avec saindoux ou graisse d'oie ou de canard : ★
Cuisson rôti au four sans matière grasse ajoutée : ★
Cuisson vapeur : ★
Grillé : ★
Pierrade : ★
Poêlé avec beurre doux
Poêlé avec beurre salé
Poêlé avec huile végétale
Poêlé avec margarine végétale non salée
Poêlé avec margarine végétale salée
Poêlé avec saindoux ou graisse d'oie ou de canard
Poêlé sans matière grasse : ★
Salé et fumé
Séché : ★
Surgelé : ★
Remarque : pas de poivre ni aucune autre épice sauf le curcuma. Pas de jus de citron en fin de cuisson ni aucun autre acide.

Hareng fumé : voir « Hareng » section *Salé et fumé*.

Hareng saur : voir « Hareng » section *Salé et fumé*.

Haricot azukis - Haricot sec

Haricot azukis : voir « Haricot rouge ».

Haricot beurre : voir « Haricot vert ».

Haricot blanc : voir « Haricot sec ».

Haricot noir : voir « Haricot sec ».

Haricot rouge : voir « Haricot sec ».

Haricot sec : graine blanche, ou blanche et noire, rosée, rouge de haricot qui se consomme à pleine maturité. Féculent.
Conserve à l'étuvé : ★★★★
Conserve en saumure (eau salée) : ★★★
Conservé sous vide : ★★★★
Consommation cru
Cuisson à l'étouffée avec beurre doux : ★★
Cuisson à l'étouffée avec beurre salé : ★★
Cuisson à l'étouffée avec huile végétale : ★★
Cuisson à l'étouffée avec margarine végétale non salée : ★★
Cuisson à l'étouffée avec margarine végétale salée : ★★
Cuisson à l'étouffée avec saindoux ou graisse d'oie ou de canard : ★★
Cuisson à l'étouffée sans matière grasse : ★★★★
Cuisson au court bouillon : ★★★★
Cuisson en braisé avec beurre doux : ★★
Cuisson en braisé avec beurre salé : ★★
Cuisson en braisé avec huile végétale : ★★
Cuisson en braisé avec margarine végétale non salée : ★★
Cuisson en braisé avec margarine végétale salée : ★★
Cuisson en braisé avec saindoux ou graisse d'oie ou de canard : ★★
Cuisson en braisé sans matière grasse : ★★★★
Cuisson en ragoût avec beurre doux
Cuisson en ragoût avec beurre salé
Cuisson en ragoût avec huile végétale
Cuisson en ragoût avec margarine végétale non salée
Cuisson en ragoût avec margarine végétale salée
Cuisson en ragoût avec saindoux ou graisse d'oie ou de canard
Potage crème : ★★

Potage nature sans matière grasse ajoutée : ★★★★
Potage velouté : ★★
Sec : ★★★★
Surgelé : ★★★★
Remarque : pas de poivre ni aucune autre épice sauf le curcuma. Pas de jus de citron en fin de cuisson ni aucun autre acide.

Haricot de lima : voir « Fève ».

Haricot de soja : graine verte de soja. Légume vert.
Conserve en saumure (eau salée) : ★★★
Conservé sous vide : ★★★
Consommation cru
Cuisson à l'étouffée avec beurre doux : ★★
Cuisson à l'étouffée avec beurre salé : ★★
Cuisson à l'étouffée avec huile végétale : ★★
Cuisson à l'étouffée avec margarine végétale non salée : ★★
Cuisson à l'étouffée avec margarine végétale salée : ★★
Cuisson à l'étouffée avec saindoux ou graisse d'oie ou de canard : ★★
Cuisson à l'étouffée sans matière grasse : ★★★
Cuisson au court bouillon : ★★★
Cuisson en braisé avec beurre doux : ★★
Cuisson en braisé avec beurre salé : ★★
Cuisson en braisé avec huile végétale : ★★
Cuisson en braisé avec margarine végétale non salée : ★★
Cuisson en braisé avec margarine végétale salée : ★★
Cuisson en braisé avec saindoux ou graisse d'oie ou de canard : ★★
Cuisson en braisé sans matière grasse : ★★★
Cuisson en friture
Cuisson en papillote : ★★★
Cuisson en ragoût avec beurre doux
Cuisson en ragoût avec beurre salé
Cuisson en ragoût avec huile végétale
Cuisson en ragoût avec margarine végétale non salée
Cuisson en ragoût avec margarine végétale salée
Cuisson en ragoût avec saindoux ou graisse d'oie ou de canard
Cuisson en sauté (idem poêlé).

Haricot de soja - Haricot vert

Cuisson vapeur : ★★★
Fermenté (Natto) : ★★★
Poêlé avec beurre doux
Poêlé avec beurre salé
Poêlé avec huile végétale
Poêlé avec margarine végétale non salée
Poêlé avec margarine végétale salée
Poêlé avec saindoux ou graisse d'oie ou de canard
Poêlé sans matière grasse : ★★★
Potage crème : ★★
Potage nature sans matière grasse ajoutée : ★★★
Potage velouté : ★★
Surgelé : ★★★
Remarque : pas de poivre ni aucune autre épice sauf le curcuma. Pas de jus de citron en fin de cuisson ni aucun autre acide.

Haricot mungo : voir « Haricot de soja ».

Haricot vert : haricot de couleur vert ou violette, parfois vert strié de noir, ou brun, chocolat... qui se consomme jeune. Légume vert.
Conserve en saumure (eau salée) : ★★★
Conservé sous vide : ★★★
Consommation cru
Cuisson à l'étouffée avec beurre doux : ★★
Cuisson à l'étouffée avec beurre salé : ★★
Cuisson à l'étouffée avec huile végétale : ★★
Cuisson à l'étouffée avec margarine végétale non salée : ★★
Cuisson à l'étouffée avec margarine végétale salée : ★★
Cuisson à l'étouffée avec saindoux ou graisse d'oie ou de canard : ★★
Cuisson à l'étouffée sans matière grasse : ★★★
Cuisson au court bouillon : ★★★
Cuisson en braisé avec beurre doux : ★★
Cuisson en braisé avec beurre salé : ★★
Cuisson en braisé avec huile végétale : ★★
Cuisson en braisé avec margarine végétale non salée : ★★
Cuisson en braisé avec margarine végétale salée : ★★

Cuisson en braisé avec saindoux ou graisse d'oie ou de canard :
★ ★
Cuisson en braisé sans matière grasse : ★ ★ ★
Cuisson en friture
Cuisson en papillote : ★ ★ ★
Cuisson en ragoût avec beurre doux
Cuisson en ragoût avec beurre salé
Cuisson en ragoût avec huile végétale
Cuisson en ragoût avec margarine végétale non salée
Cuisson en ragoût avec margarine végétale salée
Cuisson en ragoût avec saindoux ou graisse d'oie ou de canard
Cuisson en sauté (idem poêlé).
Cuisson vapeur : ★ ★ ★
Poêlé avec beurre doux
Poêlé avec beurre salé
Poêlé avec huile végétale
Poêlé avec margarine végétale non salée
Poêlé avec margarine végétale salée
Poêlé avec saindoux ou graisse d'oie ou de canard
Poêlé sans matière grasse : ★ ★ ★
Potage crème : ★ ★
Potage nature sans matière grasse ajoutée : ★ ★ ★
Potage velouté : ★ ★
Surgelé : ★ ★ ★
Remarque : pas de poivre ni aucune autre épice sauf le curcuma. Pas de jus de citron en fin de cuisson ni aucun autre acide.

Hélianti : plante potagère dont on consomme le rhizome. Légume vert.
Conserve en saumure (eau salée) : ★ ★
Conservé sous vide : ★ ★
Consommation cru : ★ ★
Cuisson à l'étouffée avec beurre doux : ★
Cuisson à l'étouffée avec beurre salé : ★
Cuisson à l'étouffée avec huile végétale : ★
Cuisson à l'étouffée avec margarine végétale non salée : ★
Cuisson à l'étouffée avec margarine végétale salée : ★
Cuisson à l'étouffée avec saindoux ou graisse d'oie ou de canard : ★

Cuisson à l'étouffée sans matière grasse : ★★
Cuisson au court bouillon : ★★
Cuisson en braisé avec beurre doux : ★
Cuisson en braisé avec beurre salé : ★
Cuisson en braisé avec huile végétale : ★
Cuisson en braisé avec margarine végétale non salée : ★
Cuisson en braisé avec margarine végétale salée : ★
Cuisson en braisé avec saindoux ou graisse d'oie ou de canard :
★
Cuisson en braisé sans matière grasse : ★★
Cuisson en friture
Cuisson en papillote : ★★
Cuisson en ragoût avec beurre doux
Cuisson en ragoût avec beurre salé
Cuisson en ragoût avec huile végétale
Cuisson en ragoût avec margarine végétale non salée
Cuisson en ragoût avec margarine végétale salée
Cuisson en ragoût avec saindoux ou graisse d'oie ou de canard
Cuisson en sauté (idem poêlé).
Cuisson vapeur : ★★
Poêlé avec beurre doux
Poêlé avec beurre salé
Poêlé avec huile végétale
Poêlé avec margarine végétale non salée
Poêlé avec margarine végétale salée
Poêlé avec saindoux ou graisse d'oie ou de canard
Poêlé sans matière grasse : ★★
Potage crème : ★
Potage nature sans matière grasse ajoutée : ★★
Potage velouté : ★
Surgelé : ★★
Remarque : pas de poivre ni aucune autre épice sauf le curcuma. Pas de jus de citron en fin de cuisson ni aucun autre acide.

Helvelle : voir « Champignon ».

Homard : crustacé marin très apprécié pour sa chair délicate.
Conservé par le sel : ★★
Conservé sous vide : ★★★

Consommation cru
Cuisson à l'étouffée avec beurre doux : ★★
Cuisson à l'étouffée avec beurre salé : ★★
Cuisson à l'étouffée avec huile végétale : ★★
Cuisson à l'étouffée avec margarine végétale non salée : ★★
Cuisson à l'étouffée avec margarine végétale salée : ★★
Cuisson à l'étouffée avec saindoux ou graisse d'oie ou de canard : ★★
Cuisson à l'étouffée sans matière grasse : ★★★
Cuisson au court bouillon : ★★★
Cuisson en braisé avec beurre doux : ★★
Cuisson en braisé avec beurre salé : ★★
Cuisson en braisé avec huile végétale : ★★
Cuisson en braisé avec margarine végétale non salée : ★★
Cuisson en braisé avec margarine végétale salée : ★★
Cuisson en braisé avec saindoux ou graisse d'oie ou de canard : ★★
Cuisson en braisé sans matière grasse : ★★★
Cuisson en friture
Cuisson en ragoût avec beurre doux
Cuisson en ragoût avec beurre salé
Cuisson en ragoût avec huile végétale
Cuisson en ragoût avec margarine végétale non salée
Cuisson en ragoût avec margarine végétale salée
Cuisson en ragoût avec saindoux ou graisse d'oie ou de canard
Cuisson en sauté (idem poêlé).
Cuisson rôti au four avec beurre doux : ★★
Cuisson rôti au four avec beurre salé : ★★
Cuisson rôti au four avec huile végétale : ★★
Cuisson rôti au four avec margarine végétale non salée : ★★
Cuisson rôti au four avec margarine végétale salée : ★★
Cuisson rôti au four avec saindoux ou graisse d'oie ou de canard : ★★
Cuisson rôti au four sans matière grasse ajoutée : ★★★
Cuisson vapeur : ★★★
Flambé
Grillé : ★★★
Poêlé avec beurre doux
Poêlé avec beurre salé
Poêlé avec huile végétale

Poêlé avec margarine végétale non salée
Poêlé avec margarine végétale salée
Poêlé avec saindoux ou graisse d'oie ou de canard
Poêlé sans matière grasse : ★★★
Surgelé : ★★★
Remarque : pas de poivre ni aucune autre épice sauf le curcuma. Pas de jus de citron en fin de cuisson ni aucun autre acide.

Hotu : poisson d'eau douce à chair blanche.
Conservé par le sel : ★★
Conservé sous vide : ★★★
Consommation cru
Cuisson à la milanaise avec beurre doux
Cuisson à la milanaise avec beurre salé
Cuisson à la milanaise avec huile végétale
Cuisson à la milanaise avec margarine végétale non salée
Cuisson à la milanaise avec margarine végétale salée
Cuisson à la milanaise avec saindoux ou graisse d'oie ou de canard
Cuisson à la milanaise sans matière grasse : ★★★
Cuisson à l'étouffée avec beurre doux : ★★
Cuisson à l'étouffée avec beurre salé : ★★
Cuisson à l'étouffée avec huile végétale : ★★
Cuisson à l'étouffée avec margarine végétale non salée : ★★
Cuisson à l'étouffée avec margarine végétale salée : ★★
Cuisson à l'étouffée avec saindoux ou graisse d'oie ou de canard : ★★
Cuisson à l'étouffée sans matière grasse : ★★★
Cuisson au court bouillon : ★★★
Cuisson en braisé avec beurre doux : ★★
Cuisson en braisé avec beurre salé : ★★
Cuisson en braisé avec huile végétale : ★★
Cuisson en braisé avec margarine végétale non salée : ★★
Cuisson en braisé avec margarine végétale salée : ★★
Cuisson en braisé avec saindoux ou graisse d'oie ou de canard : ★★
Cuisson en braisé sans matière grasse : ★★★
Cuisson en friture
Cuisson en meunière avec beurre doux

Cuisson en meunière avec beurre salé
Cuisson en meunière avec huile végétale
Cuisson en meunière avec margarine végétale non salée
Cuisson en meunière avec margarine végétale salée
Cuisson en meunière avec saindoux ou graisse d'oie ou de canard
Cuisson en meunière sans matière grasse : ★★★
Cuisson en sauté (idem poêlé).
Cuisson rôti à la broche : ★★★
Cuisson rôti au four avec beurre doux : ★★
Cuisson rôti au four avec beurre salé : ★★
Cuisson rôti au four avec huile végétale : ★★
Cuisson rôti au four avec margarine végétale non salée : ★★
Cuisson rôti au four avec margarine végétale salée : ★★
Cuisson rôti au four avec saindoux ou graisse d'oie ou de canard : ★★
Cuisson rôti au four sans matière grasse ajoutée : ★★★
Cuisson vapeur : ★★★
Grillé : ★★★
Pierrade : ★★★
Poêlé avec beurre doux
Poêlé avec beurre salé
Poêlé avec huile végétale
Poêlé avec margarine végétale non salée
Poêlé avec margarine végétale salée
Poêlé avec saindoux ou graisse d'oie ou de canard
Poêlé sans matière grasse : ★★★
Salé et fumé : ★
Séché : ★★★
Surgelé : ★★★

Remarque : pas de poivre ni aucune autre épice sauf le curcuma. Pas de jus de citron en fin de cuisson ni aucun autre acide.

Hydne : voir « Champignon ».

I

Icaque : fruit comestible de l'icaquier. Fruit exotique.
A l'anglaise : ★★
Au sirop : ★★
Au sirop léger : ★★★
Confit : ★★
Conserve au naturel : ★★★
Conservé dans l'alcool
Conservé sous vide : ★★★
Consommation cru : ★★★
En beignet
En compote (avec sucre ajouté) : ★★★
En compote sans sucre ajouté : ★★★
En confiture : ★★
En confiture allégée en sucre : ★★
En confiture sans sucre : ★★★
Fraîchement récolté : ★★★
Poché sans sucre : ★★★
Séché : ★★★★
Surgelé : ★★★

Igname : plante potagère cultivée pour son rhizome. Légume vert.
Conserve en saumure (eau salée) : ★★★
Conservé sous vide : ★★★
Consommation cru
Cuisson à la milanaise avec beurre doux
Cuisson à la milanaise avec beurre salé
Cuisson à la milanaise avec huile végétale
Cuisson à la milanaise avec margarine végétale non salée
Cuisson à la milanaise avec margarine végétale salée
Cuisson à la milanaise avec saindoux ou graisse d'oie ou de canard
Cuisson à la milanaise sans matière grasse : ★★★
Cuisson à l'étouffée avec beurre doux : ★★
Cuisson à l'étouffée avec beurre salé : ★★

Cuisson à l'étouffée avec huile végétale : ★★
Cuisson à l'étouffée avec margarine végétale non salée : ★★
Cuisson à l'étouffée avec margarine végétale salée : ★★
Cuisson à l'étouffée avec saindoux ou graisse d'oie ou de canard : ★★
Cuisson à l'étouffée sans matière grasse : ★★★
Cuisson au court bouillon : ★★★
Cuisson en braisé avec beurre doux : ★★
Cuisson en braisé avec beurre salé : ★★
Cuisson en braisé avec huile végétale : ★★
Cuisson en braisé avec margarine végétale non salée : ★★
Cuisson en braisé avec margarine végétale salée : ★★
Cuisson en braisé avec saindoux ou graisse d'oie ou de canard : ★★
Cuisson en braisé sans matière grasse : ★★★
Cuisson en friture
Cuisson en papillote : ★★★
Cuisson en meunière avec beurre doux
Cuisson en meunière avec beurre salé
Cuisson en meunière avec huile végétale
Cuisson en meunière avec margarine végétale non salée
Cuisson en meunière avec margarine végétale salée
Cuisson en meunière avec saindoux ou graisse d'oie ou de canard
Cuisson en meunière sans matière grasse : ★★★
Cuisson en ragoût avec beurre doux
Cuisson en ragoût avec beurre salé
Cuisson en ragoût avec huile végétale
Cuisson en ragoût avec margarine végétale non salée
Cuisson en ragoût avec margarine végétale salée
Cuisson en ragoût avec saindoux ou graisse d'oie ou de canard
Cuisson en sauté (idem poêlé).
Cuisson vapeur : ★★★
Poêlé avec beurre doux
Poêlé avec beurre salé
Poêlé avec huile végétale
Poêlé avec margarine végétale non salée
Poêlé avec margarine végétale salée
Poêlé avec saindoux ou graisse d'oie ou de canard
Poêlé sans matière grasse : ★★★

Potage crème : ★★
Potage nature sans matière grasse ajoutée : ★★★
Potage velouté : ★★
Surgelé : ★★★
Remarque : pas de poivre ni aucune autre épice sauf le curcuma. Pas de jus de citron en fin de cuisson ni aucun autre acide.

J

Jambon blanc : voir « Porc (viande de) » section *Cuisson au court bouillon.*

Jambon blanc à teneur réduite en sel : voir « Porc (viande de) » section *Cuisson au court bouillon.*

Jambon braisé : voir « Porc (viande de) » section *Cuisson en braisé.*

Jambon de Paris : voir « Porc (viande de) » section *Cuisson au court bouillon.*

Jambon de poulet : voir « Poulet » section *Cuisson au court bouillon.*

Jambon d'York : voir « Porc (viande de) » section *Cuisson au court bouillon.*

Jambon fumé : voir « Porc (viande de) » section *Salée et fumée.*

Jambon sec : voir « Porc (viande de) » section *Salée et fumée.*

Jambose : fruit du jambosier. Fruit exotique.
A l'anglaise : ★★
Au sirop : ★★

Au sirop léger : ★★★
Confite : ★★
Conserve au naturel : ★★★
Conservée dans l'alcool
Conservée sous vide : ★★★
Consommation crue : ★★★
En beignet
En compote (avec sucre ajouté) : ★★★
En compote sans sucre ajouté : ★★★
En confiture : ★★
En confiture allégée en sucre : ★★
En confiture sans sucre : ★★★
Fraîchement récoltée : ★★★
Pochée sans sucre : ★★★
Séchée : ★★★★
Surgelée : ★★★

Jarret de bœuf : voir « Bœuf (viande de) » section *Cuisson au court bouillon*.

Jarret de veau : voir « Veau (viande de) » section *Cuisson au court bouillon*.

Joue de bœuf : voir « Bœuf (viande de) ».

Jujube : fruit du jujubier. Fruit exotique.
A l'anglaise : ★★
Au sirop : ★★
Au sirop léger : ★★★
Confite : ★★
Conserve au naturel : ★★★
Conservée dans l'alcool
Conservée sous vide : ★★★
Consommation crue : ★★★
En beignet
En compote (avec sucre ajouté) : ★★★
En compote sans sucre ajouté : ★★★
En confiture : ★★
En confiture allégée en sucre : ★★
En confiture sans sucre : ★★★

Jujube - Julienne de légumes

Fraîchement récoltée : ★★★
Pochée sans sucre : ★★★
Séchée : ★★★★
Surgelée : ★★★

Julienne : voir « Lingue ».

Julienne de légumes : mélange de légumes verts taillés en fin bâtonnets.
Conserve en saumure (eau salée) : ★★★
Conservée sous vide : ★★★
Consommation crue
Cuisson à l'étouffée avec beurre doux : ★★
Cuisson à l'étouffée avec beurre salé : ★★
Cuisson à l'étouffée avec huile végétale : ★★
Cuisson à l'étouffée avec margarine végétale non salée : ★★
Cuisson à l'étouffée avec margarine végétale salée : ★★
Cuisson à l'étouffée avec saindoux ou graisse d'oie ou de canard : ★★
Cuisson à l'étouffée sans matière grasse : ★★★
Cuisson au court bouillon : ★★★
Cuisson en beignet
Cuisson en braisé avec beurre doux : ★★
Cuisson en braisé avec beurre salé : ★★
Cuisson en braisé avec huile végétale : ★★
Cuisson en braisé avec margarine végétale non salée : ★★
Cuisson en braisé avec margarine végétale salée : ★★
Cuisson en braisé avec saindoux ou graisse d'oie ou de canard : ★★
Cuisson en braisé sans matière grasse : ★★★
Cuisson en friture
Cuisson en papillote : ★★★
Cuisson en sauté (idem poêlée).
Cuisson vapeur : ★★★
Poêlée avec beurre doux
Poêlée avec beurre salé
Poêlée avec huile végétale
Poêlée avec margarine végétale non salée
Poêlée avec margarine végétale salée
Poêlée avec saindoux ou graisse d'oie ou de canard

Poêlée sans matière grasse : ★★★
Potage crème : ★★
Potage nature sans matière grasse ajoutée : ★★★
Potage velouté : ★★
Surgelée : ★★★
Remarque : pas de poivre ni aucune autre épice sauf le curcuma. Pas de jus de citron en fin de cuisson ni aucun autre acide.

Jumeau : voir « Bœuf (viande de) ».

K

Kaki : fruit du plaqueminier.
A l'anglaise : ★★
Au sirop : ★★
Au sirop léger : ★★★
Confit : ★★
Conserve au naturel : ★★★
Conservé dans l'alcool
Conservé sous vide : ★★★
Consommation cru : ★★★
En beignet
En compote (avec sucre ajouté) : ★★★
En compote sans sucre ajouté : ★★★
En confiture : ★★
En confiture allégée en sucre : ★★
En confiture sans sucre : ★★★
Flambé (kaki poché) : ★
Fraîchement récolté : ★★★
Poché sans sucre : ★★★
Séché : ★★★★
Surgelé : ★★★

Kangourou (viande de)

Kangourou (viande de...) : viande apparentée à celle du bœuf. Viande rouge.
Conservée par le sel : ★
Conservée sous vide : ★
Consommation crue
Cuisson à la milanaise avec beurre doux
Cuisson à la milanaise avec beurre salé
Cuisson à la milanaise avec huile végétale
Cuisson à la milanaise avec margarine végétale non salée
Cuisson à la milanaise avec margarine végétale salée
Cuisson à la milanaise avec saindoux ou graisse d'oie ou de canard
Cuisson à la milanaise sans matière grasse : ★
Cuisson à l'étouffée avec beurre doux : ★
Cuisson à l'étouffée avec beurre salé : ★
Cuisson à l'étouffée avec huile végétale : ★
Cuisson à l'étouffée avec margarine végétale non salée : ★
Cuisson à l'étouffée avec margarine végétale salée : ★
Cuisson à l'étouffée avec saindoux ou graisse d'oie ou de canard : ★
Cuisson à l'étouffée sans matière grasse : ★
Cuisson au court bouillon : ★
Cuisson en braisé avec beurre doux : ★
Cuisson en braisé avec beurre salé : ★
Cuisson en braisé avec huile végétale : ★
Cuisson en braisé avec margarine végétale non salée : ★
Cuisson en braisé avec margarine végétale salée : ★
Cuisson en braisé avec saindoux ou graisse d'oie ou de canard : ★
Cuisson en braisé sans matière grasse : ★
Cuisson en friture
Cuisson en meunière avec beurre doux
Cuisson en meunière avec beurre salé
Cuisson en meunière avec huile végétale
Cuisson en meunière avec margarine végétale non salée
Cuisson en meunière avec margarine végétale salée
Cuisson en meunière avec saindoux ou graisse d'oie ou de canard
Cuisson en meunière sans matière grasse : ★
Cuisson en ragoût avec beurre doux

Cuisson en ragoût avec beurre salé
Cuisson en ragoût avec huile végétale
Cuisson en ragoût avec margarine végétale non salée
Cuisson en ragoût avec margarine végétale salée
Cuisson en ragoût avec saindoux ou graisse d'oie ou de canard
Cuisson en sauté (idem poêlée).
Cuisson rôtie à la broche : ★
Cuisson rôtie au four avec beurre doux : ★
Cuisson rôtie au four avec beurre salé : ★
Cuisson rôtie au four avec huile végétale : ★
Cuisson rôtie au four avec margarine végétale non salée : ★
Cuisson rôtie au four avec margarine végétale salée : ★
Cuisson rôtie au four avec saindoux ou graisse d'oie ou de canard : ★
Cuisson rôtie au four sans matière grasse ajoutée : ★
Cuisson vapeur : ★
Grillée : ★
Pierrade : ★
Poêlée avec beurre doux
Poêlée avec beurre salé
Poêlée avec huile végétale
Poêlée avec margarine végétale non salée
Poêlée avec margarine végétale salée
Poêlée avec saindoux ou graisse d'oie ou de canard
Poêlée sans matière grasse : ★
Salée et fumée : ★
Séchée : ★
Surgelée : ★

Remarque : pas de poivre ni aucune autre épice sauf le curcuma. Pas de jus de citron en fin de cuisson ni aucun autre acide.

Kipper : voir « Hareng » section *Salé et fumé*.

Kiwi : fruit de l'actinidia.

Kumquat : petit fruit issu du kumquat, agrume jaune.

𝓛

Labre : voir « Vieille ».

Lactaire : voir « Champignon ».

Lamproie : poisson de rivière à chair blanche.
Conservée par le sel : ★★
Conservée sous vide : ★★★
Consommation crue
Cuisson à la milanaise avec beurre doux
Cuisson à la milanaise avec beurre salé
Cuisson à la milanaise avec huile végétale
Cuisson à la milanaise avec margarine végétale non salée
Cuisson à la milanaise avec margarine végétale salée
Cuisson à la milanaise avec saindoux ou graisse d'oie ou de canard
Cuisson à la milanaise sans matière grasse : ★★★
Cuisson à l'étouffée avec beurre doux : ★★
Cuisson à l'étouffée avec beurre salé : ★★
Cuisson à l'étouffée avec huile végétale : ★★
Cuisson à l'étouffée avec margarine végétale non salée : ★★
Cuisson à l'étouffée avec margarine végétale salée : ★★
Cuisson à l'étouffée avec saindoux ou graisse d'oie ou de canard : ★★
Cuisson à l'étouffée sans matière grasse : ★★★
Cuisson au court bouillon : ★★★
Cuisson en braisé avec beurre doux : ★★
Cuisson en braisé avec beurre salé : ★★
Cuisson en braisé avec huile végétale : ★★
Cuisson en braisé avec margarine végétale non salée : ★★
Cuisson en braisé avec margarine végétale salée : ★★
Cuisson en braisé avec saindoux ou graisse d'oie ou de canard : ★★
Cuisson en braisé sans matière grasse : ★★★
Cuisson en friture
Cuisson en meunière avec beurre doux

Cuisson en meunière avec beurre salé
Cuisson en meunière avec huile végétale
Cuisson en meunière avec margarine végétale non salée
Cuisson en meunière avec margarine végétale salée
Cuisson en meunière avec saindoux ou graisse d'oie ou de canard
Cuisson en meunière sans matière grasse : ★★★
Cuisson en ragoût avec beurre doux
Cuisson en ragoût avec beurre salé
Cuisson en ragoût avec huile végétale
Cuisson en ragoût avec margarine végétale non salée
Cuisson en ragoût avec margarine végétale salée
Cuisson en ragoût avec saindoux ou graisse d'oie ou de canard
Cuisson en sauté (idem poêlée).
Cuisson rôtie au four avec beurre doux : ★★
Cuisson rôtie au four avec beurre salé : ★★
Cuisson rôtie au four avec huile végétale : ★★
Cuisson rôtie au four avec margarine végétale non salée : ★★
Cuisson rôtie au four avec margarine végétale salée : ★★
Cuisson rôtie au four avec saindoux ou graisse d'oie ou de canard : ★★
Cuisson rôtie au four sans matière grasse ajoutée : ★★★
Cuisson vapeur : ★★★
Grillée : ★★★
Pierrade : ★★★
Poêlée avec beurre doux
Poêlée avec beurre salé
Poêlée avec huile végétale
Poêlée avec margarine végétale non salée
Poêlée avec margarine végétale salée
Poêlée avec saindoux ou graisse d'oie ou de canard
Poêlée sans matière grasse : ★★★
Salée et fumée : ★
Séchée : ★★★
Surgelée : ★★★
Remarque : pas de poivre ni aucune autre épice sauf le curcuma. Pas de jus de citron en fin de cuisson ni aucun autre acide.

Lançon : voir « Equille ».

Langouste

Langouste : crustacé marcheur très apprécié pour sa chair.
Conservée par le sel : ★★
Conservée sous vide : ★★★
Consommation crue
Cuisson à la milanaise avec beurre doux
Cuisson à la milanaise avec beurre salé
Cuisson à la milanaise avec huile végétale
Cuisson à la milanaise avec margarine végétale non salée
Cuisson à la milanaise avec margarine végétale salée
Cuisson à la milanaise avec saindoux ou graisse d'oie ou de canard
Cuisson à la milanaise sans matière grasse : ★★★
Cuisson à l'étouffée avec beurre doux : ★★
Cuisson à l'étouffée avec beurre salé : ★★
Cuisson à l'étouffée avec huile végétale : ★★
Cuisson à l'étouffée avec margarine végétale non salée : ★★
Cuisson à l'étouffée avec margarine végétale salée : ★★
Cuisson à l'étouffée avec saindoux ou graisse d'oie ou de canard : ★★
Cuisson à l'étouffée sans matière grasse : ★★★
Cuisson au court bouillon : ★★★
Cuisson en braisé avec beurre doux : ★★
Cuisson en braisé avec beurre salé : ★★
Cuisson en braisé avec huile végétale : ★★
Cuisson en braisé avec margarine végétale non salée : ★★
Cuisson en braisé avec margarine végétale salée : ★★
Cuisson en braisé avec saindoux ou graisse d'oie ou de canard : ★★
Cuisson en braisé sans matière grasse : ★★★
Cuisson en friture
Cuisson en meunière avec beurre doux
Cuisson en meunière avec beurre salé
Cuisson en meunière avec huile végétale
Cuisson en meunière avec margarine végétale non salée
Cuisson en meunière avec margarine végétale salée
Cuisson en meunière avec saindoux ou graisse d'oie ou de canard
Cuisson en meunière sans matière grasse : ★★★
Cuisson en ragoût avec beurre doux
Cuisson en ragoût avec beurre salé

Cuisson en ragoût avec huile végétale
Cuisson en ragoût avec margarine végétale non salée
Cuisson en ragoût avec margarine végétale salée
Cuisson en ragoût avec saindoux ou graisse d'oie ou de canard
Cuisson en sauté (idem poêlée).
Cuisson rôtie au four avec beurre doux : ★★
Cuisson rôtie au four avec beurre salé : ★★
Cuisson rôtie au four avec huile végétale : ★★
Cuisson rôtie au four avec margarine végétale non salée : ★★
Cuisson rôtie au four avec margarine végétale salée : ★★
Cuisson rôtie au four avec saindoux ou graisse d'oie ou de canard : ★★
Cuisson rôtie au four sans matière grasse ajoutée : ★★★
Cuisson vapeur : ★★★
Grillée : ★★★
Pierrade : ★★★
Poêlée avec beurre doux
Poêlée avec beurre salé
Poêlée avec huile végétale
Poêlée avec margarine végétale non salée
Poêlée avec margarine végétale salée
Poêlée avec saindoux ou graisse d'oie ou de canard
Poêlée sans matière grasse : ★★★
Séchée : ★★★
Surgelée : ★★★
Remarque : pas de poivre ni aucune autre épice sauf le curcuma. Pas de jus de citron en fin de cuisson ni aucun autre acide.

Langoustine : crustacé de la taille d'une grosse écrevisse.
Conservée par le sel : ★★
Conservée sous vide : ★★★
Consommation crue
Cuisson à la milanaise avec beurre doux
Cuisson à la milanaise avec beurre salé
Cuisson à la milanaise avec huile végétale
Cuisson à la milanaise avec margarine végétale non salée
Cuisson à la milanaise avec margarine végétale salée
Cuisson à la milanaise avec saindoux ou graisse d'oie ou de canard

Langoustine

Cuisson à la milanaise sans matière grasse : ★★★
Cuisson à l'étouffée avec beurre doux : ★★
Cuisson à l'étouffée avec beurre salé : ★★
Cuisson à l'étouffée avec huile végétale : ★★
Cuisson à l'étouffée avec margarine végétale non salée : ★★
Cuisson à l'étouffée avec margarine végétale salée : ★★
Cuisson à l'étouffée avec saindoux ou graisse d'oie ou de canard : ★★
Cuisson à l'étouffée sans matière grasse : ★★★
Cuisson au court bouillon : ★★★
Cuisson en braisé avec beurre doux : ★★
Cuisson en braisé avec beurre salé : ★★
Cuisson en braisé avec huile végétale : ★★
Cuisson en braisé avec margarine végétale non salée : ★★
Cuisson en braisé avec margarine végétale salée : ★★
Cuisson en braisé avec saindoux ou graisse d'oie ou de canard : ★★
Cuisson en braisé sans matière grasse : ★★★
Cuisson en friture
Cuisson en meunière avec beurre doux
Cuisson en meunière avec beurre salé
Cuisson en meunière avec huile végétale
Cuisson en meunière avec margarine végétale non salée
Cuisson en meunière avec margarine végétale salée
Cuisson en meunière avec saindoux ou graisse d'oie ou de canard
Cuisson en meunière sans matière grasse : ★★★
Cuisson en ragoût avec beurre doux
Cuisson en ragoût avec beurre salé
Cuisson en ragoût avec huile végétale
Cuisson en ragoût avec margarine végétale non salée
Cuisson en ragoût avec margarine végétale salée
Cuisson en ragoût avec saindoux ou graisse d'oie ou de canard
Cuisson en sauté (idem poêlée).
Cuisson rôtie au four avec beurre doux : ★★
Cuisson rôtie au four avec beurre salé : ★★
Cuisson rôtie au four avec huile végétale : ★★
Cuisson rôtie au four avec margarine végétale non salée : ★★
Cuisson rôtie au four avec margarine végétale salée : ★★

Cuisson rôtie au four avec saindoux ou graisse d'oie ou de canard : ★★
Cuisson rôtie au four sans matière grasse ajoutée : ★★★
Cuisson vapeur : ★★★
Grillée : ★★★
Pierrade : ★★★
Poêlée avec beurre doux
Poêlée avec beurre salé
Poêlée avec huile végétale
Poêlée avec margarine végétale non salée
Poêlée avec margarine végétale salée
Poêlée avec saindoux ou graisse d'oie ou de canard
Poêlée sans matière grasse : ★★★
Séchée : ★★★
Surgelée : ★★★
Remarque : pas de poivre ni aucune autre épice sauf le curcuma. Pas de jus de citron en fin de cuisson ni aucun autre acide.

Langue de bœuf : voir « Bœuf (viande de) ».

Langue de porc : voir « Porc (viande de) ».

Lapin : mammifère herbivore.
Conservé par le sel : ★★
Conservé sous vide : ★★★
Consommation cru
Cuisson à la milanaise avec beurre doux
Cuisson à la milanaise avec beurre salé
Cuisson à la milanaise avec huile végétale
Cuisson à la milanaise avec margarine végétale non salée
Cuisson à la milanaise avec margarine végétale salée
Cuisson à la milanaise avec saindoux ou graisse d'oie ou de canard
Cuisson à la milanaise sans matière grasse : ★★★
Cuisson à l'étouffée avec beurre doux : ★★
Cuisson à l'étouffée avec beurre salé : ★★
Cuisson à l'étouffée avec huile végétale : ★★
Cuisson à l'étouffée avec margarine végétale non salée : ★★
Cuisson à l'étouffée avec margarine végétale salée : ★★

Lapin

Cuisson à l'étouffée avec saindoux ou graisse d'oie ou de canard : ★★
Cuisson à l'étouffée sans matière grasse : ★★★
Cuisson au court bouillon : ★★★
Cuisson en braisé avec beurre doux : ★★
Cuisson en braisé avec beurre salé : ★★
Cuisson en braisé avec huile végétale : ★★
Cuisson en braisé avec margarine végétale non salée : ★★
Cuisson en braisé avec margarine végétale salée : ★★
Cuisson en braisé avec saindoux ou graisse d'oie ou de canard : ★★
Cuisson en braisé sans matière grasse : ★★★
Cuisson en friture
Cuisson en meunière avec beurre doux
Cuisson en meunière avec beurre salé
Cuisson en meunière avec huile végétale
Cuisson en meunière avec margarine végétale non salée
Cuisson en meunière avec margarine végétale salée
Cuisson en meunière avec saindoux ou graisse d'oie ou de canard
Cuisson en meunière sans matière grasse : ★★★
Cuisson en ragoût avec beurre doux
Cuisson en ragoût avec beurre salé
Cuisson en ragoût avec huile végétale
Cuisson en ragoût avec margarine végétale non salée
Cuisson en ragoût avec margarine végétale salée
Cuisson en ragoût avec saindoux ou graisse d'oie ou de canard
Cuisson en sauté (idem poêlé).
Cuisson rôti à la broche : ★★★
Cuisson rôti au four avec beurre doux : ★★
Cuisson rôti au four avec beurre salé : ★★
Cuisson rôti au four avec huile végétale : ★★
Cuisson rôti au four avec margarine végétale non salée : ★★
Cuisson rôti au four avec margarine végétale salée : ★★
Cuisson rôti au four avec saindoux ou graisse d'oie ou de canard : ★★
Cuisson rôti au four sans matière grasse ajoutée : ★★★
Cuisson vapeur : ★★★
Grillé : ★★★
Pierrade : ★★★

Poêlé avec beurre doux
Poêlé avec beurre salé
Poêlé avec huile végétale
Poêlé avec margarine végétale non salée
Poêlé avec margarine végétale salée
Poêlé avec saindoux ou graisse d'oie ou de canard
Poêlé sans matière grasse : ★★★
Salé et fumé : ★
Séché : ★★★
Surgelé : ★★★
Remarque : pas de poivre ni aucune autre épice sauf le curcuma. Pas de jus de citron en fin de cuisson ni aucun autre acide.

Lapin de garenne : lapin sauvage. Gibier.
Conservé par le sel : ★★
Conservé sous vide : ★★★
Consommation cru
Cuisson à la milanaise avec beurre doux
Cuisson à la milanaise avec beurre salé
Cuisson à la milanaise avec huile végétale
Cuisson à la milanaise avec margarine végétale non salée
Cuisson à la milanaise avec margarine végétale salée
Cuisson à la milanaise avec saindoux ou graisse d'oie ou de canard
Cuisson à la milanaise sans matière grasse : ★★★
Cuisson à l'étouffée avec beurre doux : ★★
Cuisson à l'étouffée avec beurre salé : ★★
Cuisson à l'étouffée avec huile végétale : ★★
Cuisson à l'étouffée avec margarine végétale non salée : ★★
Cuisson à l'étouffée avec margarine végétale salée : ★★
Cuisson à l'étouffée avec saindoux ou graisse d'oie ou de canard : ★★
Cuisson à l'étouffée sans matière grasse : ★★★
Cuisson au court bouillon : ★★★
Cuisson en braisé avec beurre doux : ★★
Cuisson en braisé avec beurre salé : ★★
Cuisson en braisé avec huile végétale : ★★
Cuisson en braisé avec margarine végétale non salée : ★★
Cuisson en braisé avec margarine végétale salée : ★★

Lapin de garenne

Cuisson en braisé avec saindoux ou graisse d'oie ou de canard :
★★
Cuisson en braisé sans matière grasse : ★★★
Cuisson en friture
Cuisson en meunière avec beurre doux
Cuisson en meunière avec beurre salé
Cuisson en meunière avec huile végétale
Cuisson en meunière avec margarine végétale non salée
Cuisson en meunière avec margarine végétale salée
Cuisson en meunière avec saindoux ou graisse d'oie ou de canard
Cuisson en meunière sans matière grasse : ★★★
Cuisson en ragoût avec beurre doux
Cuisson en ragoût avec beurre salé
Cuisson en ragoût avec huile végétale
Cuisson en ragoût avec margarine végétale non salée
Cuisson en ragoût avec margarine végétale salée
Cuisson en ragoût avec saindoux ou graisse d'oie ou de canard
Cuisson en sauté (idem poêlé).
Cuisson rôti à la broche : ★★★
Cuisson rôti au four avec beurre doux : ★★
Cuisson rôti au four avec beurre salé : ★★
Cuisson rôti au four avec huile végétale : ★★
Cuisson rôti au four avec margarine végétale non salée : ★★
Cuisson rôti au four avec margarine végétale salée : ★★
Cuisson rôti au four avec saindoux ou graisse d'oie ou de canard : ★★
Cuisson rôti au four sans matière grasse ajoutée : ★★★
Cuisson vapeur : ★★★
Faisandé
Grillé : ★★★
Pierrade : ★★★
Poêlé avec beurre doux
Poêlé avec beurre salé
Poêlé avec huile végétale
Poêlé avec margarine végétale non salée
Poêlé avec margarine végétale salée
Poêlé avec saindoux ou graisse d'oie ou de canard
Poêlé sans matière grasse : ★★★
Salé et fumé : ★

Séché : ★★★
Surgelé : ★★★
Remarque : pas de poivre ni aucune autre épice sauf le curcuma. Pas de jus de citron en fin de cuisson ni aucun autre acide.

Lard : voir « Porc (viande de) ».

Lard de poitrine fumé : voir « Porc (viande de) » section *Salée et fumée.*

Lard de poitrine nature : voir « Porc (viande de) ».

Lardon fumé : voir « Porc (viande de) » section *Salée et fumée.*

Lardon nature : voir « Porc (viande de) ».

Lépiote : voir « Champignon ».

Lieu (noir) : voir « Colin ».

Lièvre : voir « Lapin de garenne ».

Limande : poisson plat marin à chair blanche.
Conservée par le sel : ★★
Conservée sous vide : ★★★
Consommation crue
Cuisson à la milanaise avec beurre doux
Cuisson à la milanaise avec beurre salé
Cuisson à la milanaise avec huile végétale
Cuisson à la milanaise avec margarine végétale non salée
Cuisson à la milanaise avec margarine végétale salée
Cuisson à la milanaise avec saindoux ou graisse d'oie ou de canard
Cuisson à la milanaise sans matière grasse : ★★★
Cuisson à l'étouffée avec beurre doux : ★★
Cuisson à l'étouffée avec beurre salé : ★★
Cuisson à l'étouffée avec huile végétale : ★★
Cuisson à l'étouffée avec margarine végétale non salée : ★★
Cuisson à l'étouffée avec margarine végétale salée : ★★

Limande

Cuisson à l'étouffée avec saindoux ou graisse d'oie ou de canard : ★★
Cuisson à l'étouffée sans matière grasse : ★★★
Cuisson au court bouillon : ★★★
Cuisson en braisé avec beurre doux : ★★
Cuisson en braisé avec beurre salé : ★★
Cuisson en braisé avec huile végétale : ★★
Cuisson en braisé avec margarine végétale non salée : ★★
Cuisson en braisé avec margarine végétale salée : ★★
Cuisson en braisé avec saindoux ou graisse d'oie ou de canard : ★★
Cuisson en braisé sans matière grasse : ★★★
Cuisson en friture
Cuisson en meunière avec beurre doux
Cuisson en meunière avec beurre salé
Cuisson en meunière avec huile végétale
Cuisson en meunière avec margarine végétale non salée
Cuisson en meunière avec margarine végétale salée
Cuisson en meunière avec saindoux ou graisse d'oie ou de canard
Cuisson en meunière sans matière grasse : ★★★
Cuisson en sauté (idem poêlée).
Cuisson rôtie au four avec beurre doux : ★★
Cuisson rôtie au four avec beurre salé : ★★
Cuisson rôtie au four avec huile végétale : ★★
Cuisson rôtie au four avec margarine végétale non salée : ★★
Cuisson rôtie au four avec margarine végétale salée : ★★
Cuisson rôtie au four avec saindoux ou graisse d'oie ou de canard : ★★
Cuisson rôtie au four sans matière grasse ajoutée : ★★★
Cuisson vapeur : ★★★
Grillée : ★★★
Pierrade : ★★★
Poêlée avec beurre doux
Poêlée avec beurre salé
Poêlée avec huile végétale
Poêlée avec margarine végétale non salée
Poêlée avec margarine végétale salée
Poêlée avec saindoux ou graisse d'oie ou de canard
Poêlée sans matière grasse : ★★★

Salée et fumée : ★
Séchée : ★★★
Surgelée : ★★★
Remarque : pas de poivre ni aucune autre épice sauf le curcuma. Pas de jus de citron en fin de cuisson ni aucun autre acide.

Lingue : poisson marin à chair blanche.
Conservée par le sel : ★★
Conservée sous vide : ★★★
Consommation crue
Cuisson à la milanaise avec beurre doux
Cuisson à la milanaise avec beurre salé
Cuisson à la milanaise avec huile végétale
Cuisson à la milanaise avec margarine végétale non salée
Cuisson à la milanaise avec margarine végétale salée
Cuisson à la milanaise avec saindoux ou graisse d'oie ou de canard
Cuisson à la milanaise sans matière grasse : ★★★
Cuisson à l'étouffée avec beurre doux : ★★
Cuisson à l'étouffée avec beurre salé : ★★
Cuisson à l'étouffée avec huile végétale : ★★
Cuisson à l'étouffée avec margarine végétale non salée : ★★
Cuisson à l'étouffée avec margarine végétale salée : ★★
Cuisson à l'étouffée avec saindoux ou graisse d'oie ou de canard : ★★
Cuisson à l'étouffée sans matière grasse : ★★★
Cuisson au court bouillon : ★★★
Cuisson en braisé avec beurre doux : ★★
Cuisson en braisé avec beurre salé : ★★
Cuisson en braisé avec huile végétale : ★★
Cuisson en braisé avec margarine végétale non salée : ★★
Cuisson en braisé avec margarine végétale salée : ★★
Cuisson en braisé avec saindoux ou graisse d'oie ou de canard : ★★
Cuisson en braisé sans matière grasse : ★★★
Cuisson en friture
Cuisson en meunière avec beurre doux
Cuisson en meunière avec beurre salé
Cuisson en meunière avec huile végétale

Cuisson en meunière avec margarine végétale non salée
Cuisson en meunière avec margarine végétale salée
Cuisson en meunière avec saindoux ou graisse d'oie ou de canard
Cuisson en meunière sans matière grasse : ★★★
Cuisson en sauté (idem poêlée).
Cuisson rôtie au four avec beurre doux : ★★
Cuisson rôtie au four avec beurre salé : ★★
Cuisson rôtie au four avec huile végétale : ★★
Cuisson rôtie au four avec margarine végétale non salée : ★★
Cuisson rôtie au four avec margarine végétale salée : ★★
Cuisson rôtie au four avec saindoux ou graisse d'oie ou de canard : ★★
Cuisson rôtie au four sans matière grasse ajoutée : ★★★
Cuisson vapeur : ★★★
Grillée : ★★★
Pierrade : ★★★
Poêlée avec beurre doux
Poêlée avec beurre salé
Poêlée avec huile végétale
Poêlée avec margarine végétale non salée
Poêlée avec margarine végétale salée
Poêlée avec saindoux ou graisse d'oie ou de canard
Poêlée sans matière grasse : ★★★
Salée et fumée : ★
Séchée : ★★★
Surgelée : ★★★

Remarque : pas de poivre ni aucune autre épice sauf le curcuma. Pas de jus de citron en fin de cuisson ni aucun autre acide.

Litchi : fruit du lychee. Fruit exotique.
A l'anglaise : ★★
Au sirop : ★★
Au sirop léger : ★★★
Confit : ★★
Conserve au naturel : ★★★★
Conservé dans l'alcool
Conservé sous vide : ★★★ ★
Consommation cru : ★★★★

En beignet
En compote (avec sucre ajouté) : ★★★
En compote sans sucre ajouté : ★★★
En confiture : ★★
En confiture allégée en sucre : ★★
En confiture sans sucre : ★★★
Flambé (litchi poché) : ★
Fraîchement récolté : ★★★★
Poché sans sucre : ★★★★
Surgelé : ★★★★

Littorine : voir « Bigorneau ».

Loche : petit poisson d'eau douce à chair blanche.
Conservée par le sel : ★★
Conservée sous vide : ★★★
Consommation crue
Cuisson à la milanaise avec beurre doux
Cuisson à la milanaise avec beurre salé
Cuisson à la milanaise avec huile végétale
Cuisson à la milanaise avec margarine végétale non salée
Cuisson à la milanaise avec margarine végétale salée
Cuisson à la milanaise avec saindoux ou graisse d'oie ou de canard
Cuisson à la milanaise sans matière grasse : ★★★
Cuisson en beignet
Cuisson en friture
Cuisson en meunière avec beurre doux
Cuisson en meunière avec beurre salé
Cuisson en meunière avec huile végétale
Cuisson en meunière avec margarine végétale non salée
Cuisson en meunière avec margarine végétale salée
Cuisson en meunière avec saindoux ou graisse d'oie ou de canard
Cuisson en meunière sans matière grasse : ★★★
Cuisson en sauté (idem poêlée).
Pierrade : ★★★
Poêlée avec beurre doux
Poêlée avec beurre salé
Poêlée avec huile végétale

Poêlée avec margarine végétale non salée
Poêlée avec margarine végétale salée
Poêlée avec saindoux ou graisse d'oie ou de canard
Poêlée sans matière grasse : ★★★
Salée et fumée : ★
Séchée : ★★★
Surgelée : ★★★
Remarque : pas de poivre ni aucune autre épice sauf le curcuma. Pas de jus de citron en fin de cuisson ni aucun autre acide.

Loche marin : poisson marin à chair blanche.
Conservée par le sel : ★★
Conservée sous vide : ★★★
Consommation crue
Cuisson à la milanaise avec beurre doux
Cuisson à la milanaise avec beurre salé
Cuisson à la milanaise avec huile végétale
Cuisson à la milanaise avec margarine végétale non salée
Cuisson à la milanaise avec margarine végétale salée
Cuisson à la milanaise avec saindoux ou graisse d'oie ou de canard
Cuisson à la milanaise sans matière grasse : ★★★
Cuisson en beignet
Cuisson en friture
Cuisson en meunière avec beurre doux
Cuisson en meunière avec beurre salé
Cuisson en meunière avec huile végétale
Cuisson en meunière avec margarine végétale non salée
Cuisson en meunière avec margarine végétale salée
Cuisson en meunière avec saindoux ou graisse d'oie ou de canard
Cuisson en meunière sans matière grasse : ★★★
Cuisson en sauté (idem poêlée).
Pierrade : ★★★
Poêlée avec beurre doux
Poêlée avec beurre salé
Poêlée avec huile végétale
Poêlée avec margarine végétale non salée
Poêlée avec margarine végétale salée

Poêlée avec saindoux ou graisse d'oie ou de canard
Poêlée sans matière grasse : ★★★
Salée et fumée : ★
Séchée : ★★★
Surgelée : ★★★
Remarque : pas de poivre ni aucune autre épice sauf le curcuma. Pas de jus de citron en fin de cuisson ni aucun autre acide.

Longane : fruit du longanier. Fruit exotique.
A l'anglaise : ★★
Au sirop : ★★
Au sirop léger : ★★★
Confite : ★★
Conserve au naturel : ★★★
Conservée dans l'alcool
Conservée sous vide : ★★★
Consommation crue : ★★★
En beignet
En compote (avec sucre ajouté) : ★★★
En compote sans sucre ajouté : ★★★
En confiture : ★★
En confiture allégée en sucre : ★★
En confiture sans sucre : ★★★
Fraîchement récoltée : ★★★
Pochée sans sucre : ★★★
Séchée : ★★★★
Surgelée : ★★★

Longe de porc : voir « Porc (viande de) ».

Longe de veau : voir « Veau (viande de) ».

Lotte : poisson marin ou d'eau douce à chair blanche.
Conservée par le sel : ★★
Conservée sous vide : ★★★
Consommation crue
Cuisson à la milanaise avec beurre doux
Cuisson à la milanaise avec beurre salé
Cuisson à la milanaise avec huile végétale

Lotte

Cuisson à la milanaise avec margarine végétale non salée
Cuisson à la milanaise avec margarine végétale salée
Cuisson à la milanaise avec saindoux ou graisse d'oie ou de canard
Cuisson à la milanaise sans matière grasse : ★★★
Cuisson à l'étouffée avec beurre doux : ★★
Cuisson à l'étouffée avec beurre salé : ★★
Cuisson à l'étouffée avec huile végétale : ★★
Cuisson à l'étouffée avec margarine végétale non salée : ★★
Cuisson à l'étouffée avec margarine végétale salée : ★★
Cuisson à l'étouffée avec saindoux ou graisse d'oie ou de canard : ★★
Cuisson à l'étouffée sans matière grasse : ★★★
Cuisson au court bouillon : ★★★
Cuisson en braisé avec beurre doux : ★★
Cuisson en braisé avec beurre salé : ★★
Cuisson en braisé avec huile végétale : ★★
Cuisson en braisé avec margarine végétale non salée : ★★
Cuisson en braisé avec margarine végétale salée : ★★
Cuisson en braisé avec saindoux ou graisse d'oie ou de canard : ★★
Cuisson en braisé sans matière grasse : ★★★
Cuisson en friture
Cuisson en meunière avec beurre doux
Cuisson en meunière avec beurre salé
Cuisson en meunière avec huile végétale
Cuisson en meunière avec margarine végétale non salée
Cuisson en meunière avec margarine végétale salée
Cuisson en meunière avec saindoux ou graisse d'oie ou de canard
Cuisson en meunière sans matière grasse : ★★★
Cuisson en ragoût avec beurre doux
Cuisson en ragoût avec beurre salé
Cuisson en ragoût avec huile végétale
Cuisson en ragoût avec margarine végétale non salée
Cuisson en ragoût avec margarine végétale salée
Cuisson en ragoût avec saindoux ou graisse d'oie ou de canard
Cuisson en sauté (idem poêlée).
Cuisson rôtie au four avec beurre doux : ★★
Cuisson rôtie au four avec beurre salé : ★★

Cuisson rôtie au four avec huile végétale : ★★
Cuisson rôtie au four avec margarine végétale non salée : ★★
Cuisson rôtie au four avec margarine végétale salée : ★★
Cuisson rôtie au four avec saindoux ou graisse d'oie ou de canard : ★★
Cuisson rôtie au four sans matière grasse ajoutée : ★★★
Cuisson vapeur : ★★★
Grillée : ★★★
Pierrade : ★★★
Poêlée avec beurre doux
Poêlée avec beurre salé
Poêlée avec huile végétale
Poêlée avec margarine végétale non salée
Poêlée avec margarine végétale salée
Poêlée avec saindoux ou graisse d'oie ou de canard
Poêlée sans matière grasse : ★★★
Salée et fumée : ★
Séchée : ★★★
Surgelée : ★★★
Remarque : pas de poivre ni aucune autre épice sauf le curcuma. Pas de jus de citron en fin de cuisson ni aucun autre acide.

M

Macédoine : mélange de légumes verts coupés en morceaux.
Conserve en saumure (eau salée) : ★★★
Conservée sous vide : ★★★
Consommation crue
Cuisson à l'étouffée avec beurre doux : ★★
Cuisson à l'étouffée avec beurre salé : ★★
Cuisson à l'étouffée avec huile végétale : ★★
Cuisson à l'étouffée avec margarine végétale non salée : ★★
Cuisson à l'étouffée avec margarine végétale salée : ★★
Cuisson à l'étouffée avec saindoux ou graisse d'oie ou de canard : ★★

Cuisson à l'étouffée sans matière grasse : ★★★
Cuisson au court bouillon : ★★★
Cuisson en beignet
Cuisson en braisé avec beurre doux : ★★
Cuisson en braisé avec beurre salé : ★★
Cuisson en braisé avec huile végétale : ★★
Cuisson en braisé avec margarine végétale non salée : ★★
Cuisson en braisé avec margarine végétale salée : ★★
Cuisson en braisé avec saindoux ou graisse d'oie ou de canard : ★★
Cuisson en braisé sans matière grasse : ★★★
Cuisson en friture
Cuisson en papillote : ★★★
Cuisson en sauté (idem poêlée).
Cuisson vapeur : ★★★
Poêlée avec beurre doux
Poêlée avec beurre salé
Poêlée avec huile végétale
Poêlée avec margarine végétale non salée
Poêlée avec margarine végétale salée
Poêlée avec saindoux ou graisse d'oie ou de canard
Poêlée sans matière grasse : ★★★
Potage crème : ★★
Potage nature sans matière grasse ajoutée : ★★★
Potage velouté : ★★
Surgelée : ★★★
Remarque : pas de poivre ni aucune autre épice sauf le curcuma. Pas de jus de citron en fin de cuisson ni aucun autre acide.

Macreuse : voir « Bœuf (viande de) ».

Magret : voir « Canard (viande de) ».

Maigre : poisson marin à chair blanche.
Conservé par le sel : ★★
Conservé sous vide : ★★★
Consommation cru
Cuisson à la milanaise avec beurre doux
Cuisson à la milanaise avec beurre salé

Cuisson à la milanaise avec huile végétale
Cuisson à la milanaise avec margarine végétale non salée
Cuisson à la milanaise avec margarine végétale salée
Cuisson à la milanaise avec saindoux ou graisse d'oie ou de canard
Cuisson à la milanaise sans matière grasse : ★★★
Cuisson à l'étouffée avec beurre doux : ★★
Cuisson à l'étouffée avec beurre salé : ★★
Cuisson à l'étouffée avec huile végétale : ★★
Cuisson à l'étouffée avec margarine végétale non salée : ★★
Cuisson à l'étouffée avec margarine végétale salée : ★★
Cuisson à l'étouffée avec saindoux ou graisse d'oie ou de canard : ★★
Cuisson à l'étouffée sans matière grasse : ★★★
Cuisson au court bouillon : ★★★
Cuisson en braisé avec beurre doux : ★★
Cuisson en braisé avec beurre salé : ★★
Cuisson en braisé avec huile végétale : ★★
Cuisson en braisé avec margarine végétale non salée : ★★
Cuisson en braisé avec margarine végétale salée : ★★
Cuisson en braisé avec saindoux ou graisse d'oie ou de canard : ★★
Cuisson en braisé sans matière grasse : ★★★
Cuisson en friture
Cuisson en meunière avec beurre doux
Cuisson en meunière avec beurre salé
Cuisson en meunière avec huile végétale
Cuisson en meunière avec margarine végétale non salée
Cuisson en meunière avec margarine végétale salée
Cuisson en meunière avec saindoux ou graisse d'oie ou de canard
Cuisson en meunière sans matière grasse : ★★★
Cuisson en sauté (idem poêlé).
Cuisson rôti à la broche : ★★★
Cuisson rôti au four avec beurre doux : ★★
Cuisson rôti au four avec beurre salé : ★★
Cuisson rôti au four avec huile végétale : ★★
Cuisson rôti au four avec margarine végétale non salée : ★★
Cuisson rôti au four avec margarine végétale salée : ★★

Cuisson rôti au four avec saindoux ou graisse d'oie ou de canard : ★★
Cuisson rôti au four sans matière grasse ajoutée : ★★★
Cuisson vapeur : ★★★
Grillé : ★★★
Pierrade : ★★★
Poêlé avec beurre doux
Poêlé avec beurre salé
Poêlé avec huile végétale
Poêlé avec margarine végétale non salée
Poêlé avec margarine végétale salée
Poêlé avec saindoux ou graisse d'oie ou de canard
Poêlé sans matière grasse : ★★★
Salé et fumé : ★
Séché : ★★★
Surgelé : ★★★
Remarque : pas de poivre ni aucune autre épice sauf le curcuma. Pas de jus de citron en fin de cuisson ni aucun autre acide.

Mandarine : fruit du mandarinier. Agrume.

Mangoustan : fruit du mangoustanier. Fruit exotique.
A l'anglaise : ★★
Au sirop : ★★
Au sirop léger : ★★★
Confit : ★★
Conserve au naturel : ★★★
Conservé dans l'alcool
Conservé sous vide : ★★★
Consommation cru : ★★★
En beignet
En compote (avec sucre ajouté) : ★★★
En compote sans sucre ajouté : ★★★
En confiture : ★★
En confiture allégée en sucre : ★★
En confiture sans sucre : ★★★
Fraîchement récolté : ★★★
Poché sans sucre : ★★★
Séché : ★★★★

Surgelé : ★★★

Mangue : fruit du manguier. Fruit exotique.
A l'anglaise : ★★
Au sirop : ★★
Au sirop léger : ★★★
Confite : ★★
Conserve au naturel : ★★★★
Conservée dans l'alcool
Conservée sous vide : ★★★★
Consommation crue : ★★★★
En beignet
En compote (avec sucre ajouté) : ★★★
En compote sans sucre ajouté : ★★★
En confiture : ★★
En confiture allégée en sucre : ★★
En confiture sans sucre : ★★★
Fraîchement récoltée : ★★★★
Pochée sans sucre : ★★★★
Séchée : ★★★★
Surgelée : ★★★★

Maquereau : poisson gras marin.
Conservé par le sel : ★
Conservé sous vide : ★
Consommation cru
Cuisson à la milanaise avec beurre doux
Cuisson à la milanaise avec beurre salé
Cuisson à la milanaise avec huile végétale
Cuisson à la milanaise avec margarine végétale non salée
Cuisson à la milanaise avec margarine végétale salée
Cuisson à la milanaise avec saindoux ou graisse d'oie ou de canard
Cuisson à la milanaise sans matière grasse : ★
Cuisson à l'étouffée avec beurre doux : ★
Cuisson à l'étouffée avec beurre salé : ★
Cuisson à l'étouffée avec huile végétale : ★
Cuisson à l'étouffée avec margarine végétale non salée : ★
Cuisson à l'étouffée avec margarine végétale salée : ★

Maquereau

Cuisson à l'étouffée avec saindoux ou graisse d'oie ou de canard : ★
Cuisson à l'étouffée sans matière grasse : ★
Cuisson au court bouillon : ★
Cuisson en braisé avec beurre doux : ★
Cuisson en braisé avec beurre salé : ★
Cuisson en braisé avec huile végétale : ★
Cuisson en braisé avec margarine végétale non salée : ★
Cuisson en braisé avec margarine végétale salée : ★
Cuisson en braisé avec saindoux ou graisse d'oie ou de canard : ★
Cuisson en braisé sans matière grasse : ★
Cuisson en friture
Cuisson en meunière avec beurre doux
Cuisson en meunière avec beurre salé
Cuisson en meunière avec huile végétale
Cuisson en meunière avec margarine végétale non salée
Cuisson en meunière avec margarine végétale salée
Cuisson en meunière avec saindoux ou graisse d'oie ou de canard
Cuisson en meunière sans matière grasse : ★
Cuisson en sauté (idem poêlé).
Cuisson rôti à la broche : ★
Cuisson rôti au four avec beurre doux : ★
Cuisson rôti au four avec beurre salé : ★
Cuisson rôti au four avec huile végétale : ★
Cuisson rôti au four avec margarine végétale non salée : ★
Cuisson rôti au four avec margarine végétale salée : ★
Cuisson rôti au four avec saindoux ou graisse d'oie ou de canard : ★
Cuisson rôti au four sans matière grasse ajoutée : ★
Cuisson vapeur : ★
Grillé : ★
Pierrade : ★
Poêlé avec beurre doux
Poêlé avec beurre salé
Poêlé avec huile végétale
Poêlé avec margarine végétale non salée
Poêlé avec margarine végétale salée
Poêlé avec saindoux ou graisse d'oie ou de canard

Poêlé sans matière grasse : ★
Salé et fumé
Séché : ★
Surgelé : ★
Remarque : pas de poivre ni aucune autre épice sauf le curcuma. Pas de jus de citron en fin de cuisson ni aucun autre acide.

Marron : voir « Châtaigne » section *Confite*.

Mélisse : plante aromatique condimentaire.
Conservée sous vide : ★★★
Consommation crue : ★★★
Consommation cuite : ★★★
Déshydratée : ★★★
Fraîchement récoltée : ★★★
Surgelée : ★★★

Melon : fruit issu de la famille des cucurbitacées.
A l'anglaise : ★★
Au sirop : ★★
Au sirop léger : ★★★
Confit : ★★
Conserve au naturel : ★★★
Conservé dans l'alcool
Conservé sous vide : ★★★
Consommation cru : ★★★
En beignet
En compote (avec sucre ajouté) : ★★★
En compote sans sucre ajouté : ★★★
En confiture : ★★
En confiture allégée en sucre : ★★
En confiture sans sucre : ★★★
Fraîchement récolté : ★★★
Poché sans sucre : ★★★
Séché : ★★★★
Surgelé : ★★★

Melon d'eau : voir « Pastèque ».

Menthe - Merlan

Menthe : plante aromatique condimentaire.
Conservée sous vide : ★★★
Consommation crue : ★★★
Consommation cuite : ★★★
Déshydratée : ★★★
Fraîchement récoltée : ★★★
Surgelée : ★★★

Merlan(1) : poisson marin à chair blanche.
Conservé par le sel : ★★
Conservé sous vide : ★★★
Consommation cru
Cuisson à la milanaise avec beurre doux
Cuisson à la milanaise avec beurre salé
Cuisson à la milanaise avec huile végétale
Cuisson à la milanaise avec margarine végétale non salée
Cuisson à la milanaise avec margarine végétale salée
Cuisson à la milanaise avec saindoux ou graisse d'oie ou de canard
Cuisson à la milanaise sans matière grasse : ★★★
Cuisson à l'étouffée avec beurre doux : ★★
Cuisson à l'étouffée avec beurre salé : ★★
Cuisson à l'étouffée avec huile végétale : ★★
Cuisson à l'étouffée avec margarine végétale non salée : ★★
Cuisson à l'étouffée avec margarine végétale salée : ★★
Cuisson à l'étouffée avec saindoux ou graisse d'oie ou de canard : ★★
Cuisson à l'étouffée sans matière grasse : ★★★
Cuisson au court bouillon : ★★★
Cuisson en braisé avec beurre doux : ★★
Cuisson en braisé avec beurre salé : ★★
Cuisson en braisé avec huile végétale : ★★
Cuisson en braisé avec margarine végétale non salée : ★★
Cuisson en braisé avec margarine végétale salée : ★★
Cuisson en braisé avec saindoux ou graisse d'oie ou de canard : ★★
Cuisson en braisé sans matière grasse : ★★★
Cuisson en friture
Cuisson en meunière avec beurre doux
Cuisson en meunière avec beurre salé

Cuisson en meunière avec huile végétale
Cuisson en meunière avec margarine végétale non salée
Cuisson en meunière avec margarine végétale salée
Cuisson en meunière avec saindoux ou graisse d'oie ou de canard
Cuisson en meunière sans matière grasse : ★★★
Cuisson en sauté (idem poêlé).
Cuisson rôti à la broche : ★★★
Cuisson rôti au four avec beurre doux : ★★
Cuisson rôti au four avec beurre salé : ★★
Cuisson rôti au four avec huile végétale : ★★
Cuisson rôti au four avec margarine végétale non salée : ★★
Cuisson rôti au four avec margarine végétale salée : ★★
Cuisson rôti au four avec saindoux ou graisse d'oie ou de canard : ★★
Cuisson rôti au four sans matière grasse ajoutée : ★★★
Cuisson vapeur : ★★★
Grillé : ★★★
Pierrade : ★★★
Poêlé avec beurre doux
Poêlé avec beurre salé
Poêlé avec huile végétale
Poêlé avec margarine végétale non salée
Poêlé avec margarine végétale salée
Poêlé avec saindoux ou graisse d'oie ou de canard
Poêlé sans matière grasse : ★★★
Salé et fumé : ★
Séché : ★★★
Surgelé : ★★★

Remarque : pas de poivre ni aucune autre épice sauf le curcuma. Pas de jus de citron en fin de cuisson ni aucun autre acide.

Merlan(2) : voir « Bœuf (viande de) ».

Merlu : voir « Colin ».

Mérou : poisson marin des eaux chaudes à chair blanche.
Conservé par le sel : ★★
Conservé sous vide : ★★★

Mérou

Consommation cru
Cuisson à la milanaise avec beurre doux
Cuisson à la milanaise avec beurre salé
Cuisson à la milanaise avec huile végétale
Cuisson à la milanaise avec margarine végétale non salée
Cuisson à la milanaise avec margarine végétale salée
Cuisson à la milanaise avec saindoux ou graisse d'oie ou de canard
Cuisson à la milanaise sans matière grasse : ★★★
Cuisson à l'étouffée avec beurre doux : ★★
Cuisson à l'étouffée avec beurre salé : ★★
Cuisson à l'étouffée avec huile végétale : ★★
Cuisson à l'étouffée avec margarine végétale non salée : ★★
Cuisson à l'étouffée avec margarine végétale salée : ★★
Cuisson à l'étouffée avec saindoux ou graisse d'oie ou de canard : ★★
Cuisson à l'étouffée sans matière grasse : ★★★
Cuisson au court bouillon : ★★★
Cuisson en braisé avec beurre doux : ★★
Cuisson en braisé avec beurre salé : ★★
Cuisson en braisé avec huile végétale : ★★
Cuisson en braisé avec margarine végétale non salée : ★★
Cuisson en braisé avec margarine végétale salée : ★★
Cuisson en braisé avec saindoux ou graisse d'oie ou de canard : ★★
Cuisson en braisé sans matière grasse : ★★★
Cuisson en friture
Cuisson en meunière avec beurre doux
Cuisson en meunière avec beurre salé
Cuisson en meunière avec huile végétale
Cuisson en meunière avec margarine végétale non salée
Cuisson en meunière avec margarine végétale salée
Cuisson en meunière avec saindoux ou graisse d'oie ou de canard
Cuisson en meunière sans matière grasse : ★★★
Cuisson en sauté (idem poêlé).
Cuisson rôti à la broche : ★★★
Cuisson rôti au four avec beurre doux : ★★
Cuisson rôti au four avec beurre salé : ★★
Cuisson rôti au four avec huile végétale : ★★

Cuisson rôti au four avec margarine végétale non salée : ★★
Cuisson rôti au four avec margarine végétale salée : ★★
Cuisson rôti au four avec saindoux ou graisse d'oie ou de canard : ★★
Cuisson rôti au four sans matière grasse ajoutée : ★★★
Cuisson vapeur : ★★★
Grillé : ★★★
Pierrade : ★★★
Poêlé avec beurre doux
Poêlé avec beurre salé
Poêlé avec huile végétale
Poêlé avec margarine végétale non salée
Poêlé avec margarine végétale salée
Poêlé avec saindoux ou graisse d'oie ou de canard
Poêlé sans matière grasse : ★★★
Salé et fumé : ★
Séché : ★★★
Surgelé : ★★★
Remarque : pas de poivre ni aucune autre épice sauf le curcuma. Pas de jus de citron en fin de cuisson ni aucun autre acide.

Mirabelle : petite prune jaune.
A l'anglaise : ★★
Au sirop : ★★
Au sirop léger : ★★★
Confite : ★★
Conserve au naturel : ★★★★
Conservée dans l'alcool
Conservée sous vide : ★★★★
Consommation crue : ★★★★
En beignet
En compote (avec sucre ajouté) : ★★★
En compote sans sucre ajouté : ★★★
En confiture : ★★
En confiture allégée en sucre : ★★
En confiture sans sucre : ★★★
Fraîchement récoltée : ★★★★
Pochée sans sucre : ★★★★
Séchée : ★★★★

Mirabelle - Moule

Surgelée : ★★★★

Mombin : fruit du spondias. Fruit exotique.
A l'anglaise : ★★
Au sirop : ★★
Au sirop léger : ★★★
Confit : ★★
Conserve au naturel : ★★★
Conservé dans l'alcool
Conservé sous vide : ★★★
Consommation cru : ★★★
En beignet
En compote (avec sucre ajouté) : ★★★
En compote sans sucre ajouté : ★★★
En confiture : ★★
En confiture allégée en sucre : ★★
En confiture sans sucre : ★★★
Fraîchement récolté : ★★★
Poché sans sucre : ★★★
Séché : ★★★★
Surgelé : ★★★

Monarde écarlate : plante dont les feuilles sont utilisées comme condiment aromatique.
Conservée sous vide : ★★★
Consommation crue : ★★★
Consommation cuite : ★★★
Déshydratée : ★★★
Fraîchement récoltée : ★★★
Surgelée : ★★★

Morille : voir « Champignon ».

Morue : voir « Cabillaud » section *Conservé par le sel*.

Motelle : voir « Loche marin ».

Moule : mollusque comestible.
Conservée en saumure : ★★
Conservée sous vide : ★★★

Consommation crue
Cuisson à la marinière : ★★
Cuisson à l'étouffée avec beurre doux : ★★
Cuisson à l'étouffée avec beurre salé : ★★
Cuisson à l'étouffée avec huile végétale : ★★
Cuisson à l'étouffée avec margarine végétale non salée : ★★
Cuisson à l'étouffée avec margarine végétale salée : ★★
Cuisson à l'étouffée avec saindoux ou graisse d'oie ou de canard : ★★
Cuisson à l'étouffée sans matière grasse : ★★★
Cuisson au court bouillon : ★★★
Cuisson en braisé avec beurre doux : ★★
Cuisson en braisé avec beurre salé : ★★
Cuisson en braisé avec huile végétale : ★★
Cuisson en braisé avec margarine végétale non salée : ★★
Cuisson en braisé avec margarine végétale salée : ★★
Cuisson en braisé avec saindoux ou graisse d'oie ou de canard : ★★
Cuisson en braisé sans matière grasse : ★★★
Cuisson en friture
Cuisson en sauté (idem poêlée).
Cuisson vapeur : ★★★
Pierrade : ★★★
Poêlée avec beurre doux
Poêlée avec beurre salé
Poêlée avec huile végétale
Poêlée avec margarine végétale non salée
Poêlée avec margarine végétale salée
Poêlée avec saindoux ou graisse d'oie ou de canard
Poêlée sans matière grasse : ★★★
Salée et fumée : ★
Séchée : ★★★
Surgelée : ★★★
Remarque : pas de poivre ni aucune autre épice sauf le curcuma. Pas de jus de citron en fin de cuisson ni aucun autre acide.

Mouton : voir « Agneau (viande de) ».

Muge : voir « Mulet ».

Mulard : voir « Canard (viande de) ».

Mulberries : petite baie très semblable à la mûre mais plus allongée.
A l'anglaise : ★★
Au sirop : ★★
Au sirop léger : ★★★
Confite : ★★
Conserve au naturel : ★★★★
Conservée dans l'alcool
Conservée sous vide : ★★★★
Consommation crue : ★★★★
En beignet
En compote (avec sucre ajouté) : ★★★
En compote sans sucre ajouté : ★★★
En confiture : ★★
En confiture allégée en sucre : ★★
En confiture sans sucre : ★★★
Fraîchement récoltée : ★★★★
Pochée sans sucre : ★★★★
Séchée : ★★★★
Surgelée : ★★★★

Mulet : poisson marin et d'eau douce à chair blanche.
Conservé par le sel : ★★
Conservé sous vide : ★★★
Consommation cru
Cuisson à la milanaise avec beurre doux
Cuisson à la milanaise avec beurre salé
Cuisson à la milanaise avec huile végétale
Cuisson à la milanaise avec margarine végétale non salée
Cuisson à la milanaise avec margarine végétale salée
Cuisson à la milanaise avec saindoux ou graisse d'oie ou de canard
Cuisson à la milanaise sans matière grasse : ★★★
Cuisson à l'étouffée avec beurre doux : ★★
Cuisson à l'étouffée avec beurre salé : ★★
Cuisson à l'étouffée avec huile végétale : ★★
Cuisson à l'étouffée avec margarine végétale non salée : ★★
Cuisson à l'étouffée avec margarine végétale salée : ★★

Cuisson à l'étouffée avec saindoux ou graisse d'oie ou de canard : ★★

Cuisson à l'étouffée sans matière grasse : ★★★

Cuisson au court bouillon : ★★★

Cuisson en braisé avec beurre doux : ★★

Cuisson en braisé avec beurre salé : ★★

Cuisson en braisé avec huile végétale : ★★

Cuisson en braisé avec margarine végétale non salée : ★★

Cuisson en braisé avec margarine végétale salée : ★★

Cuisson en braisé avec saindoux ou graisse d'oie ou de canard : ★★

Cuisson en braisé sans matière grasse : ★★★

Cuisson en friture

Cuisson en meunière avec beurre doux

Cuisson en meunière avec beurre salé

Cuisson en meunière avec huile végétale

Cuisson en meunière avec margarine végétale non salée

Cuisson en meunière avec margarine végétale salée

Cuisson en meunière avec saindoux ou graisse d'oie ou de canard

Cuisson en meunière sans matière grasse : ★★★

Cuisson en sauté (idem poêlé).

Cuisson rôti à la broche : ★★★

Cuisson rôti au four avec beurre doux : ★★

Cuisson rôti au four avec beurre salé : ★★

Cuisson rôti au four avec huile végétale : ★★

Cuisson rôti au four avec margarine végétale non salée : ★★

Cuisson rôti au four avec margarine végétale salée : ★★

Cuisson rôti au four avec saindoux ou graisse d'oie ou de canard : ★★

Cuisson rôti au four sans matière grasse ajoutée : ★★★

Cuisson vapeur : ★★★

Grillé : ★★★

Pierrade : ★★★

Poêlé avec beurre doux

Poêlé avec beurre salé

Poêlé avec huile végétale

Poêlé avec margarine végétale non salée

Poêlé avec margarine végétale salée

Poêlé avec saindoux ou graisse d'oie ou de canard

Poêlé sans matière grasse : ★★★
Salé et fumé : ★
Séché : ★★★
Surgelé : ★★★
Remarque : pas de poivre ni aucune autre épice sauf le curcuma. Pas de jus de citron en fin de cuisson ni aucun autre acide.

Mûre : fruit comestible de la ronce ou du mûrier.
A l'anglaise : ★★
Au sirop : ★★
Au sirop léger : ★★★
Confite : ★★
Conserve au naturel : ★★★★
Conservée dans l'alcool
Conservée sous vide : ★★★★
Consommation crue : ★★★★
En beignet
En compote (avec sucre ajouté) : ★★★
En compote sans sucre ajouté : ★★★
En confiture : ★★
En confiture allégée en sucre : ★★
En confiture sans sucre : ★★★
Fraîchement récoltée : ★★★★
Pochée sans sucre : ★★★★
Séchée : ★★★★
Surgelée : ★★★★

Mye : voir « Palourde ».

Myrtille : baie comestible noire.
A l'anglaise : ★★
Au sirop : ★★
Au sirop léger : ★★★
Confite : ★★
Conserve au naturel : ★★★★
Conservée dans l'alcool
Conservée sous vide : ★★★★
Consommation crue : ★★★★
En beignet

En compote (avec sucre ajouté) : ★★★
En compote sans sucre ajouté : ★★★
En confiture : ★★
En confiture allégée en sucre : ★★
En confiture sans sucre : ★★★
Fraîchement récoltée : ★★★★
Pochée sans sucre : ★★★★
Séchée : ★★★★
Surgelée : ★★★★

N

Navet : plante potagère dont on consomme la racine comestible. Légume vert.
Conserve en saumure (eau salée) : ★★★
Conservé sous vide : ★★★
Consommation cru
Cuisson à l'étouffée avec beurre doux : ★★
Cuisson à l'étouffée avec beurre salé : ★★
Cuisson à l'étouffée avec huile végétale : ★★
Cuisson à l'étouffée avec margarine végétale non salée : ★★
Cuisson à l'étouffée avec margarine végétale salée : ★★
Cuisson à l'étouffée avec saindoux ou graisse d'oie ou de canard : ★★
Cuisson à l'étouffée sans matière grasse : ★★★
Cuisson au court bouillon : ★★★
Cuisson en braisé avec beurre doux : ★★
Cuisson en braisé avec beurre salé : ★★
Cuisson en braisé avec huile végétale : ★★
Cuisson en braisé avec margarine végétale non salée : ★★
Cuisson en braisé avec margarine végétale salée : ★★
Cuisson en braisé avec saindoux ou graisse d'oie ou de canard : ★★
Cuisson en braisé sans matière grasse : ★★★
Cuisson en friture
Cuisson en papillote : ★★★

Cuisson en ragoût avec beurre doux
Cuisson en ragoût avec beurre salé
Cuisson en ragoût avec huile végétale
Cuisson en ragoût avec margarine végétale non salée
Cuisson en ragoût avec margarine végétale salée
Cuisson en ragoût avec saindoux ou graisse d'oie ou de canard
Cuisson en sauté (idem poêlé).
Cuisson vapeur : ★★★
Poêlé avec beurre doux
Poêlé avec beurre salé
Poêlé avec huile végétale
Poêlé avec margarine végétale non salée
Poêlé avec margarine végétale salée
Poêlé avec saindoux ou graisse d'oie ou de canard
Poêlé sans matière grasse : ★★★
Potage crème : ★★
Potage nature sans matière grasse ajoutée : ★★★
Potage velouté : ★★
Surgelé : ★★★
Remarque : pas de poivre ni aucune autre épice sauf le curcuma. Pas de jus de citron en fin de cuisson ni aucun autre acide.

Nectarine : voir « Pêche ».

Nèfle : fruit du néflier qui se consomme blet.
A l'anglaise : ★★
Au sirop : ★★
Au sirop léger : ★★★
Confite : ★★
Conserve au naturel : ★★★★
Conservée dans l'alcool
Conservée sous vide : ★★★★
Consommation crue : ★★★★
En beignet
En compote (avec sucre ajouté) : ★★★
En compote sans sucre ajouté : ★★★
En confiture : ★★
En confiture allégée en sucre : ★★
En confiture sans sucre : ★★★

Fraîchement récoltée : ★★★★
Pochée sans sucre : ★★★★
Séchée : ★★★★
Surgelée : ★★★★

Noix de bœuf : voir « Bœuf (viande de) ».

Noix de coco : fruit du palmier. Fruit exotique.
Confite : ★★
Conservée sous vide : ★★★
Consommation crue : ★★★
Fraîchement récoltée : ★★★
Râpée : ★★★
Séchée : ★★★
Surgelée : ★★★

Noix d'épaule : voir « Porc (viande de) » section *Conservée sous vide.*

Noix de veau : voir « Veau (viande de) ».

Nuggets de poulet : voir « Poulet » section *Cuisson en friture.*

O

Oca du Pérou : plante potagère dont on consomme les tubercules. Légume vert.
Conserve en saumure (eau salée) : ★★★
Conservé sous vide : ★★★
Consommation cru : ★★★
Cuisson à l'étouffée avec beurre doux : ★★
Cuisson à l'étouffée avec beurre salé : ★★
Cuisson à l'étouffée avec huile végétale : ★★
Cuisson à l'étouffée avec margarine végétale non salée : ★★
Cuisson à l'étouffée avec margarine végétale salée : ★★

Cuisson à l'étouffée avec saindoux ou graisse d'oie ou de canard : ★★
Cuisson à l'étouffée sans matière grasse : ★★★
Cuisson au court bouillon : ★★★
Cuisson en braisé avec beurre doux : ★★
Cuisson en braisé avec beurre salé : ★★
Cuisson en braisé avec huile végétale : ★★
Cuisson en braisé avec margarine végétale non salée : ★★
Cuisson en braisé avec margarine végétale salée : ★★
Cuisson en braisé avec saindoux ou graisse d'oie ou de canard : ★★
Cuisson en braisé sans matière grasse : ★★★
Cuisson en friture
Cuisson en papillote : ★★★
Cuisson en ragoût avec beurre doux
Cuisson en ragoût avec beurre salé
Cuisson en ragoût avec huile végétale
Cuisson en ragoût avec margarine végétale non salée
Cuisson en ragoût avec margarine végétale salée
Cuisson en ragoût avec saindoux ou graisse d'oie ou de canard
Cuisson en sauté (idem poêlé).
Cuisson vapeur : ★★★
Poêlé avec beurre doux
Poêlé avec beurre salé
Poêlé avec huile végétale
Poêlé avec margarine végétale non salée
Poêlé avec margarine végétale salée
Poêlé avec saindoux ou graisse d'oie ou de canard
Poêlé sans matière grasse : ★★★
Potage crème : ★★
Potage nature sans matière grasse ajoutée : ★★★
Potage velouté : ★★
Surgelé : ★★★
Remarque : pas de poivre ni aucune autre épice sauf le curcuma. Pas de jus de citron en fin de cuisson ni aucun autre acide.

Œuf : produit comestible de la ponte de la poule ou de la cane, perdrix, pintade, etc.
A la coque : ★★★

Au plat avec beurre doux : ★
Au plat avec beurre salé : ★
Au plat avec huile végétale : ★
Au plat avec margarine végétale non salée : ★
Au plat avec margarine végétale salée : ★
Au plat avec saindoux ou graisse d'oie ou de canard : ★
Au plat sans matière grasse : ★★★
Cocotte : ★★
Conserve en saumure (eau salée) : ★★
Conservé sous vide : ★★★
Consommation cru : ★★★
Cuisson en friture
Cuisson poché : ★★★
Dur : ★★★
En brouillade avec beurre doux : ★
En brouillade avec beurre salé : ★
En brouillade avec huile végétale : ★
En brouillade avec margarine végétale non salée : ★
En brouillade avec margarine végétale salée : ★
En brouillade avec saindoux ou graisse d'oie ou de canard : ★
En brouillade sans matière grasse : ★★★
En omelette avec beurre doux : ★
En omelette avec beurre salé : ★
En omelette avec huile végétale : ★
En omelette avec margarine végétale non salée : ★
En omelette avec margarine végétale salée : ★
En omelette avec saindoux ou graisse d'oie ou de canard : ★
En omelette sans matière grasse : ★★★
Mimosa : ★★
Mollet : ★★★

Remarque : pas de poivre ni aucune autre épice sauf le curcuma. Pas de jus de citron en fin de cuisson ni aucun autre acide.

Oie : oiseau palmipède massif. Volaille.
Conservée par le sel : ★★
Conservée sous vide : ★★★
Consommation crue
Cuisson à la milanaise avec beurre doux
Cuisson à la milanaise avec beurre salé

Cuisson à la milanaise avec huile végétale
Cuisson à la milanaise avec margarine végétale non salée
Cuisson à la milanaise avec margarine végétale salée
Cuisson à la milanaise avec saindoux ou graisse d'oie ou de canard
Cuisson à la milanaise sans matière grasse : ★★★
Cuisson à l'étouffée avec beurre doux : ★★
Cuisson à l'étouffée avec beurre salé : ★★
Cuisson à l'étouffée avec huile végétale : ★★
Cuisson à l'étouffée avec margarine végétale non salée : ★★
Cuisson à l'étouffée avec margarine végétale salée : ★★
Cuisson à l'étouffée avec saindoux ou graisse d'oie ou de canard : ★★
Cuisson à l'étouffée sans matière grasse : ★★★
Cuisson au court bouillon : ★★★
Cuisson en braisé avec beurre doux : ★★
Cuisson en braisé avec beurre salé : ★★
Cuisson en braisé avec huile végétale : ★★
Cuisson en braisé avec margarine végétale non salée : ★★
Cuisson en braisé avec margarine végétale salée : ★★
Cuisson en braisé avec saindoux ou graisse d'oie ou de canard : ★★
Cuisson en braisé sans matière grasse : ★★★
Cuisson en friture
Cuisson en meunière avec beurre doux
Cuisson en meunière avec beurre salé
Cuisson en meunière avec huile végétale
Cuisson en meunière avec margarine végétale non salée
Cuisson en meunière avec margarine végétale salée
Cuisson en meunière avec saindoux ou graisse d'oie ou de canard
Cuisson en meunière sans matière grasse : ★★★
Cuisson en ragoût avec beurre doux
Cuisson en ragoût avec beurre salé
Cuisson en ragoût avec huile végétale
Cuisson en ragoût avec margarine végétale non salée
Cuisson en ragoût avec margarine végétale salée
Cuisson en ragoût avec saindoux ou graisse d'oie ou de canard
Cuisson en sauté (idem poêlée).
Cuisson rôtie à la broche : ★★★

Cuisson rôtie au four avec beurre doux : ★★
Cuisson rôtie au four avec beurre salé : ★★
Cuisson rôtie au four avec huile végétale : ★★
Cuisson rôtie au four avec margarine végétale non salée : ★★
Cuisson rôtie au four avec margarine végétale salée : ★★
Cuisson rôtie au four avec saindoux ou graisse d'oie ou de canard : ★★
Cuisson rôtie au four sans matière grasse ajoutée : ★★★
Cuisson vapeur : ★★★
Grillée : ★★★
Pierrade : ★★★
Poêlée avec beurre doux
Poêlée avec beurre salé
Poêlée avec huile végétale
Poêlée avec margarine végétale non salée
Poêlée avec margarine végétale salée
Poêlée avec saindoux ou graisse d'oie ou de canard
Poêlée sans matière grasse : ★★★
Salée et fumée : ★
Séchée : ★★★
Surgelée : ★★★

Remarque : pas de poivre ni aucune autre épice sauf le curcuma. Pas de jus de citron en fin de cuisson ni aucun autre acide.

Oignon : plante potagère dont on consomme le bulbe. Légume vert.
Confit : ★★
Conserve au naturel : ★★★
Conservé dans du vinaigre
Conserve en saumure (eau salée) : ★★★
Conservé sous vide : ★★★
Consommation cru : ★★★
Cuisson à l'étouffée avec beurre doux : ★★
Cuisson à l'étouffée avec beurre salé : ★★
Cuisson à l'étouffée avec huile végétale : ★★
Cuisson à l'étouffée avec margarine végétale non salée : ★★
Cuisson à l'étouffée avec margarine végétale salée : ★★
Cuisson à l'étouffée avec saindoux ou graisse d'oie ou de canard : ★★

Oignon - Olive

Cuisson à l'étouffée sans matière grasse : ★★★
Cuisson au court bouillon : ★★★
Cuisson en braisé avec beurre doux : ★★
Cuisson en braisé avec beurre salé : ★★
Cuisson en braisé avec huile végétale : ★★
Cuisson en braisé avec margarine végétale non salée : ★★
Cuisson en braisé avec margarine végétale salée : ★★
Cuisson en braisé avec saindoux ou graisse d'oie ou de canard : ★★
Cuisson en braisé sans matière grasse : ★★★
Cuisson en friture
Cuisson en papillote : ★★★
Cuisson en ragoût avec beurre doux
Cuisson en ragoût avec beurre salé
Cuisson en ragoût avec huile végétale
Cuisson en ragoût avec margarine végétale non salée
Cuisson en ragoût avec margarine végétale salée
Cuisson en ragoût avec saindoux ou graisse d'oie ou de canard
Cuisson en sauté (idem poêlé).
Cuisson vapeur : ★★★
Déshydraté : ★★★
Grillé : ★★★
Pierrade : ★★★
Poêlé avec beurre doux
Poêlé avec beurre salé
Poêlé avec huile végétale
Poêlé avec margarine végétale non salée
Poêlé avec margarine végétale salée
Poêlé avec saindoux ou graisse d'oie ou de canard
Poêlé sans matière grasse : ★★★
Potage crème : ★★
Potage nature sans matière grasse ajoutée : ★★★
Potage velouté : ★★
Surgelé : ★★★
Remarque : pas de poivre ni aucune autre épice sauf le curcuma. Pas de jus de citron en fin de cuisson ni aucun autre acide.

Olive : fruit de l'olivier.
Conserve en saumure (eau salée) : ★★★

Conservée sous vide : ★★★
Consommation crue
Cuisson à l'étouffée avec beurre doux : ★★
Cuisson à l'étouffée avec beurre salé : ★★
Cuisson à l'étouffée avec huile végétale : ★★
Cuisson à l'étouffée avec margarine végétale non salée : ★★
Cuisson à l'étouffée avec margarine végétale salée : ★★
Cuisson à l'étouffée avec saindoux ou graisse d'oie ou de canard : ★★
Cuisson à l'étouffée sans matière grasse : ★★★
Cuisson au court bouillon : ★★★
Cuisson en braisé avec beurre doux : ★★
Cuisson en braisé avec beurre salé : ★★
Cuisson en braisé avec huile végétale : ★★
Cuisson en braisé avec margarine végétale non salée : ★★
Cuisson en braisé avec margarine végétale salée : ★★
Cuisson en braisé avec saindoux ou graisse d'oie ou de canard : ★★
Cuisson en braisé sans matière grasse : ★★★
Cuisson en friture
Cuisson en papillote : ★★★
Cuisson en ragoût avec beurre doux
Cuisson en ragoût avec beurre salé
Cuisson en ragoût avec huile végétale
Cuisson en ragoût avec margarine végétale non salée
Cuisson en ragoût avec margarine végétale salée
Cuisson en ragoût avec saindoux ou graisse d'oie ou de canard
Cuisson en sauté (idem poêlée).
Cuisson vapeur : ★★★
Poêlée avec beurre doux
Poêlée avec beurre salé
Poêlée avec huile végétale
Poêlée avec margarine végétale non salée
Poêlée avec margarine végétale salée
Poêlée avec saindoux ou graisse d'oie ou de canard
Poêlée sans matière grasse : ★★★
Potage crème : ★★
Potage nature sans matière grasse ajoutée : ★★★
Potage velouté : ★★
Surgelée : ★★★

Omble

Remarque : pas de poivre ni aucune autre épice sauf le curcuma. Pas de jus de citron en fin de cuisson ni aucun autre acide.

Omble : poisson gras d'eau douce.
Conservé par le sel : ★
Conservé sous vide : ★
Consommation cru
Cuisson à la milanaise avec beurre doux
Cuisson à la milanaise avec beurre salé
Cuisson à la milanaise avec huile végétale
Cuisson à la milanaise avec margarine végétale non salée
Cuisson à la milanaise avec margarine végétale salée
Cuisson à la milanaise avec saindoux ou graisse d'oie ou de canard
Cuisson à la milanaise sans matière grasse : ★
Cuisson à l'étouffée avec beurre doux : ★
Cuisson à l'étouffée avec beurre salé : ★
Cuisson à l'étouffée avec huile végétale : ★
Cuisson à l'étouffée avec margarine végétale non salée : ★
Cuisson à l'étouffée avec margarine végétale salée : ★
Cuisson à l'étouffée avec saindoux ou graisse d'oie ou de canard : ★
Cuisson à l'étouffée sans matière grasse : ★
Cuisson au court bouillon : ★
Cuisson en braisé avec beurre doux : ★
Cuisson en braisé avec beurre salé : ★
Cuisson en braisé avec huile végétale : ★
Cuisson en braisé avec margarine végétale non salée : ★
Cuisson en braisé avec margarine végétale salée : ★
Cuisson en braisé avec saindoux ou graisse d'oie ou de canard : ★
Cuisson en braisé sans matière grasse : ★
Cuisson en friture
Cuisson en meunière avec beurre doux
Cuisson en meunière avec beurre salé
Cuisson en meunière avec huile végétale
Cuisson en meunière avec margarine végétale non salée
Cuisson en meunière avec margarine végétale salée

Cuisson en meunière avec saindoux ou graisse d'oie ou de canard
Cuisson en meunière sans matière grasse : ★
Cuisson en sauté (idem poêlé).
Cuisson rôti à la broche : ★
Cuisson rôti au four avec beurre doux : ★
Cuisson rôti au four avec beurre salé : ★
Cuisson rôti au four avec huile végétale : ★
Cuisson rôti au four avec margarine végétale non salée : ★
Cuisson rôti au four avec margarine végétale salée : ★
Cuisson rôti au four avec saindoux ou graisse d'oie ou de canard : ★
Cuisson rôti au four sans matière grasse ajoutée : ★
Cuisson vapeur : ★
Grillé : ★
Pierrade : ★
Poêlé avec beurre doux
Poêlé avec beurre salé
Poêlé avec huile végétale
Poêlé avec margarine végétale non salée
Poêlé avec margarine végétale salée
Poêlé avec saindoux ou graisse d'oie ou de canard
Poêlé sans matière grasse : ★
Salé et fumé
Séché : ★
Surgelé : ★
Remarque : pas de poivre ni aucune autre épice sauf le curcuma. Pas de jus de citron en fin de cuisson ni aucun autre acide.

Ombre : poisson gras d'eau douce.
Conservé par le sel : ★
Conservé sous vide : ★
Consommation cru
Cuisson à la milanaise avec beurre doux
Cuisson à la milanaise avec beurre salé
Cuisson à la milanaise avec huile végétale
Cuisson à la milanaise avec margarine végétale non salée
Cuisson à la milanaise avec margarine végétale salée

Ombre

Cuisson à la milanaise avec saindoux ou graisse d'oie ou de canard

Cuisson à la milanaise sans matière grasse : ★

Cuisson à l'étouffée avec beurre doux : ★

Cuisson à l'étouffée avec beurre salé : ★

Cuisson à l'étouffée avec huile végétale : ★

Cuisson à l'étouffée avec margarine végétale non salée : ★

Cuisson à l'étouffée avec margarine végétale salée : ★

Cuisson à l'étouffée avec saindoux ou graisse d'oie ou de canard : ★

Cuisson à l'étouffée sans matière grasse : ★

Cuisson au court bouillon : ★

Cuisson en braisé avec beurre doux : ★

Cuisson en braisé avec beurre salé : ★

Cuisson en braisé avec huile végétale : ★

Cuisson en braisé avec margarine végétale non salée : ★

Cuisson en braisé avec margarine végétale salée : ★

Cuisson en braisé avec saindoux ou graisse d'oie ou de canard : ★

Cuisson en braisé sans matière grasse : ★

Cuisson en friture

Cuisson en meunière avec beurre doux

Cuisson en meunière avec beurre salé

Cuisson en meunière avec huile végétale

Cuisson en meunière avec margarine végétale non salée

Cuisson en meunière avec margarine végétale salée

Cuisson en meunière avec saindoux ou graisse d'oie ou de canard

Cuisson en meunière sans matière grasse : ★

Cuisson en sauté (idem poêlé).

Cuisson rôti à la broche : ★

Cuisson rôti au four avec beurre doux : ★

Cuisson rôti au four avec beurre salé : ★

Cuisson rôti au four avec huile végétale : ★

Cuisson rôti au four avec margarine végétale non salée : ★

Cuisson rôti au four avec margarine végétale salée : ★

Cuisson rôti au four avec saindoux ou graisse d'oie ou de canard : ★

Cuisson rôti au four sans matière grasse ajoutée : ★

Cuisson vapeur : ★

Grillé : ★
Pierrade : ★
Poêlé avec beurre doux
Poêlé avec beurre salé
Poêlé avec huile végétale
Poêlé avec margarine végétale non salée
Poêlé avec margarine végétale salée
Poêlé avec saindoux ou graisse d'oie ou de canard
Poêlé sans matière grasse : ★
Salé et fumé
Séché : ★
Surgelé : ★
Remarque : pas de poivre ni aucune autre épice sauf le curcuma. Pas de jus de citron en fin de cuisson ni aucun autre acide.

Ombrine : poisson marin à chair blanche.
Conservée par le sel : ★★
Conservée sous vide : ★★★
Consommation crue
Cuisson à la milanaise avec beurre doux
Cuisson à la milanaise avec beurre salé
Cuisson à la milanaise avec huile végétale
Cuisson à la milanaise avec margarine végétale non salée
Cuisson à la milanaise avec margarine végétale salée
Cuisson à la milanaise avec saindoux ou graisse d'oie ou de canard
Cuisson à la milanaise sans matière grasse : ★★★
Cuisson à l'étouffée avec beurre doux : ★★
Cuisson à l'étouffée avec beurre salé : ★★
Cuisson à l'étouffée avec huile végétale : ★★
Cuisson à l'étouffée avec margarine végétale non salée : ★★
Cuisson à l'étouffée avec margarine végétale salée : ★★
Cuisson à l'étouffée avec saindoux ou graisse d'oie ou de canard : ★★
Cuisson à l'étouffée sans matière grasse : ★★★
Cuisson au court bouillon : ★★★
Cuisson en braisé avec beurre doux : ★★
Cuisson en braisé avec beurre salé : ★★
Cuisson en braisé avec huile végétale : ★★

Ombrine

Cuisson en braisé avec margarine végétale non salée : ★★
Cuisson en braisé avec margarine végétale salée : ★★
Cuisson en braisé avec saindoux ou graisse d'oie ou de canard : ★★
Cuisson en braisé sans matière grasse : ★★★
Cuisson en friture
Cuisson en meunière avec beurre doux
Cuisson en meunière avec beurre salé
Cuisson en meunière avec huile végétale
Cuisson en meunière avec margarine végétale non salée
Cuisson en meunière avec margarine végétale salée
Cuisson en meunière avec saindoux ou graisse d'oie ou de canard
Cuisson en meunière sans matière grasse : ★★★
Cuisson en sauté (idem poêlée).
Cuisson rôtie à la broche : ★★★
Cuisson rôtie au four avec beurre doux : ★★
Cuisson rôtie au four avec beurre salé : ★★
Cuisson rôtie au four avec huile végétale : ★★
Cuisson rôtie au four avec margarine végétale non salée : ★★
Cuisson rôtie au four avec margarine végétale salée : ★★
Cuisson rôtie au four avec saindoux ou graisse d'oie ou de canard : ★★
Cuisson rôtie au four sans matière grasse ajoutée : ★★★
Cuisson vapeur : ★★★
Grillée : ★★★
Pierrade : ★★★
Poêlée avec beurre doux
Poêlée avec beurre salé
Poêlée avec huile végétale
Poêlée avec margarine végétale non salée
Poêlée avec margarine végétale salée
Poêlée avec saindoux ou graisse d'oie ou de canard
Poêlée sans matière grasse : ★★★
Salée et fumée : ★
Séchée : ★★★
Surgelée : ★★★

Remarque : pas de poivre ni aucune autre épice sauf le curcuma. Pas de jus de citron en fin de cuisson ni aucun autre acide.

Onglet : voir « Bœuf (viande de) ».

Orange : fruit de l'oranger. Agrume.

Origan : plante aromatique condimentaire.
Conservé sous vide : ★★★
Consommation cru : ★★★
Consommation cuit : ★★★
Déshydraté : ★★★
Fraîchement récolté : ★★★
Surgelé : ★★★

Ormeau : voir « Palourde ».

Oronge : voir « Champignon ».

Orphie : poisson gras marin à corps long et fin.
Conservée par le sel : ★
Conservée sous vide : ★
Consommation crue
Cuisson à la milanaise avec beurre doux
Cuisson à la milanaise avec beurre salé
Cuisson à la milanaise avec huile végétale
Cuisson à la milanaise avec margarine végétale non salée
Cuisson à la milanaise avec margarine végétale salée
Cuisson à la milanaise avec saindoux ou graisse d'oie ou de canard
Cuisson à la milanaise sans matière grasse : ★
Cuisson à l'étouffée avec beurre doux : ★
Cuisson à l'étouffée avec beurre salé : ★
Cuisson à l'étouffée avec huile végétale : ★
Cuisson à l'étouffée avec margarine végétale non salée : ★
Cuisson à l'étouffée avec margarine végétale salée : ★
Cuisson à l'étouffée avec saindoux ou graisse d'oie ou de canard : ★
Cuisson à l'étouffée sans matière grasse : ★
Cuisson au court bouillon : ★
Cuisson en braisé avec beurre doux : ★
Cuisson en braisé avec beurre salé : ★
Cuisson en braisé avec huile végétale : ★

Orphie

Cuisson en braisé avec margarine végétale non salée : ★
Cuisson en braisé avec margarine végétale salée : ★
Cuisson en braisé avec saindoux ou graisse d'oie ou de canard :
★
Cuisson en braisé sans matière grasse : ★
Cuisson en friture
Cuisson en meunière avec beurre doux
Cuisson en meunière avec beurre salé
Cuisson en meunière avec huile végétale
Cuisson en meunière avec margarine végétale non salée
Cuisson en meunière avec margarine végétale salée
Cuisson en meunière avec saindoux ou graisse d'oie ou de canard
Cuisson en meunière sans matière grasse : ★
Cuisson en ragoût avec beurre doux
Cuisson en ragoût avec beurre salé
Cuisson en ragoût avec huile végétale
Cuisson en ragoût avec margarine végétale non salée
Cuisson en ragoût avec margarine végétale salée
Cuisson en ragoût avec saindoux ou graisse d'oie ou de canard
Cuisson en sauté (idem poêlée).
Cuisson rôtie à la broche : ★
Cuisson rôtie au four avec beurre doux : ★
Cuisson rôtie au four avec beurre salé : ★
Cuisson rôtie au four avec huile végétale : ★
Cuisson rôtie au four avec margarine végétale non salée : ★
Cuisson rôtie au four avec margarine végétale salée : ★
Cuisson rôtie au four avec saindoux ou graisse d'oie ou de canard : ★
Cuisson rôtie au four sans matière grasse ajoutée : ★
Cuisson vapeur : ★
Grillée : ★
Pierrade : ★
Poêlée avec beurre doux
Poêlée avec beurre salé
Poêlée avec huile végétale
Poêlée avec margarine végétale non salée
Poêlée avec margarine végétale salée
Poêlée avec saindoux ou graisse d'oie ou de canard
Poêlée sans matière grasse : ★

Salée et fumée
Séchée : ★
Surgelée : ★
Remarque : pas de poivre ni aucune autre épice sauf le curcuma. Pas de jus de citron en fin de cuisson ni aucun autre acide.

𝒫

Paleron de bœuf : voir « Bœuf (viande de) ».

Palette d'agneau : voir « Agneau (viande de) ».

Palette de porc : voir « Porc (viande de) ».

Palourde : mollusque comestible marin.
Conservée par le sel : ★★
Conservée sous vide : ★★★★
Consommation crue
Cuisson à la milanaise avec beurre doux
Cuisson à la milanaise avec beurre salé
Cuisson à la milanaise avec huile végétale
Cuisson à la milanaise avec margarine végétale non salée
Cuisson à la milanaise avec margarine végétale salée
Cuisson à la milanaise avec saindoux ou graisse d'oie ou de canard
Cuisson à la milanaise sans matière grasse : ★★★★
Cuisson à l'étouffée avec beurre doux : ★★
Cuisson à l'étouffée avec beurre salé : ★★
Cuisson à l'étouffée avec huile végétale : ★★
Cuisson à l'étouffée avec margarine végétale non salée : ★★
Cuisson à l'étouffée avec margarine végétale salée : ★★
Cuisson à l'étouffée avec saindoux ou graisse d'oie ou de canard : ★★
Cuisson à l'étouffée sans matière grasse : ★★★★
Cuisson au beurre persillé

Cuisson au court bouillon : ★ ★ ★ ★
Cuisson en braisé avec beurre doux : ★ ★
Cuisson en braisé avec beurre salé : ★ ★
Cuisson en braisé avec huile végétale : ★ ★
Cuisson en braisé avec margarine végétale non salée : ★ ★
Cuisson en braisé avec margarine végétale salée : ★ ★
Cuisson en braisé avec saindoux ou graisse d'oie ou de canard :
★ ★
Cuisson en braisé sans matière grasse : ★ ★ ★ ★
Cuisson en friture
Cuisson en meunière avec beurre doux
Cuisson en meunière avec beurre salé
Cuisson en meunière avec huile végétale
Cuisson en meunière avec margarine végétale non salée
Cuisson en meunière avec margarine végétale salée
Cuisson en meunière avec saindoux ou graisse d'oie ou de canard
Cuisson en meunière sans matière grasse : ★ ★ ★ ★
Cuisson en sauté (idem poêlée).
Cuisson vapeur : ★ ★ ★ ★
Pierrade : ★ ★ ★ ★
Poêlée avec beurre doux
Poêlée avec beurre salé
Poêlée avec huile végétale
Poêlée avec margarine végétale non salée
Poêlée avec margarine végétale salée
Poêlée avec saindoux ou graisse d'oie ou de canard
Poêlée sans matière grasse : ★ ★ ★ ★
Séchée : ★ ★ ★ ★
Surgelée : ★ ★ ★ ★
Remarque : pas de poivre ni aucune autre épice sauf le curcuma. Pas de jus de citron en fin de cuisson ni aucun autre acide.

Pamplemousse : fruit comestible du pamplemoussier. Agrume.

Panais : plante potagère cultivée pour sa racine comestible. Légume vert.
Conserve en saumure (eau salée) : ★ ★ ★

Conservé sous vide : ★★★
Consommation cru : ★★★
Cuisson à l'étouffée avec beurre doux : ★★
Cuisson à l'étouffée avec beurre salé : ★★
Cuisson à l'étouffée avec huile végétale : ★★
Cuisson à l'étouffée avec margarine végétale non salée : ★★
Cuisson à l'étouffée avec margarine végétale salée : ★★
Cuisson à l'étouffée avec saindoux ou graisse d'oie ou de canard : ★★
Cuisson à l'étouffée sans matière grasse : ★★★
Cuisson au court bouillon : ★★★
Cuisson en braisé avec beurre doux : ★★
Cuisson en braisé avec beurre salé : ★★
Cuisson en braisé avec huile végétale : ★★
Cuisson en braisé avec margarine végétale non salée : ★★
Cuisson en braisé avec margarine végétale salée : ★★
Cuisson en braisé avec saindoux ou graisse d'oie ou de canard : ★★
Cuisson en braisé sans matière grasse : ★★★
Cuisson en friture
Cuisson en papillote : ★★★
Cuisson en ragoût avec beurre doux
Cuisson en ragoût avec beurre salé
Cuisson en ragoût avec huile végétale
Cuisson en ragoût avec margarine végétale non salée
Cuisson en ragoût avec margarine végétale salée
Cuisson en ragoût avec saindoux ou graisse d'oie ou de canard
Cuisson en sauté (idem poêlé).
Cuisson vapeur : ★★★
Poêlé avec beurre doux
Poêlé avec beurre salé
Poêlé avec huile végétale
Poêlé avec margarine végétale non salée
Poêlé avec margarine végétale salée
Poêlé avec saindoux ou graisse d'oie ou de canard
Poêlé sans matière grasse : ★★★
Potage crème : ★★
Potage nature sans matière grasse ajoutée : ★★★
Potage velouté : ★★
Surgelé : ★★★

Panga - Pastèque

Remarque : pas de poivre ni aucune autre épice sauf le curcuma. Pas de jus de citron en fin de cuisson ni aucun autre acide.

Panga : voir « Poisson-chat ».

Papaye : fruit du papayer. Fruit exotique.
A l'anglaise : ★★
Au sirop : ★★
Au sirop léger : ★★★
Confite : ★★
Conserve au naturel : ★★★★
Conservée dans l'alcool
Conservée sous vide : ★★★★
Consommation crue : ★★★★
En beignet
En compote (avec sucre ajouté) : ★★★
En compote sans sucre ajouté : ★★★
En confiture : ★★
En confiture allégée en sucre : ★★
En confiture sans sucre : ★★★
Fraîchement récoltée : ★★★★
Pochée sans sucre : ★★★★
Séchée : ★★★★
Surgelée : ★★★★

Pastèque : gros fruit à pulpe rouge très juteuse.
A l'anglaise : ★★
Au sirop : ★★
Au sirop léger : ★★★
Confite : ★★
Conserve au naturel : ★★★★
Conservée dans l'alcool
Conservée sous vide : ★★★★
Consommation crue : ★★★★
En beignet
En compote (avec sucre ajouté) : ★★★
En compote sans sucre ajouté : ★★★
En confiture : ★★
En confiture allégée en sucre : ★★

En confiture sans sucre : ★★★
Fraîchement récoltée : ★★★★
Pochée sans sucre : ★★★★
Séchée : ★★★★
Surgelée : ★★★★

Patate douce : tubercule comestible. Féculent.
Conservée sous vide : ★★★
Consommation crue
Cuisson à la milanaise avec beurre doux
Cuisson à la milanaise avec beurre salé
Cuisson à la milanaise avec huile végétale
Cuisson à la milanaise avec margarine végétale non salée
Cuisson à la milanaise avec margarine végétale salée
Cuisson à la milanaise avec saindoux ou graisse d'oie ou de canard
Cuisson à la milanaise sans matière grasse : ★★★
Cuisson à l'étouffée avec beurre doux : ★★
Cuisson à l'étouffée avec beurre salé : ★★
Cuisson à l'étouffée avec huile végétale : ★★
Cuisson à l'étouffée avec margarine végétale non salée : ★★
Cuisson à l'étouffée avec margarine végétale salée : ★★
Cuisson à l'étouffée avec saindoux ou graisse d'oie ou de canard : ★★
Cuisson à l'étouffée sans matière grasse : ★★★
Cuisson au court bouillon : ★★★
Cuisson en beignet
Cuisson en braisé avec beurre doux : ★★
Cuisson en braisé avec beurre salé : ★★
Cuisson en braisé avec huile végétale : ★★
Cuisson en braisé avec margarine végétale non salée : ★★
Cuisson en braisé avec margarine végétale salée : ★★
Cuisson en braisé avec saindoux ou graisse d'oie ou de canard : ★★
Cuisson en braisé sans matière grasse : ★★★
Cuisson en friture
Cuisson en meunière avec beurre doux
Cuisson en meunière avec beurre salé
Cuisson en meunière avec huile végétale
Cuisson en meunière avec margarine végétale non salée

Cuisson en meunière avec margarine végétale salée
Cuisson en meunière avec saindoux ou graisse d'oie ou de canard
Cuisson en meunière sans matière grasse : ★★★
Cuisson en papillote : ★★★
Cuisson en ragoût avec beurre doux
Cuisson en ragoût avec beurre salé
Cuisson en ragoût avec huile végétale
Cuisson en ragoût avec margarine végétale non salée
Cuisson en ragoût avec margarine végétale salée
Cuisson en ragoût avec saindoux ou graisse d'oie ou de canard
Cuisson en sauté (idem poêlée).
Cuisson vapeur : ★★★
Poêlée avec beurre doux
Poêlée avec beurre salé
Poêlée avec huile végétale
Poêlée avec margarine végétale non salée
Poêlée avec margarine végétale salée
Poêlée avec saindoux ou graisse d'oie ou de canard
Poêlée sans matière grasse : ★★★
Potage crème : ★★
Potage nature sans matière grasse ajoutée : ★★★
Potage velouté : ★★
Surgelée : ★★★
Remarque : pas de poivre ni aucune autre épice sauf le curcuma. Pas de jus de citron en fin de cuisson ni aucun autre acide.

Pâte d'abricot : voir « Abricot » section *Sec*.

Pâte de coing : voir « Coing » section *Sec*.

Pâte de datte : voir « Datte » section *Séchée*.

Pâte de figue : voir « Figue » section *Séchée*.

Pâte de goyave : voir « Goyave » section *En compote (avec sucre ajouté)*.

Pâte de piment : voir « Piment » section *séché*.

Pâtisson : voir « Courgette ».

Pêche : fruit comestible du pêcher.
A l'anglaise : ★★
Au sirop : ★★
Au sirop léger : ★★★
Confite : ★★
Conserve au naturel : ★★★★
Conservée dans l'alcool
Conservée sous vide : ★★★★
Consommation crue : ★★★★
En beignet
En compote (avec sucre ajouté) : ★★★
En compote sans sucre ajouté : ★★★
En confiture : ★★
En confiture allégée en sucre : ★★
En confiture sans sucre : ★★★
Flambée (pêche pochée) : ★
Fraîchement récoltée : ★★★★
Pochée sans sucre : ★★★★
Séchée : ★★★★
Surgelée : ★★★★

Perche : poisson d'eau douce à chair blanche.
Conservée par le sel : ★★
Conservée sous vide : ★★★
Consommation crue
Cuisson à la milanaise avec beurre doux
Cuisson à la milanaise avec beurre salé
Cuisson à la milanaise avec huile végétale
Cuisson à la milanaise avec margarine végétale non salée
Cuisson à la milanaise avec margarine végétale salée
Cuisson à la milanaise avec saindoux ou graisse d'oie ou de canard
Cuisson à la milanaise sans matière grasse : ★★★
Cuisson à l'étouffée avec beurre doux : ★★
Cuisson à l'étouffée avec beurre salé : ★★
Cuisson à l'étouffée avec huile végétale : ★★
Cuisson à l'étouffée avec margarine végétale non salée : ★★
Cuisson à l'étouffée avec margarine végétale salée : ★★

Perche

Cuisson à l'étouffée avec saindoux ou graisse d'oie ou de canard : ★★
Cuisson à l'étouffée sans matière grasse : ★★★
Cuisson au court bouillon : ★★★
Cuisson en braisé avec beurre doux : ★★
Cuisson en braisé avec beurre salé : ★★
Cuisson en braisé avec huile végétale : ★★
Cuisson en braisé avec margarine végétale non salée : ★★
Cuisson en braisé avec margarine végétale salée : ★★
Cuisson en braisé avec saindoux ou graisse d'oie ou de canard : ★★
Cuisson en braisé sans matière grasse : ★★★
Cuisson en friture
Cuisson en meunière avec beurre doux
Cuisson en meunière avec beurre salé
Cuisson en meunière avec huile végétale
Cuisson en meunière avec margarine végétale non salée
Cuisson en meunière avec margarine végétale salée
Cuisson en meunière avec saindoux ou graisse d'oie ou de canard
Cuisson en meunière sans matière grasse : ★★★
Cuisson en sauté (idem poêlée).
Cuisson rôtie au four avec beurre doux : ★★
Cuisson rôtie au four avec beurre salé : ★★
Cuisson rôtie au four avec huile végétale : ★★
Cuisson rôtie au four avec margarine végétale non salée : ★★
Cuisson rôtie au four avec margarine végétale salée : ★★
Cuisson rôtie au four avec saindoux ou graisse d'oie ou de canard : ★★
Cuisson rôtie au four sans matière grasse ajoutée : ★★★
Cuisson vapeur : ★★★
Grillée : ★★★
Pierrade : ★★★
Poêlée avec beurre doux
Poêlée avec beurre salé
Poêlée avec huile végétale
Poêlée avec margarine végétale non salée
Poêlée avec margarine végétale salée
Poêlée avec saindoux ou graisse d'oie ou de canard
Poêlée sans matière grasse : ★★★

Salée et fumée : ★
Séchée : ★★★
Surgelée : ★★★
Remarque : pas de poivre ni aucune autre épice sauf le curcuma. Pas de jus de citron en fin de cuisson ni aucun autre acide.

Perdrix : volatile comestible et très apprécié. Gibier.
Conservée par le sel : ★★
Conservée sous vide : ★★★
Consommation crue
Cuisson à la milanaise avec beurre doux
Cuisson à la milanaise avec beurre salé
Cuisson à la milanaise avec huile végétale
Cuisson à la milanaise avec margarine végétale non salée
Cuisson à la milanaise avec margarine végétale salée
Cuisson à la milanaise avec saindoux ou graisse d'oie ou de canard
Cuisson à la milanaise sans matière grasse : ★★★
Cuisson à l'étouffée avec beurre doux : ★★
Cuisson à l'étouffée avec beurre salé : ★★
Cuisson à l'étouffée avec huile végétale : ★★
Cuisson à l'étouffée avec margarine végétale non salée : ★★
Cuisson à l'étouffée avec margarine végétale salée : ★★
Cuisson à l'étouffée avec saindoux ou graisse d'oie ou de canard : ★★
Cuisson à l'étouffée sans matière grasse : ★★★
Cuisson au court bouillon : ★★★
Cuisson en braisé avec beurre doux : ★★
Cuisson en braisé avec beurre salé : ★★
Cuisson en braisé avec huile végétale : ★★
Cuisson en braisé avec margarine végétale non salée : ★★
Cuisson en braisé avec margarine végétale salée : ★★
Cuisson en braisé avec saindoux ou graisse d'oie ou de canard : ★★
Cuisson en braisé sans matière grasse : ★★★
Cuisson en friture
Cuisson en meunière avec beurre doux
Cuisson en meunière avec beurre salé
Cuisson en meunière avec huile végétale

Cuisson en meunière avec margarine végétale non salée
Cuisson en meunière avec margarine végétale salée
Cuisson en meunière avec saindoux ou graisse d'oie ou de canard
Cuisson en meunière sans matière grasse : ★★★
Cuisson en ragoût avec beurre doux
Cuisson en ragoût avec beurre salé
Cuisson en ragoût avec huile végétale
Cuisson en ragoût avec margarine végétale non salée
Cuisson en ragoût avec margarine végétale salée
Cuisson en ragoût avec saindoux ou graisse d'oie ou de canard
Cuisson en sauté (idem poêlée).
Cuisson rôtie à la broche : ★★★
Cuisson rôtie au four avec beurre doux : ★★
Cuisson rôtie au four avec beurre salé : ★★
Cuisson rôtie au four avec huile végétale : ★★
Cuisson rôtie au four avec margarine végétale non salée : ★★
Cuisson rôtie au four avec margarine végétale salée : ★★
Cuisson rôtie au four avec saindoux ou graisse d'oie ou de canard : ★★
Cuisson rôtie au four sans matière grasse ajoutée : ★★★
Cuisson vapeur : ★★★
Faisandée
Grillée : ★★★
Pierrade : ★★★
Poêlée avec beurre doux
Poêlée avec beurre salé
Poêlée avec huile végétale
Poêlée avec margarine végétale non salée
Poêlée avec margarine végétale salée
Poêlée avec saindoux ou graisse d'oie ou de canard
Poêlée sans matière grasse : ★★★
Salée et fumée : ★
Séchée : ★★★
Surgelée : ★★★

Remarque : pas de poivre ni aucune autre épice sauf le curcuma. Pas de jus de citron en fin de cuisson ni aucun autre acide.

Perlon : voir « Grondin ».

Persil : plante potagère utilisée comme condiment. Légume vert.
Conservé sous vide : ★★★★
Consommation cru : ★★★★
Consommation cuit : ★★★★
Déshydraté : ★★★★
Fraîchement récolté : ★★★★
Surgelé : ★★★★

Persil à grosse racine : plante potagère cultivée pour sa racine comestible. Légume vert.
Conserve en saumure (eau salée) : ★★★
Conservé sous vide : ★★★
Consommation cru : ★★★
Cuisson à l'étouffée avec beurre doux : ★★
Cuisson à l'étouffée avec beurre salé : ★★
Cuisson à l'étouffée avec huile végétale : ★★
Cuisson à l'étouffée avec margarine végétale non salée : ★★
Cuisson à l'étouffée avec margarine végétale salée : ★★
Cuisson à l'étouffée avec saindoux ou graisse d'oie ou de canard : ★★
Cuisson à l'étouffée sans matière grasse : ★★★
Cuisson au court bouillon : ★★★
Cuisson en braisé avec beurre doux : ★★
Cuisson en braisé avec beurre salé : ★★
Cuisson en braisé avec huile végétale : ★★
Cuisson en braisé avec margarine végétale non salée : ★★
Cuisson en braisé avec margarine végétale salée : ★★
Cuisson en braisé avec saindoux ou graisse d'oie ou de canard : ★★
Cuisson en braisé sans matière grasse : ★★★
Cuisson en friture
Cuisson en papillote : ★★★
Cuisson en ragoût avec beurre doux
Cuisson en ragoût avec beurre salé
Cuisson en ragoût avec huile végétale
Cuisson en ragoût avec margarine végétale non salée
Cuisson en ragoût avec margarine végétale salée
Cuisson en ragoût avec saindoux ou graisse d'oie ou de canard
Cuisson en sauté (idem poêlé).

Persil à grosse racine - Petit pois

Cuisson vapeur : ★★★
Poêlé avec beurre doux
Poêlé avec beurre salé
Poêlé avec huile végétale
Poêlé avec margarine végétale non salée
Poêlé avec margarine végétale salée
Poêlé avec saindoux ou graisse d'oie ou de canard
Poêlé sans matière grasse : ★★★
Potage crème : ★★
Potage nature sans matière grasse ajoutée : ★★★
Potage velouté : ★★
Surgelé : ★★★
Remarque : pas de poivre ni aucune autre épice sauf le curcuma. Pas de jus de citron en fin de cuisson ni aucun autre acide.

Petit pois : graine ronde et verte du pois récoltée fraîche. Légume vert.
Conserve à l'étuvé : ★★★
Conserve en saumure (eau salée) : ★★★
Conservé sous vide : ★★★
Consommation cru
Cuisson à l'étouffée avec beurre doux : ★★
Cuisson à l'étouffée avec beurre salé : ★★
Cuisson à l'étouffée avec huile végétale : ★★
Cuisson à l'étouffée avec margarine végétale non salée : ★★
Cuisson à l'étouffée avec margarine végétale salée : ★★
Cuisson à l'étouffée avec saindoux ou graisse d'oie ou de canard : ★★
Cuisson à l'étouffée sans matière grasse : ★★★
Cuisson au court bouillon : ★★★
Cuisson en braisé avec beurre doux : ★★
Cuisson en braisé avec beurre salé : ★★
Cuisson en braisé avec huile végétale : ★★
Cuisson en braisé avec margarine végétale non salée : ★★
Cuisson en braisé avec margarine végétale salée : ★★
Cuisson en braisé avec saindoux ou graisse d'oie ou de canard : ★★
Cuisson en braisé sans matière grasse : ★★★
Cuisson en friture

Cuisson en papillote : ★★★
Cuisson en ragoût avec beurre doux
Cuisson en ragoût avec beurre salé
Cuisson en ragoût avec huile végétale
Cuisson en ragoût avec margarine végétale non salée
Cuisson en ragoût avec margarine végétale salée
Cuisson en ragoût avec saindoux ou graisse d'oie ou de canard
Cuisson vapeur : ★★★
Potage crème : ★★
Potage nature sans matière grasse ajoutée : ★★★
Potage velouté : ★★
Sec : voir « Pois cassés ».
Surgelé : ★★★
Remarque : pas de poivre ni aucune autre épice sauf le curcuma. Pas de jus de citron en fin de cuisson ni aucun autre acide.

Petit salé : charcuterie de porc.

Pétoncle : voir « Palourde ».

Pézize : voir « Champignon ».

Pied-de-mouton : voir « Champignon ».

Pigeon : petit volatile comestible. Gibier.
Conservé par le sel : ★★
Conservé sous vide : ★★★
Consommation cru
Cuisson à la milanaise avec beurre doux
Cuisson à la milanaise avec beurre salé
Cuisson à la milanaise avec huile végétale
Cuisson à la milanaise avec margarine végétale non salée
Cuisson à la milanaise avec margarine végétale salée
Cuisson à la milanaise avec saindoux ou graisse d'oie ou de canard
Cuisson à la milanaise sans matière grasse : ★★★
Cuisson à l'étouffée avec beurre doux : ★★
Cuisson à l'étouffée avec beurre salé : ★★
Cuisson à l'étouffée avec huile végétale : ★★

Pigeon

Cuisson à l'étouffée avec margarine végétale non salée : ★★
Cuisson à l'étouffée avec margarine végétale salée : ★★
Cuisson à l'étouffée avec saindoux ou graisse d'oie ou de canard : ★★
Cuisson à l'étouffée sans matière grasse : ★★★
Cuisson au court bouillon : ★★★
Cuisson en braisé avec beurre doux : ★★
Cuisson en braisé avec beurre salé : ★★
Cuisson en braisé avec huile végétale : ★★
Cuisson en braisé avec margarine végétale non salée : ★★
Cuisson en braisé avec margarine végétale salée : ★★
Cuisson en braisé avec saindoux ou graisse d'oie ou de canard : ★★
Cuisson en braisé sans matière grasse : ★★★
Cuisson en friture
Cuisson en meunière avec beurre doux
Cuisson en meunière avec beurre salé
Cuisson en meunière avec huile végétale
Cuisson en meunière avec margarine végétale non salée
Cuisson en meunière avec margarine végétale salée
Cuisson en meunière avec saindoux ou graisse d'oie ou de canard
Cuisson en meunière sans matière grasse : ★★★
Cuisson en ragoût avec beurre doux
Cuisson en ragoût avec beurre salé
Cuisson en ragoût avec huile végétale
Cuisson en ragoût avec margarine végétale non salée
Cuisson en ragoût avec margarine végétale salée
Cuisson en ragoût avec saindoux ou graisse d'oie ou de canard
Cuisson en sauté (idem poêlé).
Cuisson rôti à la broche : ★★★
Cuisson rôti au four avec beurre doux : ★★
Cuisson rôti au four avec beurre salé : ★★
Cuisson rôti au four avec huile végétale : ★★
Cuisson rôti au four avec margarine végétale non salée : ★★
Cuisson rôti au four avec margarine végétale salée : ★★
Cuisson rôti au four avec saindoux ou graisse d'oie ou de canard : ★★
Cuisson rôti au four sans matière grasse ajoutée : ★★★
Cuisson vapeur : ★★★

Faisandé
Grillé : ★★★
Pierrade : ★★★
Poêlé avec beurre doux
Poêlé avec beurre salé
Poêlé avec huile végétale
Poêlé avec margarine végétale non salée
Poêlé avec margarine végétale salée
Poêlé avec saindoux ou graisse d'oie ou de canard
Poêlé sans matière grasse : ★★★
Salé et fumé : ★
Séché : ★★★
Surgelé : ★★★
Remarque : pas de poivre ni aucune autre épice sauf le curcuma. Pas de jus de citron en fin de cuisson ni aucun autre acide.

Piment : plante potagère dont on consomme le fruit à la saveur plus ou moins brûlante. Légume vert.

Pimprenelle : plante aromatique condimentaire.
Conservée sous vide : ★★★
Consommation crue : ★★★
Consommation cuite : ★★★
Déshydratée : ★★★
Fraîchement récoltée : ★★★
Surgelée : ★★★

Pintade : volaille un peu plus petite que le poulet.
Conservée par le sel : ★★
Conservée sous vide : ★★★
Consommation crue
Cuisson à la milanaise avec beurre doux
Cuisson à la milanaise avec beurre salé
Cuisson à la milanaise avec huile végétale
Cuisson à la milanaise avec margarine végétale non salée
Cuisson à la milanaise avec margarine végétale salée
Cuisson à la milanaise avec saindoux ou graisse d'oie ou de canard
Cuisson à la milanaise sans matière grasse : ★★★

Pintade

Cuisson à l'étouffée avec beurre doux : ★★
Cuisson à l'étouffée avec beurre salé : ★★
Cuisson à l'étouffée avec huile végétale : ★★
Cuisson à l'étouffée avec margarine végétale non salée : ★★
Cuisson à l'étouffée avec margarine végétale salée : ★★
Cuisson à l'étouffée avec saindoux ou graisse d'oie ou de canard : ★★
Cuisson à l'étouffée sans matière grasse : ★★★
Cuisson au court bouillon : ★★★
Cuisson en braisé avec beurre doux : ★★
Cuisson en braisé avec beurre salé : ★★
Cuisson en braisé avec huile végétale : ★★
Cuisson en braisé avec margarine végétale non salée : ★★
Cuisson en braisé avec margarine végétale salée : ★★
Cuisson en braisé avec saindoux ou graisse d'oie ou de canard : ★★
Cuisson en braisé sans matière grasse : ★★★
Cuisson en friture
Cuisson en meunière avec beurre doux
Cuisson en meunière avec beurre salé
Cuisson en meunière avec huile végétale
Cuisson en meunière avec margarine végétale non salée
Cuisson en meunière avec margarine végétale salée
Cuisson en meunière avec saindoux ou graisse d'oie ou de canard
Cuisson en meunière sans matière grasse : ★★★
Cuisson en ragoût avec beurre doux
Cuisson en ragoût avec beurre salé
Cuisson en ragoût avec huile végétale
Cuisson en ragoût avec margarine végétale non salée
Cuisson en ragoût avec margarine végétale salée
Cuisson en ragoût avec saindoux ou graisse d'oie ou de canard
Cuisson en sauté (idem poêlée).
Cuisson rôtie à la broche : ★★★
Cuisson rôtie au four avec beurre doux : ★★
Cuisson rôtie au four avec beurre salé : ★★
Cuisson rôtie au four avec huile végétale : ★★
Cuisson rôtie au four avec margarine végétale non salée : ★★
Cuisson rôtie au four avec margarine végétale salée : ★★

Cuisson rôtie au four avec saindoux ou graisse d'oie ou de canard : ★★
Cuisson rôtie au four sans matière grasse ajoutée : ★★★
Cuisson vapeur : ★★★
Grillée : ★★★
Pierrade : ★★★
Poêlée avec beurre doux
Poêlée avec beurre salé
Poêlée avec huile végétale
Poêlée avec margarine végétale non salée
Poêlée avec margarine végétale salée
Poêlée avec saindoux ou graisse d'oie ou de canard
Poêlée sans matière grasse : ★★★
Salée et fumée : ★
Séchée : ★★★
Surgelée : ★★★
Remarque : pas de poivre ni aucune autre épice sauf le curcuma. Pas de jus de citron en fin de cuisson ni aucun autre acide.

Plaquemine : voir « Kaki ».

Plat de côte (de bœuf) : voir « Bœuf (viande de) ».

Pleurote : voir « Champignon ».

Plie : poisson plat à chair blanche.
Conservée par le sel : ★★
Conservée sous vide : ★★★
Consommation crue
Cuisson à la milanaise avec beurre doux
Cuisson à la milanaise avec beurre salé
Cuisson à la milanaise avec huile végétale
Cuisson à la milanaise avec margarine végétale non salée
Cuisson à la milanaise avec margarine végétale salée
Cuisson à la milanaise avec saindoux ou graisse d'oie ou de canard
Cuisson à la milanaise sans matière grasse : ★★★
Cuisson à l'étouffée avec beurre doux : ★★
Cuisson à l'étouffée avec beurre salé : ★★

Plie

Cuisson à l'étouffée avec huile végétale : ★★
Cuisson à l'étouffée avec margarine végétale non salée : ★★
Cuisson à l'étouffée avec margarine végétale salée : ★★
Cuisson à l'étouffée avec saindoux ou graisse d'oie ou de canard : ★★
Cuisson à l'étouffée sans matière grasse : ★★★
Cuisson au court bouillon : ★★★
Cuisson en braisé avec beurre doux : ★★
Cuisson en braisé avec beurre salé : ★★
Cuisson en braisé avec huile végétale : ★★
Cuisson en braisé avec margarine végétale non salée : ★★
Cuisson en braisé avec margarine végétale salée : ★★
Cuisson en braisé avec saindoux ou graisse d'oie ou de canard : ★★
Cuisson en braisé sans matière grasse : ★★★
Cuisson en friture
Cuisson en meunière avec beurre doux
Cuisson en meunière avec beurre salé
Cuisson en meunière avec huile végétale
Cuisson en meunière avec margarine végétale non salée
Cuisson en meunière avec margarine végétale salée
Cuisson en meunière avec saindoux ou graisse d'oie ou de canard
Cuisson en meunière sans matière grasse : ★★★
Cuisson en sauté (idem poêlée).
Cuisson rôtie au four avec beurre doux : ★★
Cuisson rôtie au four avec beurre salé : ★★
Cuisson rôtie au four avec huile végétale : ★★
Cuisson rôtie au four avec margarine végétale non salée : ★★
Cuisson rôtie au four avec margarine végétale salée : ★★
Cuisson rôtie au four avec saindoux ou graisse d'oie ou de canard : ★★
Cuisson rôtie au four sans matière grasse ajoutée : ★★★
Cuisson vapeur : ★★★
Grillée : ★★★
Pierrade : ★★★
Poêlée avec beurre doux
Poêlée avec beurre salé
Poêlée avec huile végétale
Poêlée avec margarine végétale non salée

Poêlée avec margarine végétale salée
Poêlée avec saindoux ou graisse d'oie ou de canard
Poêlée sans matière grasse : ★★★
Salée et fumée : ★
Séchée : ★★★
Surgelée : ★★★
Remarque : pas de poivre ni aucune autre épice sauf le curcuma. Pas de jus de citron en fin de cuisson ni aucun autre acide.

Poire : fruit du poirier.
A l'anglaise : ★★
Au sirop : ★★
Au sirop léger : ★★★
Confite : ★★
Conserve au naturel : ★★★★
Conservée dans l'alcool
Conservée sous vide : ★★★★
Consommation crue : ★★★★
En beignet
En compote (avec sucre ajouté) : ★★★
En compote sans sucre ajouté : ★★★
En confiture : ★★
En confiture allégée en sucre : ★★
En confiture sans sucre : ★★★
Flambée (poire pochée) : ★
Fraîchement récoltée : ★★★★
Pochée sans sucre : ★★★★
Séchée : ★★★★
Surgelée : ★★★★

Poireau : plante potagère entièrement comestible. Légume vert.
Conserve en saumure (eau salée) : ★★★
Conservé sous vide : ★★★
Consommation cru
Cuisson à l'étouffée avec beurre doux : ★★
Cuisson à l'étouffée avec beurre salé : ★★
Cuisson à l'étouffée avec huile végétale : ★★
Cuisson à l'étouffée avec margarine végétale non salée : ★★
Cuisson à l'étouffée avec margarine végétale salée : ★★

Poireau - Poire de terre

Cuisson à l'étouffée avec saindoux ou graisse d'oie ou de canard : ★★
Cuisson à l'étouffée sans matière grasse : ★★★
Cuisson au court bouillon : ★★★
Cuisson en braisé avec beurre doux : ★★
Cuisson en braisé avec beurre salé : ★★
Cuisson en braisé avec huile végétale : ★★
Cuisson en braisé avec margarine végétale non salée : ★★
Cuisson en braisé avec margarine végétale salée : ★★
Cuisson en braisé avec saindoux ou graisse d'oie ou de canard : ★★
Cuisson en braisé sans matière grasse : ★★★
Cuisson en friture
Cuisson en papillote : ★★★
Cuisson en ragoût avec beurre doux
Cuisson en ragoût avec beurre salé
Cuisson en ragoût avec huile végétale
Cuisson en ragoût avec margarine végétale non salée
Cuisson en ragoût avec margarine végétale salée
Cuisson en ragoût avec saindoux ou graisse d'oie ou de canard
Cuisson en sauté (idem poêlé).
Cuisson vapeur : ★★★
Poêlé avec beurre doux
Poêlé avec beurre salé
Poêlé avec huile végétale
Poêlé avec margarine végétale non salée
Poêlé avec margarine végétale salée
Poêlé avec saindoux ou graisse d'oie ou de canard
Poêlé sans matière grasse : ★★★
Potage crème : ★★
Potage nature sans matière grasse ajoutée : ★★★
Potage velouté : ★★
Surgelé : ★★★
Remarque : pas de poivre ni aucune autre épice sauf le curcuma. Pas de jus de citron en fin de cuisson ni aucun autre acide.

Poire de terre : plante potagère dont on consomme les tubercules. Féculent. Sans gluten.
Conservée sous vide : ★★★

Consommation crue
Cuisson à la milanaise avec beurre doux
Cuisson à la milanaise avec beurre salé
Cuisson à la milanaise avec huile végétale
Cuisson à la milanaise avec margarine végétale non salée
Cuisson à la milanaise avec margarine végétale salée
Cuisson à la milanaise avec saindoux ou graisse d'oie ou de canard
Cuisson à la milanaise sans matière grasse : ★★★
Cuisson à l'étouffée avec beurre doux : ★★
Cuisson à l'étouffée avec beurre salé : ★★
Cuisson à l'étouffée avec huile végétale : ★★
Cuisson à l'étouffée avec margarine végétale non salée : ★★
Cuisson à l'étouffée avec margarine végétale salée : ★★
Cuisson à l'étouffée avec saindoux ou graisse d'oie ou de canard : ★★
Cuisson à l'étouffée sans matière grasse : ★★★
Cuisson au court bouillon : ★★★
Cuisson en beignet
Cuisson en braisé avec beurre doux : ★★
Cuisson en braisé avec beurre salé : ★★
Cuisson en braisé avec huile végétale : ★★
Cuisson en braisé avec margarine végétale non salée : ★★
Cuisson en braisé avec margarine végétale salée : ★★
Cuisson en braisé avec saindoux ou graisse d'oie ou de canard : ★★
Cuisson en braisé sans matière grasse : ★★★
Cuisson en friture
Cuisson en meunière avec beurre doux
Cuisson en meunière avec beurre salé
Cuisson en meunière avec huile végétale
Cuisson en meunière avec margarine végétale non salée
Cuisson en meunière avec margarine végétale salée
Cuisson en meunière avec saindoux ou graisse d'oie ou de canard
Cuisson en meunière sans matière grasse : ★★★
Cuisson en papillote: ★★★
Cuisson en ragoût avec beurre doux
Cuisson en ragoût avec beurre salé
Cuisson en ragoût avec huile végétale

Poire de terre - Pois-asperge

Cuisson en ragoût avec margarine végétale non salée
Cuisson en ragoût avec margarine végétale salée
Cuisson en ragoût avec saindoux ou graisse d'oie ou de canard
Cuisson en sauté (idem poêlée).
Cuisson vapeur : ★★★
Poêlée avec beurre doux
Poêlée avec beurre salé
Poêlée avec huile végétale
Poêlée avec margarine végétale non salée
Poêlée avec margarine végétale salée
Poêlée avec saindoux ou graisse d'oie ou de canard
Poêlée sans matière grasse : ★★★
Potage crème : ★★
Potage nature sans matière grasse ajoutée : ★★★
Potage velouté : ★★
Surgelée : ★★★
Remarque : pas de poivre ni aucune autre épice sauf le curcuma. Pas de jus de citron en fin de cuisson ni aucun autre acide.

Poirée : voir « Bette ».

Pois-asperge : plante potagère dont on consomme les gousses et les graines. Légume vert.
Conserve en saumure (eau salée) : ★★★
Conservé sous vide : ★★★
Consommation cru
Cuisson à l'étouffée avec beurre doux : ★★
Cuisson à l'étouffée avec beurre salé : ★★
Cuisson à l'étouffée avec huile végétale : ★★
Cuisson à l'étouffée avec margarine végétale non salée : ★★
Cuisson à l'étouffée avec margarine végétale salée : ★★
Cuisson à l'étouffée avec saindoux ou graisse d'oie ou de canard : ★★
Cuisson à l'étouffée sans matière grasse : ★★★
Cuisson au court bouillon : ★★★
Cuisson en braisé avec beurre doux : ★★
Cuisson en braisé avec beurre salé : ★★
Cuisson en braisé avec huile végétale : ★★
Cuisson en braisé avec margarine végétale non salée : ★★

Cuisson en braisé avec margarine végétale salée : ★★
Cuisson en braisé avec saindoux ou graisse d'oie ou de canard : ★★
Cuisson en braisé sans matière grasse : ★★★
Cuisson en friture
Cuisson en papillote : ★★★
Cuisson en sauté (idem poêlé).
Cuisson vapeur : ★★★
Poêlé avec beurre doux
Poêlé avec beurre salé
Poêlé avec huile végétale
Poêlé avec margarine végétale non salée
Poêlé avec margarine végétale salée
Poêlé avec saindoux ou graisse d'oie ou de canard
Poêlé sans matière grasse : ★★★
Potage crème : ★★
Potage nature sans matière grasse ajoutée : ★★★
Potage velouté : ★★
Surgelé : ★★★
Remarque : pas de poivre ni aucune autre épice sauf le curcuma. Pas de jus de citron en fin de cuisson ni aucun autre acide.

Pois cassés : petits pois secs. Féculent. Sans gluten.
Conserve à l'étuvé : ★★★★
Conserve en saumure (eau salée) : ★★★
Conservé sous vide : ★★★★
Consommation cru
Cuisson à l'étouffée avec beurre doux : ★★
Cuisson à l'étouffée avec beurre salé : ★★
Cuisson à l'étouffée avec huile végétale : ★★
Cuisson à l'étouffée avec margarine végétale non salée : ★★
Cuisson à l'étouffée avec margarine végétale salée : ★★
Cuisson à l'étouffée avec saindoux ou graisse d'oie ou de canard : ★★
Cuisson à l'étouffée sans matière grasse : ★★★★
Cuisson au court bouillon : ★★★★
Cuisson en braisé avec beurre doux : ★★
Cuisson en braisé avec beurre salé : ★★
Cuisson en braisé avec huile végétale : ★★

Pois cassés - Pois chiche

Cuisson en braisé avec margarine végétale non salée : ★★
Cuisson en braisé avec margarine végétale salée : ★★
Cuisson en braisé avec saindoux ou graisse d'oie ou de canard :
★★
Cuisson en braisé sans matière grasse : ★★★★
Cuisson en ragoût avec beurre doux
Cuisson en ragoût avec beurre salé
Cuisson en ragoût avec huile végétale
Cuisson en ragoût avec margarine végétale non salée
Cuisson en ragoût avec margarine végétale salée
Cuisson en ragoût avec saindoux ou graisse d'oie ou de canard
Potage crème : ★★
Potage nature sans matière grasse ajoutée : ★★★★
Potage velouté : ★★
Sec : ★★★★
Surgelé : ★★★★
Remarque : pas de poivre ni aucune autre épice sauf le curcuma. Pas de jus de citron en fin de cuisson ni aucun autre acide.

Pois chiche : gros pois gris-jaune. Féculent. Sans gluten.
Conserve à l'étuvé : ★★★
Conserve en saumure (eau salée) : ★★★
Conservé sous vide : ★★★
Consommation cru
Cuisson à l'étouffée avec beurre doux : ★★
Cuisson à l'étouffée avec beurre salé : ★★
Cuisson à l'étouffée avec huile végétale : ★★
Cuisson à l'étouffée avec margarine végétale non salée : ★★
Cuisson à l'étouffée avec margarine végétale salée : ★★
Cuisson à l'étouffée avec saindoux ou graisse d'oie ou de canard : ★★
Cuisson à l'étouffée sans matière grasse : ★★★
Cuisson au court bouillon : ★★★
Cuisson en braisé avec beurre doux : ★★
Cuisson en braisé avec beurre salé : ★★
Cuisson en braisé avec huile végétale : ★★
Cuisson en braisé avec margarine végétale non salée : ★★
Cuisson en braisé avec margarine végétale salée : ★★

Cuisson en braisé avec saindoux ou graisse d'oie ou de canard :
★★
Cuisson en braisé sans matière grasse : ★★★
Cuisson en ragoût avec beurre doux
Cuisson en ragoût avec beurre salé
Cuisson en ragoût avec huile végétale
Cuisson en ragoût avec margarine végétale non salée
Cuisson en ragoût avec margarine végétale salée
Cuisson en ragoût avec saindoux ou graisse d'oie ou de canard
Potage crème : ★★
Potage nature sans matière grasse ajoutée : ★★★
Potage velouté : ★★
Sec : ★★★
Surgelé : ★★★
Remarque : pas de poivre ni aucune autre épice sauf le curcuma. Pas de jus de citron en fin de cuisson ni aucun autre acide.

Pois de bambara : pois de terre. Féculent. Sans gluten.
Conserve à l'étuvé : ★★★★
Conserve en saumure (eau salée) : ★★★
Conservé sous vide : ★★★★
Consommation cru
Cuisson à l'étouffée avec beurre doux : ★★
Cuisson à l'étouffée avec beurre salé : ★★
Cuisson à l'étouffée avec huile végétale : ★★
Cuisson à l'étouffée avec margarine végétale non salée : ★★
Cuisson à l'étouffée avec margarine végétale salée : ★★
Cuisson à l'étouffée avec saindoux ou graisse d'oie ou de canard : ★★
Cuisson à l'étouffée sans matière grasse : ★★★★
Cuisson au court bouillon : ★★★★
Cuisson en braisé avec beurre doux : ★★
Cuisson en braisé avec beurre salé : ★★
Cuisson en braisé avec huile végétale : ★★
Cuisson en braisé avec margarine végétale non salée : ★★
Cuisson en braisé avec margarine végétale salée : ★★
Cuisson en braisé avec saindoux ou graisse d'oie ou de canard :
★★
Cuisson en braisé sans matière grasse : ★★★★

Cuisson en ragoût avec beurre doux
Cuisson en ragoût avec beurre salé
Cuisson en ragoût avec huile végétale
Cuisson en ragoût avec margarine végétale non salée
Cuisson en ragoût avec margarine végétale salée
Cuisson en ragoût avec saindoux ou graisse d'oie ou de canard
Potage crème : ★★
Potage nature sans matière grasse ajoutée : ★★★★
Potage velouté : ★★
Sec : ★★★★
Surgelé : ★★★★
Remarque : pas de poivre ni aucune autre épice sauf le curcuma. Pas de jus de citron en fin de cuisson ni aucun autre acide.

Pois mange-tout : variété de pois dont on mange la gousse et les graines. Légume vert.
Conserve en saumure (eau salée) : ★★★
Conservé sous vide : ★★★
Consommation cru
Cuisson à l'étouffée avec beurre doux : ★★
Cuisson à l'étouffée avec beurre salé : ★★
Cuisson à l'étouffée avec huile végétale : ★★
Cuisson à l'étouffée avec margarine végétale non salée : ★★
Cuisson à l'étouffée avec margarine végétale salée : ★★
Cuisson à l'étouffée avec saindoux ou graisse d'oie ou de canard : ★★
Cuisson à l'étouffée sans matière grasse : ★★★
Cuisson au court bouillon : ★★★
Cuisson en braisé avec beurre doux : ★★
Cuisson en braisé avec beurre salé : ★★
Cuisson en braisé avec huile végétale : ★★
Cuisson en braisé avec margarine végétale non salée : ★★
Cuisson en braisé avec margarine végétale salée : ★★
Cuisson en braisé avec saindoux ou graisse d'oie ou de canard : ★★
Cuisson en braisé sans matière grasse : ★★★
Cuisson en friture
Cuisson en papillote : ★★★
Cuisson en sauté (idem poêlé).

Cuisson vapeur : ★★★
Poêlé avec beurre doux
Poêlé avec beurre salé
Poêlé avec huile végétale
Poêlé avec margarine végétale non salée
Poêlé avec margarine végétale salée
Poêlé avec saindoux ou graisse d'oie ou de canard
Poêlé sans matière grasse : ★★★
Potage crème : ★★
Potage nature sans matière grasse ajoutée : ★★★
Potage velouté : ★★
Surgelé : ★★★
Remarque : pas de poivre ni aucune autre épice sauf le curcuma. Pas de jus de citron en fin de cuisson ni aucun autre acide.

Poisson-chat : poisson d'eau douce à chair blanche.
Conservé par le sel : ★★
Conservé sous vide : ★★★
Consommation cru
Cuisson à la milanaise avec beurre doux
Cuisson à la milanaise avec beurre salé
Cuisson à la milanaise avec huile végétale
Cuisson à la milanaise avec margarine végétale non salée
Cuisson à la milanaise avec margarine végétale salée
Cuisson à la milanaise avec saindoux ou graisse d'oie ou de canard
Cuisson à la milanaise sans matière grasse : ★★★
Cuisson à l'étouffée avec beurre doux : ★★
Cuisson à l'étouffée avec beurre salé : ★★
Cuisson à l'étouffée avec huile végétale : ★★
Cuisson à l'étouffée avec margarine végétale non salée : ★★
Cuisson à l'étouffée avec margarine végétale salée : ★★
Cuisson à l'étouffée avec saindoux ou graisse d'oie ou de canard : ★★
Cuisson à l'étouffée sans matière grasse : ★★★
Cuisson au court bouillon : ★★★
Cuisson en braisé avec beurre doux : ★★
Cuisson en braisé avec beurre salé : ★★
Cuisson en braisé avec huile végétale : ★★

Poisson-chat

Cuisson en braisé avec margarine végétale non salée : ★★
Cuisson en braisé avec margarine végétale salée : ★★
Cuisson en braisé avec saindoux ou graisse d'oie ou de canard : ★★
Cuisson en braisé sans matière grasse : ★★★
Cuisson en friture
Cuisson en meunière avec beurre doux
Cuisson en meunière avec beurre salé
Cuisson en meunière avec huile végétale
Cuisson en meunière avec margarine végétale non salée
Cuisson en meunière avec margarine végétale salée
Cuisson en meunière avec saindoux ou graisse d'oie ou de canard
Cuisson en meunière sans matière grasse : ★★★
Cuisson en ragoût avec beurre doux
Cuisson en ragoût avec beurre salé
Cuisson en ragoût avec huile végétale
Cuisson en ragoût avec margarine végétale non salée
Cuisson en ragoût avec margarine végétale salée
Cuisson en ragoût avec saindoux ou graisse d'oie ou de canard
Cuisson en sauté (idem poêlé).
Cuisson rôti à la broche : ★★★
Cuisson rôti au four avec beurre doux : ★★
Cuisson rôti au four avec beurre salé : ★★
Cuisson rôti au four avec huile végétale : ★★
Cuisson rôti au four avec margarine végétale non salée : ★★
Cuisson rôti au four avec margarine végétale salée : ★★
Cuisson rôti au four avec saindoux ou graisse d'oie ou de canard : ★★
Cuisson rôti au four sans matière grasse ajoutée : ★★★
Cuisson vapeur : ★★★
Grillé : ★★★
Pierrade : ★★★
Poêlé avec beurre doux
Poêlé avec beurre salé
Poêlé avec huile végétale
Poêlé avec margarine végétale non salée
Poêlé avec margarine végétale salée
Poêlé avec saindoux ou graisse d'oie ou de canard
Poêlé sans matière grasse : ★★★

Salé et fumé : ★
Séché : ★★★
Surgelé : ★★★
Remarque : pas de poivre ni aucune autre épice sauf le curcuma. Pas de jus de citron en fin de cuisson ni aucun autre acide.

Poisson gras : poisson à chair brune, riche en oméga 3 et en acides gras polyinsaturés : maquereau, sardine, thon, hareng, truite, omble, saumon, anchois, anguille, congre, etc.
Conservé par le sel : ★
Conservé sous vide : ★
Consommation cru
Cuisson à la milanaise avec beurre doux
Cuisson à la milanaise avec beurre salé
Cuisson à la milanaise avec huile végétale
Cuisson à la milanaise avec margarine végétale non salée
Cuisson à la milanaise avec margarine végétale salée
Cuisson à la milanaise avec saindoux ou graisse d'oie ou de canard
Cuisson à la milanaise sans matière grasse : ★
Cuisson à l'étouffée avec beurre doux : ★
Cuisson à l'étouffée avec beurre salé : ★
Cuisson à l'étouffée avec huile végétale : ★
Cuisson à l'étouffée avec margarine végétale non salée : ★
Cuisson à l'étouffée avec margarine végétale salée : ★
Cuisson à l'étouffée avec saindoux ou graisse d'oie ou de canard : ★
Cuisson à l'étouffée sans matière grasse : ★
Cuisson au court bouillon : ★
Cuisson en braisé avec beurre doux : ★
Cuisson en braisé avec beurre salé : ★
Cuisson en braisé avec huile végétale : ★
Cuisson en braisé avec margarine végétale non salée : ★
Cuisson en braisé avec margarine végétale salée : ★
Cuisson en braisé avec saindoux ou graisse d'oie ou de canard : ★
Cuisson en braisé sans matière grasse : ★
Cuisson en friture
Cuisson en meunière avec beurre doux

Poisson gras

Cuisson en meunière avec beurre salé
Cuisson en meunière avec huile végétale
Cuisson en meunière avec margarine végétale non salée
Cuisson en meunière avec margarine végétale salée
Cuisson en meunière avec saindoux ou graisse d'oie ou de canard
Cuisson en meunière sans matière grasse : ★
Cuisson en ragoût avec beurre doux
Cuisson en ragoût avec beurre salé
Cuisson en ragoût avec huile végétale
Cuisson en ragoût avec margarine végétale non salée
Cuisson en ragoût avec margarine végétale salée
Cuisson en ragoût avec saindoux ou graisse d'oie ou de canard
Cuisson en sauté (idem poêlé).
Cuisson rôti à la broche : ★
Cuisson rôti au four avec beurre doux : ★
Cuisson rôti au four avec beurre salé : ★
Cuisson rôti au four avec huile végétale : ★
Cuisson rôti au four avec margarine végétale non salée : ★
Cuisson rôti au four avec margarine végétale salée : ★
Cuisson rôti au four avec saindoux ou graisse d'oie ou de canard : ★
Cuisson rôti au four sans matière grasse ajoutée : ★
Cuisson vapeur : ★
Grillé : ★
Pierrade : ★
Poêlé avec beurre doux
Poêlé avec beurre salé
Poêlé avec huile végétale
Poêlé avec margarine végétale non salée
Poêlé avec margarine végétale salée
Poêlé avec saindoux ou graisse d'oie ou de canard
Poêlé sans matière grasse : ★
Salé et fumé
Séché : ★
Surgelé : ★

Remarque : pas de poivre ni aucune autre épice sauf le curcuma. Pas de jus de citron en fin de cuisson ni aucun autre acide.

Poisson maigre : poisson à chair blanche, moyennement riche en acides gras polyinsaturés et en oméga 3 : sole, cabillaud, lieu, grondin, carpe, gardon, brochet, sandre, etc.

Conservé par le sel : ★★

Conservé sous vide : ★★★

Consommation cru

Cuisson à la milanaise avec beurre doux

Cuisson à la milanaise avec beurre salé

Cuisson à la milanaise avec huile végétale

Cuisson à la milanaise avec margarine végétale non salée

Cuisson à la milanaise avec margarine végétale salée

Cuisson à la milanaise avec saindoux ou graisse d'oie ou de canard

Cuisson à la milanaise sans matière grasse : ★★★

Cuisson à l'étouffée avec beurre doux : ★★

Cuisson à l'étouffée avec beurre salé : ★★

Cuisson à l'étouffée avec huile végétale : ★★

Cuisson à l'étouffée avec margarine végétale non salée : ★★

Cuisson à l'étouffée avec margarine végétale salée : ★★

Cuisson à l'étouffée avec saindoux ou graisse d'oie ou de canard : ★★

Cuisson à l'étouffée sans matière grasse : ★★★

Cuisson au court bouillon : ★★★

Cuisson en braisé avec beurre doux : ★★

Cuisson en braisé avec beurre salé : ★★

Cuisson en braisé avec huile végétale : ★★

Cuisson en braisé avec margarine végétale non salée : ★★

Cuisson en braisé avec margarine végétale salée : ★★

Cuisson en braisé avec saindoux ou graisse d'oie ou de canard : ★★

Cuisson en braisé sans matière grasse : ★★★

Cuisson en friture

Cuisson en meunière avec beurre doux

Cuisson en meunière avec beurre salé

Cuisson en meunière avec huile végétale

Cuisson en meunière avec margarine végétale non salée

Cuisson en meunière avec margarine végétale salée

Cuisson en meunière avec saindoux ou graisse d'oie ou de canard

Cuisson en meunière sans matière grasse : ★★★

Cuisson en ragoût avec beurre doux
Cuisson en ragoût avec beurre salé
Cuisson en ragoût avec huile végétale
Cuisson en ragoût avec margarine végétale non salée
Cuisson en ragoût avec margarine végétale salée
Cuisson en ragoût avec saindoux ou graisse d'oie ou de canard
Cuisson en sauté (idem poêlé).
Cuisson rôti à la broche : ★★★
Cuisson rôti au four avec beurre doux : ★★
Cuisson rôti au four avec beurre salé : ★★
Cuisson rôti au four avec huile végétale : ★★
Cuisson rôti au four avec margarine végétale non salée : ★★
Cuisson rôti au four avec margarine végétale salée : ★★
Cuisson rôti au four avec saindoux ou graisse d'oie ou de canard : ★★
Cuisson rôti au four sans matière grasse ajoutée : ★★★
Cuisson vapeur : ★★★
Grillé : ★★★
Pierrade : ★★★
Poêlé avec beurre doux
Poêlé avec beurre salé
Poêlé avec huile végétale
Poêlé avec margarine végétale non salée
Poêlé avec margarine végétale salée
Poêlé avec saindoux ou graisse d'oie ou de canard
Poêlé sans matière grasse : ★★★
Salé et fumé : ★
Séché : ★★★
Surgelé : ★★★

Remarque : pas de poivre ni aucune autre épice sauf le curcuma. Pas de jus de citron en fin de cuisson ni aucun autre acide.

Poitrine d'agneau : voir « Agneau (viande d') ».

Poitrine de bœuf : voir « Bœuf (viande de) ».

Poitrine de porc : voir « Porc (viande de) ».

Poitrine de veau : voir « Veau (viande de) ».

Poivron : piment doux. Légume vert.

Confit
Conservé dans du vinaigre
Conserve en saumure (eau salée) : ★
Conservé sous vide : ★
Consommation cru
Cuisson à l'étouffée avec beurre doux : ★
Cuisson à l'étouffée avec beurre salé : ★
Cuisson à l'étouffée avec huile végétale : ★
Cuisson à l'étouffée avec margarine végétale non salée : ★
Cuisson à l'étouffée avec margarine végétale salée : ★
Cuisson à l'étouffée avec saindoux ou graisse d'oie ou de canard : ★
Cuisson à l'étouffée sans matière grasse : ★
Cuisson au court bouillon : ★
Cuisson en braisé avec beurre doux : ★
Cuisson en braisé avec beurre salé : ★
Cuisson en braisé avec huile végétale : ★
Cuisson en braisé avec margarine végétale non salée : ★
Cuisson en braisé avec margarine végétale salée : ★
Cuisson en braisé avec saindoux ou graisse d'oie ou de canard : ★
Cuisson en braisé sans matière grasse : ★
Cuisson en friture
Cuisson en papillote : ★
Cuisson en ragoût avec beurre doux
Cuisson en ragoût avec beurre salé
Cuisson en ragoût avec huile végétale
Cuisson en ragoût avec margarine végétale non salée
Cuisson en ragoût avec margarine végétale salée
Cuisson en ragoût avec saindoux ou graisse d'oie ou de canard
Cuisson en sauté (idem poêlé).
Cuisson vapeur : ★
Poêlé avec beurre doux
Poêlé avec beurre salé
Poêlé avec huile végétale
Poêlé avec margarine végétale non salée
Poêlé avec margarine végétale salée
Poêlé avec saindoux ou graisse d'oie ou de canard
Poêlé sans matière grasse : ★

Potage crème
Potage nature sans matière grasse ajoutée : ★
Potage velouté
Séché : ★
Surgelé : ★
Remarque : pas de poivre ni aucune autre épice sauf le curcuma. Pas de jus de citron en fin de cuisson ni aucun autre acide.

Pomelo : voir « Pamplemousse ».

Pomme : fruit comestible du pommier.
A l'anglaise : ★★
Au sirop : ★★
Au sirop léger : ★★★
Confite : ★★
Conserve au naturel : ★★★★
Conservée dans l'alcool
Conservée sous vide : ★★★★
Consommation crue : ★★★★
En beignet
En compote (avec sucre ajouté) : ★★★
En compote sans sucre ajouté : ★★★
En confiture : ★★
En confiture allégée en sucre : ★★
En confiture sans sucre : ★★★
Flambée (pomme pochée) : ★
Fraîchement récoltée : ★★★★
Pochée sans sucre : ★★★★
Séchée : ★★★★
Surgelée : ★★★★

Pomme de terre : plante potagère dont on consomme les tubercules. Féculent. Sans gluten.
Conservée sous vide : ★★★
Consommation crue
Cuisson à la milanaise avec beurre doux
Cuisson à la milanaise avec beurre salé
Cuisson à la milanaise avec huile végétale
Cuisson à la milanaise avec margarine végétale non salée

Cuisson à la milanaise avec margarine végétale salée
Cuisson à la milanaise avec saindoux ou graisse d'oie ou de canard
Cuisson à la milanaise sans matière grasse : ★★★
Cuisson à l'étouffée avec beurre doux : ★★
Cuisson à l'étouffée avec beurre salé : ★★
Cuisson à l'étouffée avec huile végétale : ★★
Cuisson à l'étouffée avec margarine végétale non salée : ★★
Cuisson à l'étouffée avec margarine végétale salée : ★★
Cuisson à l'étouffée avec saindoux ou graisse d'oie ou de canard : ★★
Cuisson à l'étouffée sans matière grasse : ★★★
Cuisson au court bouillon : ★★★
Cuisson en beignet
Cuisson en braisé avec beurre doux : ★★
Cuisson en braisé avec beurre salé : ★★
Cuisson en braisé avec huile végétale : ★★
Cuisson en braisé avec margarine végétale non salée : ★★
Cuisson en braisé avec margarine végétale salée : ★★
Cuisson en braisé avec saindoux ou graisse d'oie ou de canard : ★★
Cuisson en braisé sans matière grasse : ★★★
Cuisson en friture
Cuisson en meunière avec beurre doux
Cuisson en meunière avec beurre salé
Cuisson en meunière avec huile végétale
Cuisson en meunière avec margarine végétale non salée
Cuisson en meunière avec margarine végétale salée
Cuisson en meunière avec saindoux ou graisse d'oie ou de canard
Cuisson en meunière sans matière grasse : ★★★
Cuisson en papillote : ★★★
Cuisson en ragoût avec beurre doux
Cuisson en ragoût avec beurre salé
Cuisson en ragoût avec huile végétale
Cuisson en ragoût avec margarine végétale non salée
Cuisson en ragoût avec margarine végétale salée
Cuisson en ragoût avec saindoux ou graisse d'oie ou de canard
Cuisson en sauté (idem poêlée).
Cuisson vapeur : ★★★

Poêlée avec beurre doux
Poêlée avec beurre salé
Poêlée avec huile végétale
Poêlée avec margarine végétale non salée
Poêlée avec margarine végétale salée
Poêlée avec saindoux ou graisse d'oie ou de canard
Poêlée sans matière grasse : ★★★
Potage crème : ★★
Potage nature sans matière grasse ajoutée : ★★★
Potage velouté : ★★
Surgelée : ★★★
Remarque : pas de poivre ni aucune autre épice sauf le curcuma. Pas de jus de citron en fin de cuisson ni aucun autre acide.

Porc (viande de...) : représente les viandes non préparées ni transformées, nature, prêtes à être cuisinées provenant du cochon.
Conservée par le sel : ★★
Conservée sous vide : ★★★
Consommation crue
Cuisson à la milanaise avec beurre doux
Cuisson à la milanaise avec beurre salé
Cuisson à la milanaise avec huile végétale
Cuisson à la milanaise avec margarine végétale non salée
Cuisson à la milanaise avec margarine végétale salée
Cuisson à la milanaise avec saindoux ou graisse d'oie ou de canard
Cuisson à la milanaise sans matière grasse : ★★★
Cuisson à l'étouffée avec beurre doux : ★★
Cuisson à l'étouffée avec beurre salé : ★★
Cuisson à l'étouffée avec huile végétale : ★★
Cuisson à l'étouffée avec margarine végétale non salée : ★★
Cuisson à l'étouffée avec margarine végétale salée : ★★
Cuisson à l'étouffée avec saindoux ou graisse d'oie ou de canard : ★★
Cuisson à l'étouffée sans matière grasse : ★★★
Cuisson au court bouillon : ★★★
Cuisson en braisé avec beurre doux : ★★
Cuisson en braisé avec beurre salé : ★★

Cuisson en braisé avec huile végétale : ★★
Cuisson en braisé avec margarine végétale non salée : ★★
Cuisson en braisé avec margarine végétale salée : ★★
Cuisson en braisé avec saindoux ou graisse d'oie ou de canard : ★★
Cuisson en braisé sans matière grasse : ★★★
Cuisson en friture
Cuisson en meunière avec beurre doux
Cuisson en meunière avec beurre salé
Cuisson en meunière avec huile végétale
Cuisson en meunière avec margarine végétale non salée
Cuisson en meunière avec margarine végétale salée
Cuisson en meunière avec saindoux ou graisse d'oie ou de canard
Cuisson en meunière sans matière grasse : ★★★
Cuisson en ragoût avec beurre doux
Cuisson en ragoût avec beurre salé
Cuisson en ragoût avec huile végétale
Cuisson en ragoût avec margarine végétale non salée
Cuisson en ragoût avec margarine végétale salée
Cuisson en ragoût avec saindoux ou graisse d'oie ou de canard
Cuisson en sauté (idem poêlée).
Cuisson rôtie à la broche : ★★★
Cuisson rôtie au four avec beurre doux : ★★
Cuisson rôtie au four avec beurre salé : ★★
Cuisson rôtie au four avec huile végétale : ★★
Cuisson rôtie au four avec margarine végétale non salée : ★★
Cuisson rôtie au four avec margarine végétale salée : ★★
Cuisson rôtie au four avec saindoux ou graisse d'oie ou de canard : ★★
Cuisson rôtie au four sans matière grasse ajoutée : ★★★
Cuisson vapeur : ★★★
Grillée : ★★★
Pierrade : ★★★
Poêlée avec beurre doux
Poêlée avec beurre salé
Poêlée avec huile végétale
Poêlée avec margarine végétale non salée
Poêlée avec margarine végétale salée
Poêlée avec saindoux ou graisse d'oie ou de canard

Poêlée sans matière grasse : ★★★
Salée et fumée : ★
Séchée : ★★★
Surgelée : ★★★

Remarque : pas de poivre ni aucune autre épice sauf le curcuma. Pas de jus de citron en fin de cuisson ni aucun autre acide. Pas de charcuterie, à part les moins grasses.

Potimarron : courge dont le goût rappelle celui de la châtaigne. Légume vert.
Conserve en saumure (eau salée) : ★★★
Conservé sous vide : ★★★
Consommation cru
Cuisson à l'étouffée avec beurre doux : ★★
Cuisson à l'étouffée avec beurre salé : ★★
Cuisson à l'étouffée avec huile végétale : ★★
Cuisson à l'étouffée avec margarine végétale non salée : ★★
Cuisson à l'étouffée avec margarine végétale salée : ★★
Cuisson à l'étouffée avec saindoux ou graisse d'oie ou de canard : ★★
Cuisson à l'étouffée sans matière grasse : ★★★
Cuisson au court bouillon : ★★★
Cuisson en braisé avec beurre doux : ★★
Cuisson en braisé avec beurre salé : ★★
Cuisson en braisé avec huile végétale : ★★
Cuisson en braisé avec margarine végétale non salée : ★★
Cuisson en braisé avec margarine végétale salée : ★★
Cuisson en braisé avec saindoux ou graisse d'oie ou de canard : ★★
Cuisson en braisé sans matière grasse : ★★★
Cuisson en friture
Cuisson en papillote : ★★★
Cuisson en ragoût avec beurre doux
Cuisson en ragoût avec beurre salé
Cuisson en ragoût avec huile végétale
Cuisson en ragoût avec margarine végétale non salée
Cuisson en ragoût avec margarine végétale salée
Cuisson en ragoût avec saindoux ou graisse d'oie ou de canard
Cuisson en sauté (idem poêlé).

Cuisson vapeur : ★★★
En confiture : ★★
En confiture allégée en sucre : ★★
En confiture sans sucre : ★★★
Poêlé avec beurre doux
Poêlé avec beurre salé
Poêlé avec huile végétale
Poêlé avec margarine végétale non salée
Poêlé avec margarine végétale salée
Poêlé avec saindoux ou graisse d'oie ou de canard
Poêlé sans matière grasse : ★★★
Potage crème : ★★
Potage nature sans matière grasse ajoutée : ★★★
Potage velouté : ★★
Surgelé : ★★★
Remarque : pas de poivre ni aucune autre épice sauf le curcuma. Pas de jus de citron en fin de cuisson ni aucun autre acide.

Potiron : voir « Potimarron ».

Poule : femelle du coq. Volaille.
Conservée par le sel : ★★
Conservée sous vide : ★★★
Consommation crue
Cuisson à l'étouffée avec beurre doux : ★★
Cuisson à l'étouffée avec beurre salé : ★★
Cuisson à l'étouffée avec huile végétale : ★★
Cuisson à l'étouffée avec margarine végétale non salée : ★★
Cuisson à l'étouffée avec margarine végétale salée : ★★
Cuisson à l'étouffée avec saindoux ou graisse d'oie ou de canard : ★★
Cuisson à l'étouffée sans matière grasse : ★★★
Cuisson au court bouillon : ★★★
Cuisson en braisé avec beurre doux : ★★
Cuisson en braisé avec beurre salé : ★★
Cuisson en braisé avec huile végétale : ★★
Cuisson en braisé avec margarine végétale non salée : ★★
Cuisson en braisé avec margarine végétale salée : ★★

Cuisson en braisé avec saindoux ou graisse d'oie ou de canard :
★ ★
Cuisson en braisé sans matière grasse : ★ ★ ★
Cuisson en friture
Cuisson en ragoût avec beurre doux
Cuisson en ragoût avec beurre salé
Cuisson en ragoût avec huile végétale
Cuisson en ragoût avec margarine végétale non salée
Cuisson en ragoût avec margarine végétale salée
Cuisson en ragoût avec saindoux ou graisse d'oie ou de canard
Cuisson en sauté (idem poêlée).
Cuisson vapeur : ★ ★ ★
Poêlée avec beurre doux
Poêlée avec beurre salé
Poêlée avec huile végétale
Poêlée avec margarine végétale non salée
Poêlée avec margarine végétale salée
Poêlée avec saindoux ou graisse d'oie ou de canard
Poêlée sans matière grasse : ★ ★ ★
Salée et fumée : ★
Séchée : ★ ★ ★
Surgelée : ★ ★ ★
Remarque : pas de poivre ni aucune autre épice sauf le curcuma. Pas de jus de citron en fin de cuisson ni aucun autre acide.

Poulet : petit de la poule, abattu avant son âge adulte. Volaille.
Conservé par le sel : ★ ★
Conservé sous vide : ★ ★ ★
Consommation cru
Cuisson à la milanaise avec beurre doux
Cuisson à la milanaise avec beurre salé
Cuisson à la milanaise avec huile végétale
Cuisson à la milanaise avec margarine végétale non salée
Cuisson à la milanaise avec margarine végétale salée
Cuisson à la milanaise avec saindoux ou graisse d'oie ou de canard
Cuisson à la milanaise sans matière grasse : ★ ★ ★
Cuisson à l'étouffée avec beurre doux : ★ ★
Cuisson à l'étouffée avec beurre salé : ★ ★

Cuisson à l'étouffée avec huile végétale : ★★
Cuisson à l'étouffée avec margarine végétale non salée : ★★
Cuisson à l'étouffée avec margarine végétale salée : ★★
Cuisson à l'étouffée avec saindoux ou graisse d'oie ou de canard : ★★
Cuisson à l'étouffée sans matière grasse : ★★★
Cuisson au court bouillon : ★★★
Cuisson en braisé avec beurre doux : ★★
Cuisson en braisé avec beurre salé : ★★
Cuisson en braisé avec huile végétale : ★★
Cuisson en braisé avec margarine végétale non salée : ★★
Cuisson en braisé avec margarine végétale salée : ★★
Cuisson en braisé avec saindoux ou graisse d'oie ou de canard : ★★
Cuisson en braisé sans matière grasse : ★★★
Cuisson en friture
Cuisson en meunière avec beurre doux
Cuisson en meunière avec beurre salé
Cuisson en meunière avec huile végétale
Cuisson en meunière avec margarine végétale non salée
Cuisson en meunière avec margarine végétale salée
Cuisson en meunière avec saindoux ou graisse d'oie ou de canard
Cuisson en meunière sans matière grasse : ★★★
Cuisson en ragoût avec beurre doux
Cuisson en ragoût avec beurre salé
Cuisson en ragoût avec huile végétale
Cuisson en ragoût avec margarine végétale non salée
Cuisson en ragoût avec margarine végétale salée
Cuisson en ragoût avec saindoux ou graisse d'oie ou de canard
Cuisson en sauté (idem poêlé).
Cuisson rôti à la broche : ★★★
Cuisson rôti au four avec beurre doux : ★★
Cuisson rôti au four avec beurre salé : ★★
Cuisson rôti au four avec huile végétale : ★★
Cuisson rôti au four avec margarine végétale non salée : ★★
Cuisson rôti au four avec margarine végétale salée : ★★
Cuisson rôti au four avec saindoux ou graisse d'oie ou de canard : ★★
Cuisson rôti au four sans matière grasse ajoutée : ★★★

Poulet - Poulpe

Cuisson vapeur : ★★★
Grillé : ★★★
Pierrade : ★★★
Poêlé avec beurre doux
Poêlé avec beurre salé
Poêlé avec huile végétale
Poêlé avec margarine végétale non salée
Poêlé avec margarine végétale salée
Poêlé avec saindoux ou graisse d'oie ou de canard
Poêlé sans matière grasse : ★★★
Salé et fumé : ★
Séché : ★★★
Surgelé : ★★★

Remarque : pas de poivre ni aucune autre épice sauf le curcuma. Pas de jus de citron en fin de cuisson ni aucun autre acide.

Poulpe : pieuvre dont on consomme les tentacules.
Conservé par le sel : ★★
Conservé sous vide : ★★★
Consommation cru
Cuisson à la milanaise avec beurre doux
Cuisson à la milanaise avec beurre salé
Cuisson à la milanaise avec huile végétale
Cuisson à la milanaise avec margarine végétale non salée
Cuisson à la milanaise avec margarine végétale salée
Cuisson à la milanaise avec saindoux ou graisse d'oie ou de canard
Cuisson à la milanaise sans matière grasse : ★★★
Cuisson à l'étouffée avec beurre doux : ★★
Cuisson à l'étouffée avec beurre salé : ★★
Cuisson à l'étouffée avec huile végétale : ★★
Cuisson à l'étouffée avec margarine végétale non salée : ★★
Cuisson à l'étouffée avec margarine végétale salée : ★★
Cuisson à l'étouffée avec saindoux ou graisse d'oie ou de canard : ★★
Cuisson à l'étouffée sans matière grasse : ★★★
Cuisson au court bouillon : ★★★
Cuisson en braisé avec beurre doux : ★★
Cuisson en braisé avec beurre salé : ★★

Cuisson en braisé avec huile végétale : ★★
Cuisson en braisé avec margarine végétale non salée : ★★
Cuisson en braisé avec margarine végétale salée : ★★
Cuisson en braisé avec saindoux ou graisse d'oie ou de canard : ★★

Cuisson en braisé sans matière grasse : ★★★
Cuisson en friture
Cuisson en meunière avec beurre doux
Cuisson en meunière avec beurre salé
Cuisson en meunière avec huile végétale
Cuisson en meunière avec margarine végétale non salée
Cuisson en meunière avec margarine végétale salée
Cuisson en meunière avec saindoux ou graisse d'oie ou de canard
Cuisson en meunière sans matière grasse : ★★★
Cuisson en ragoût avec beurre doux
Cuisson en ragoût avec beurre salé
Cuisson en ragoût avec huile végétale
Cuisson en ragoût avec margarine végétale non salée
Cuisson en ragoût avec margarine végétale salée
Cuisson en ragoût avec saindoux ou graisse d'oie ou de canard
Cuisson en sauté (idem poêlé).
Cuisson rôti au four avec beurre doux : ★★
Cuisson rôti au four avec beurre salé : ★★
Cuisson rôti au four avec huile végétale : ★★
Cuisson rôti au four avec margarine végétale non salée : ★★
Cuisson rôti au four avec margarine végétale salée : ★★
Cuisson rôti au four avec saindoux ou graisse d'oie ou de canard : ★★
Cuisson rôti au four sans matière grasse ajoutée : ★★★
Cuisson vapeur : ★★★
Grillé : ★★★
Pierrade : ★★★
Poêlé avec beurre doux
Poêlé avec beurre salé
Poêlé avec huile végétale
Poêlé avec margarine végétale non salée
Poêlé avec margarine végétale salée
Poêlé avec saindoux ou graisse d'oie ou de canard
Poêlé sans matière grasse : ★★★

Poulpe - Pousse de haricot mungo

Salé et fumé : ★
Séché : ★★★
Surgelé : ★★★
Remarque : pas de poivre ni aucune autre épice sauf le curcuma. Pas de jus de citron en fin de cuisson ni aucun autre acide.

Pousse de haricot mungo : jeunes pousses du haricot mungo. Légume vert.
Conservée dans du vinaigre
Conserve en saumure (eau salée) : ★★★
Conservée sous vide : ★★★
Consommation crue : ★★★
Cuisson à l'étouffée avec beurre doux : ★★
Cuisson à l'étouffée avec beurre salé : ★★
Cuisson à l'étouffée avec huile végétale : ★★
Cuisson à l'étouffée avec margarine végétale non salée : ★★
Cuisson à l'étouffée avec margarine végétale salée : ★★
Cuisson à l'étouffée avec saindoux ou graisse d'oie ou de canard : ★★
Cuisson à l'étouffée sans matière grasse : ★★★
Cuisson au court bouillon : ★★★
Cuisson en braisé avec beurre doux : ★★
Cuisson en braisé avec beurre salé : ★★
Cuisson en braisé avec huile végétale : ★★
Cuisson en braisé avec margarine végétale non salée : ★★
Cuisson en braisé avec margarine végétale salée : ★★
Cuisson en braisé avec saindoux ou graisse d'oie ou de canard : ★★
Cuisson en braisé sans matière grasse : ★★★
Cuisson en friture
Cuisson en papillote : ★★★
Cuisson en sauté (idem poêlée).
Cuisson vapeur : ★★★
Pierrade : ★★★
Poêlée avec beurre doux
Poêlée avec beurre salé
Poêlée avec huile végétale
Poêlée avec margarine végétale non salée
Poêlée avec margarine végétale salée

Poêlée avec saindoux ou graisse d'oie ou de canard
Poêlée sans matière grasse : ★★★
Potage crème : ★★
Potage nature sans matière grasse ajoutée : ★★★
Potage velouté : ★★
Surgelée : ★★★
Remarque : pas de poivre ni aucune autre épice sauf le curcuma. Pas de jus de citron en fin de cuisson ni aucun autre acide.

Pousse de soja : voir « Germe de soja ».

Praire : voir « Palourde ».

Prune : fruit du prunier.
A l'anglaise : ★★
Au sirop : ★★
Au sirop léger : ★★★
Confite : ★★
Conserve au naturel : ★★★★
Conservée dans l'alcool
Conservée sous vide : ★★★★
Consommation crue : ★★★★
En beignet
En compote (avec sucre ajouté) : ★★★
En compote sans sucre ajouté : ★★★
En confiture : ★★
En confiture allégée en sucre : ★★
En confiture sans sucre : ★★★
Flambée (pruneau) : ★
Fraîchement récoltée : ★★★★
Pochée sans sucre : ★★★★
Séchée : ★★★★
Surgelée : ★★★★

Pruneau : voir « Prune » section *Séchée*.

Prune de coton : voir « Icaque ».

Prunelle : fruit du prunelier.
A l'anglaise : ★★
Au sirop : ★★
Au sirop léger : ★★★
Confite : ★★
Conserve au naturel : ★★★★
Conservée dans l'alcool
Conservée sous vide : ★★★★
Consommation crue : ★★★★
En beignet
En compote (avec sucre ajouté) : ★★★
En compote sans sucre ajouté : ★★★
En confiture : ★★
En confiture allégée en sucre : ★★
En confiture sans sucre : ★★★
Fraîchement récoltée : ★★★★
Pochée sans sucre : ★★★★
Séchée : ★★★★
Surgelée : ★★★★

Psalliote : voir « Champignon ».

Q

Quasi de veau : voir « Veau (viande de) ».

R

Raie (aile de) : poisson cartilagineux marin. Poisson à chair blanche.
Conservée par le sel : ★★
Conservée sous vide : ★★★

Consommation crue
Cuisson à la milanaise avec beurre doux
Cuisson à la milanaise avec beurre salé
Cuisson à la milanaise avec huile végétale
Cuisson à la milanaise avec margarine végétale non salée
Cuisson à la milanaise avec margarine végétale salée
Cuisson à la milanaise avec saindoux ou graisse d'oie ou de canard
Cuisson à la milanaise sans matière grasse : ★★★
Cuisson à l'étouffée avec beurre doux : ★★
Cuisson à l'étouffée avec beurre salé : ★★
Cuisson à l'étouffée avec huile végétale : ★★
Cuisson à l'étouffée avec margarine végétale non salée : ★★
Cuisson à l'étouffée avec margarine végétale salée : ★★
Cuisson à l'étouffée avec saindoux ou graisse d'oie ou de canard : ★★
Cuisson à l'étouffée sans matière grasse : ★★★
Cuisson au court bouillon : ★★★
Cuisson en braisé avec beurre doux : ★★
Cuisson en braisé avec beurre salé : ★★
Cuisson en braisé avec huile végétale : ★★
Cuisson en braisé avec margarine végétale non salée : ★★
Cuisson en braisé avec margarine végétale salée : ★★
Cuisson en braisé avec saindoux ou graisse d'oie ou de canard : ★★
Cuisson en braisé sans matière grasse : ★★★
Cuisson en friture
Cuisson en meunière avec beurre doux
Cuisson en meunière avec beurre salé
Cuisson en meunière avec huile végétale
Cuisson en meunière avec margarine végétale non salée
Cuisson en meunière avec margarine végétale salée
Cuisson en meunière avec saindoux ou graisse d'oie ou de canard
Cuisson en meunière sans matière grasse : ★★★
Cuisson en sauté (idem poêlée).
Cuisson rôtie au four avec beurre doux : ★★
Cuisson rôtie au four avec beurre salé : ★★
Cuisson rôtie au four avec huile végétale : ★★
Cuisson rôtie au four avec margarine végétale non salée : ★★

Cuisson rôtie au four avec margarine végétale salée : ★★
Cuisson rôtie au four avec saindoux ou graisse d'oie ou de canard : ★★
Cuisson rôtie au four sans matière grasse ajoutée : ★★★
Cuisson vapeur : ★★★
Grillée : ★★★
Pierrade : ★★★
Poêlée avec beurre doux
Poêlée avec beurre salé
Poêlée avec huile végétale
Poêlée avec margarine végétale non salée
Poêlée avec margarine végétale salée
Poêlée avec saindoux ou graisse d'oie ou de canard
Poêlée sans matière grasse : ★★★
Salée et fumée : ★
Séchée : ★★★
Surgelée : ★★★
Remarque : pas de poivre ni aucune autre épice sauf le curcuma. Pas de jus de citron en fin de cuisson ni aucun autre acide.

Raifort : plante potagère cultivée pour sa racine charnue à la saveur poivrée. Légume vert.
Conserve en saumure (eau salée) : ★★★
Conservé sous vide : ★★★
Consommation cru : ★★★
Cuisson à l'étouffée avec beurre doux : ★★
Cuisson à l'étouffée avec beurre salé : ★★
Cuisson à l'étouffée avec huile végétale : ★★
Cuisson à l'étouffée avec margarine végétale non salée : ★★
Cuisson à l'étouffée avec margarine végétale salée : ★★
Cuisson à l'étouffée avec saindoux ou graisse d'oie ou de canard : ★★
Cuisson à l'étouffée sans matière grasse : ★★★
Cuisson au court bouillon : ★★★
Cuisson en braisé avec beurre doux : ★★
Cuisson en braisé avec beurre salé : ★★
Cuisson en braisé avec huile végétale : ★★
Cuisson en braisé avec margarine végétale non salée : ★★
Cuisson en braisé avec margarine végétale salée : ★★

Cuisson en braisé avec saindoux ou graisse d'oie ou de canard :
★★
Cuisson en braisé sans matière grasse : ★★★
Cuisson en friture
Cuisson en papillote : ★★★
Cuisson en ragoût avec beurre doux
Cuisson en ragoût avec beurre salé
Cuisson en ragoût avec huile végétale
Cuisson en ragoût avec margarine végétale non salée
Cuisson en ragoût avec margarine végétale salée
Cuisson en ragoût avec saindoux ou graisse d'oie ou de canard
Cuisson en sauté (idem poêlé).
Cuisson vapeur : ★★★
Poêlé avec beurre doux
Poêlé avec beurre salé
Poêlé avec huile végétale
Poêlé avec margarine végétale non salée
Poêlé avec margarine végétale salée
Poêlé avec saindoux ou graisse d'oie ou de canard
Poêlé sans matière grasse : ★★★
Potage crème : ★★
Potage nature sans matière grasse ajoutée : ★★★
Potage velouté : ★★
Surgelé : ★★★
Remarque : pas de poivre ni aucune autre épice sauf le curcuma. Pas de jus de citron en fin de cuisson ni aucun autre acide.

Raisin : fruit de la vigne.
A l'anglaise : ★★
Au sirop : ★★
Au sirop léger : ★★★
Confit : ★★
Conserve au naturel : ★★★
Conservé dans l'alcool
Conservé sous vide : ★★★
Consommation cru : ★★★
En beignet
En compote (avec sucre ajouté) : ★★★
En compote sans sucre ajouté : ★★★

En confiture : ★★
En confiture allégée en sucre : ★★
En confiture sans sucre : ★★★
Fraîchement récolté : ★★★
Poché sans sucre : ★★★
Sec : ★★★★
Surgelé : ★★★

Ramboutan : fruit du ramboutan. Fruit exotique.
A l'anglaise : ★★
Au sirop : ★★
Au sirop léger : ★★★
Confit : ★★
Conserve au naturel : ★★★
Conservé dans l'alcool
Conservé sous vide : ★★★
Consommation cru : ★★★
En beignet
En compote (avec sucre ajouté) : ★★★
En compote sans sucre ajouté : ★★★
En confiture : ★★
En confiture allégée en sucre : ★★
En confiture sans sucre : ★★★
Fraîchement récolté : ★★★
Poché sans sucre : ★★★
Séché : ★★★★
Surgelé : ★★★

Rascasse : poisson marin à chair blanche.
Conservée par le sel : ★★
Conservée sous vide : ★★★
Consommation crue
Cuisson à la milanaise avec beurre doux
Cuisson à la milanaise avec beurre salé
Cuisson à la milanaise avec huile végétale
Cuisson à la milanaise avec margarine végétale non salée
Cuisson à la milanaise avec margarine végétale salée
Cuisson à la milanaise avec saindoux ou graisse d'oie ou de canard
Cuisson à la milanaise sans matière grasse : ★★★

Cuisson à l'étouffée avec beurre doux : ★★
Cuisson à l'étouffée avec beurre salé : ★★
Cuisson à l'étouffée avec huile végétale : ★★
Cuisson à l'étouffée avec margarine végétale non salée : ★★
Cuisson à l'étouffée avec margarine végétale salée : ★★
Cuisson à l'étouffée avec saindoux ou graisse d'oie ou de canard : ★★
Cuisson à l'étouffée sans matière grasse : ★★★
Cuisson au court bouillon : ★★★
Cuisson en braisé avec beurre doux : ★★
Cuisson en braisé avec beurre salé : ★★
Cuisson en braisé avec huile végétale : ★★
Cuisson en braisé avec margarine végétale non salée : ★★
Cuisson en braisé avec margarine végétale salée : ★★
Cuisson en braisé avec saindoux ou graisse d'oie ou de canard : ★★
Cuisson en braisé sans matière grasse : ★★★
Cuisson en friture
Cuisson en meunière avec beurre doux
Cuisson en meunière avec beurre salé
Cuisson en meunière avec huile végétale
Cuisson en meunière avec margarine végétale non salée
Cuisson en meunière avec margarine végétale salée
Cuisson en meunière avec saindoux ou graisse d'oie ou de canard
Cuisson en meunière sans matière grasse : ★★★
Cuisson en sauté (idem poêlée).
Cuisson rôtie au four avec beurre doux : ★★
Cuisson rôtie au four avec beurre salé : ★★
Cuisson rôtie au four avec huile végétale : ★★
Cuisson rôtie au four avec margarine végétale non salée : ★★
Cuisson rôtie au four avec margarine végétale salée : ★★
Cuisson rôtie au four avec saindoux ou graisse d'oie ou de canard : ★★
Cuisson rôtie au four sans matière grasse ajoutée : ★★★
Cuisson vapeur : ★★★
Grillée : ★★★
Pierrade : ★★★
Poêlée avec beurre doux
Poêlée avec beurre salé

287

Poêlée avec huile végétale
Poêlée avec margarine végétale non salée
Poêlée avec margarine végétale salée
Poêlée avec saindoux ou graisse d'oie ou de canard
Poêlée sans matière grasse : ★★★
Salée et fumée : ★
Séchée : ★★★
Surgelée : ★★★
Remarque : pas de poivre ni aucune autre épice sauf le curcuma. Pas de jus de citron en fin de cuisson ni aucun autre acide.

Rhubarbe : plante potagère dont on consomme les cardes après cuisson. Légume vert.
A l'anglaise : ★★
Au sirop : ★★
Au sirop léger : ★★
Confite : ★★
Conserve en saumure (eau salée) : ★★★
Conservée sous vide : ★★★
Consommation crue
Cuisson à l'étouffée avec beurre doux : ★★
Cuisson à l'étouffée avec beurre salé : ★★
Cuisson à l'étouffée avec huile végétale : ★★
Cuisson à l'étouffée avec margarine végétale non salée : ★★
Cuisson à l'étouffée avec margarine végétale salée : ★★
Cuisson à l'étouffée avec saindoux ou graisse d'oie ou de canard : ★★
Cuisson à l'étouffée sans matière grasse : ★★★
Cuisson au court bouillon : ★★★
Cuisson en beignet
Cuisson en braisé avec beurre doux : ★★
Cuisson en braisé avec beurre salé : ★★
Cuisson en braisé avec huile végétale : ★★
Cuisson en braisé avec margarine végétale non salée : ★★
Cuisson en braisé avec margarine végétale salée : ★★
Cuisson en braisé avec saindoux ou graisse d'oie ou de canard : ★★
Cuisson en braisé sans matière grasse : ★★★
Cuisson en friture

Cuisson en papillote : ★★★
Cuisson en sauté (idem poêlée).
Cuisson vapeur : ★★★
En compote (avec sucre ajouté) : ★★★
En compote sans sucre ajouté : ★★★
En confiture : ★★
En confiture allégée en sucre : ★★
En confiture sans sucre : ★★★
Pierrade : ★★★
Poêlée avec beurre doux : ★★
Poêlée avec beurre salé : ★★
Poêlée avec huile végétale : ★★
Poêlée avec margarine végétale non salée : ★★
Poêlée avec margarine végétale salée : ★★
Poêlée avec saindoux ou graisse d'oie ou de canard : ★★
Poêlée sans matière grasse : ★★★
Potage crème : ★★
Potage nature sans matière grasse ajoutée : ★★★
Potage velouté : ★★
Surgelée : ★★★

Rillons : voir « Porc (viande de) » section *Cuisson en friture.*

Ris d'agneau : voir « Agneau (viande de) ».

Ris de veau : voir « Veau (viande de) ».

Rognon d'agneau : voir « Agneau (viande de) ».

Rognon de bœuf : voir « Bœuf (viande de) ».

Rognon de porc : voir « Porc (viande de) ».

Rognon de veau : voir « Veau (viande de) ».

Rollmops : Voir « Hareng » section *Conservé dans du vinaigre.*

Romarin : plante aromatique.
Conservé sous vide : ★★★
Consommation cru : ★★★

Romarin - Rouget

Consommation cuit : ★★★
Déshydraté : ★★★
Fraîchement récolté : ★★★
Surgelé : ★★★

Rond de tranche : voir « Bœuf (viande de) ».

Rosbif : voir « Bœuf (viande de) ».

Rosé des prés : voir « Champignon ».

Rotengle : voir « Gardon ».

Rouelle de porc : voir « Porc (viande de) ».

Rouelle de veau : voir « Veau (viande de) ».

Rouget : poisson marin à chair blanche.
Conservé par le sel : ★★
Conservé sous vide : ★★★
Consommation cru
Cuisson à la milanaise avec beurre doux
Cuisson à la milanaise avec beurre salé
Cuisson à la milanaise avec huile végétale
Cuisson à la milanaise avec margarine végétale non salée
Cuisson à la milanaise avec margarine végétale salée
Cuisson à la milanaise avec saindoux ou graisse d'oie ou de canard
Cuisson à la milanaise sans matière grasse : ★★★
Cuisson à l'étouffée avec beurre doux : ★★
Cuisson à l'étouffée avec beurre salé : ★★
Cuisson à l'étouffée avec huile végétale : ★★
Cuisson à l'étouffée avec margarine végétale non salée : ★★
Cuisson à l'étouffée avec margarine végétale salée : ★★
Cuisson à l'étouffée avec saindoux ou graisse d'oie ou de canard : ★★
Cuisson à l'étouffée sans matière grasse : ★★★
Cuisson au court bouillon : ★★★
Cuisson en braisé avec beurre doux : ★★
Cuisson en braisé avec beurre salé : ★★

Cuisson en braisé avec huile végétale : ★★
Cuisson en braisé avec margarine végétale non salée : ★★
Cuisson en braisé avec margarine végétale salée : ★★
Cuisson en braisé avec saindoux ou graisse d'oie ou de canard : ★★
Cuisson en braisé sans matière grasse : ★★★
Cuisson en friture
Cuisson en meunière avec beurre doux
Cuisson en meunière avec beurre salé
Cuisson en meunière avec huile végétale
Cuisson en meunière avec margarine végétale non salée
Cuisson en meunière avec margarine végétale salée
Cuisson en meunière avec saindoux ou graisse d'oie ou de canard
Cuisson en meunière sans matière grasse : ★★★
Cuisson en sauté (idem poêlé).
Cuisson rôti à la broche : ★★★
Cuisson rôti au four avec beurre doux : ★★
Cuisson rôti au four avec beurre salé : ★★
Cuisson rôti au four avec huile végétale : ★★
Cuisson rôti au four avec margarine végétale non salée : ★★
Cuisson rôti au four avec margarine végétale salée : ★★
Cuisson rôti au four avec saindoux ou graisse d'oie ou de canard : ★★
Cuisson rôti au four sans matière grasse ajoutée : ★★★
Cuisson vapeur : ★★★
Grillé : ★★★
Pierrade : ★★★
Poêlé avec beurre doux
Poêlé avec beurre salé
Poêlé avec huile végétale
Poêlé avec margarine végétale non salée
Poêlé avec margarine végétale salée
Poêlé avec saindoux ou graisse d'oie ou de canard
Poêlé sans matière grasse : ★★★
Salé et fumé : ★
Séché : ★★★
Surgelé : ★★★

Rousseau

Remarque : pas de poivre ni aucune autre épice sauf le curcuma. Pas de jus de citron en fin de cuisson ni aucun autre acide.

Rousseau : poisson marin à chair blanche.
Conservé par le sel : ★★
Conservé sous vide : ★★★
Consommation cru
Cuisson à la milanaise avec beurre doux
Cuisson à la milanaise avec beurre salé
Cuisson à la milanaise avec huile végétale
Cuisson à la milanaise avec margarine végétale non salée
Cuisson à la milanaise avec margarine végétale salée
Cuisson à la milanaise avec saindoux ou graisse d'oie ou de canard
Cuisson à la milanaise sans matière grasse : ★★★
Cuisson à l'étouffée avec beurre doux : ★★
Cuisson à l'étouffée avec beurre salé : ★★
Cuisson à l'étouffée avec huile végétale : ★★
Cuisson à l'étouffée avec margarine végétale non salée : ★★
Cuisson à l'étouffée avec margarine végétale salée : ★★
Cuisson à l'étouffée avec saindoux ou graisse d'oie ou de canard : ★★
Cuisson à l'étouffée sans matière grasse : ★★★
Cuisson au court bouillon : ★★★
Cuisson en braisé avec beurre doux : ★★
Cuisson en braisé avec beurre salé : ★★
Cuisson en braisé avec huile végétale : ★★
Cuisson en braisé avec margarine végétale non salée : ★★
Cuisson en braisé avec margarine végétale salée : ★★
Cuisson en braisé avec saindoux ou graisse d'oie ou de canard : ★★
Cuisson en braisé sans matière grasse : ★★★
Cuisson en friture
Cuisson en meunière avec beurre doux
Cuisson en meunière avec beurre salé
Cuisson en meunière avec huile végétale
Cuisson en meunière avec margarine végétale non salée
Cuisson en meunière avec margarine végétale salée

Cuisson en meunière avec saindoux ou graisse d'oie ou de canard
Cuisson en meunière sans matière grasse : ★★★
Cuisson en sauté (idem poêlé).
Cuisson rôti à la broche : ★★★
Cuisson rôti au four avec beurre doux : ★★
Cuisson rôti au four avec beurre salé : ★★
Cuisson rôti au four avec huile végétale : ★★
Cuisson rôti au four avec margarine végétale non salée : ★★
Cuisson rôti au four avec margarine végétale salée : ★★
Cuisson rôti au four avec saindoux ou graisse d'oie ou de canard : ★★
Cuisson rôti au four sans matière grasse ajoutée : ★★★
Cuisson vapeur : ★★★
Grillé : ★★★
Pierrade : ★★★
Poêlé avec beurre doux
Poêlé avec beurre salé
Poêlé avec huile végétale
Poêlé avec margarine végétale non salée
Poêlé avec margarine végétale salée
Poêlé avec saindoux ou graisse d'oie ou de canard
Poêlé sans matière grasse : ★★★
Salé et fumé : ★
Séché : ★★★
Surgelé : ★★★
Remarque : pas de poivre ni aucune autre épice sauf le curcuma. Pas de jus de citron en fin de cuisson ni aucun autre acide.

Roussette : poisson marin cartilagineux (petit requin) à chair blanche.
Conservée par le sel : ★★
Conservée sous vide : ★★★
Consommation crue
Cuisson à la milanaise avec beurre doux
Cuisson à la milanaise avec beurre salé
Cuisson à la milanaise avec huile végétale
Cuisson à la milanaise avec margarine végétale non salée
Cuisson à la milanaise avec margarine végétale salée

Cuisson à la milanaise avec saindoux ou graisse d'oie ou de canard

Cuisson à la milanaise sans matière grasse : ★★★

Cuisson à l'étouffée avec beurre doux : ★★

Cuisson à l'étouffée avec beurre salé : ★★

Cuisson à l'étouffée avec huile végétale : ★★

Cuisson à l'étouffée avec margarine végétale non salée : ★★

Cuisson à l'étouffée avec margarine végétale salée : ★★

Cuisson à l'étouffée avec saindoux ou graisse d'oie ou de canard : ★★

Cuisson à l'étouffée sans matière grasse : ★★★

Cuisson au court bouillon : ★★★

Cuisson en braisé avec beurre doux : ★★

Cuisson en braisé avec beurre salé : ★★

Cuisson en braisé avec huile végétale : ★★

Cuisson en braisé avec margarine végétale non salée : ★★

Cuisson en braisé avec margarine végétale salée : ★★

Cuisson en braisé avec saindoux ou graisse d'oie ou de canard : ★★

Cuisson en braisé sans matière grasse : ★★★

Cuisson en friture

Cuisson en meunière avec beurre doux

Cuisson en meunière avec beurre salé

Cuisson en meunière avec huile végétale

Cuisson en meunière avec margarine végétale non salée

Cuisson en meunière avec margarine végétale salée

Cuisson en meunière avec saindoux ou graisse d'oie ou de canard

Cuisson en meunière sans matière grasse : ★★★

Cuisson en ragoût avec beurre doux

Cuisson en ragoût avec beurre salé

Cuisson en ragoût avec huile végétale

Cuisson en ragoût avec margarine végétale non salée

Cuisson en ragoût avec margarine végétale salée

Cuisson en ragoût avec saindoux ou graisse d'oie ou de canard

Cuisson en sauté (idem poêlée).

Cuisson rôtie au four avec beurre doux : ★★

Cuisson rôtie au four avec beurre salé : ★★

Cuisson rôtie au four avec huile végétale : ★★

Cuisson rôtie au four avec margarine végétale non salée : ★★

Cuisson rôtie au four avec margarine végétale salée : ★★
Cuisson rôtie au four avec saindoux ou graisse d'oie ou de canard : ★★
Cuisson rôtie au four sans matière grasse ajoutée : ★★★
Cuisson vapeur : ★★★
Grillée : ★★★
Pierrade : ★★★
Poêlée avec beurre doux
Poêlée avec beurre salé
Poêlée avec huile végétale
Poêlée avec margarine végétale non salée
Poêlée avec margarine végétale salée
Poêlée avec saindoux ou graisse d'oie ou de canard
Poêlée sans matière grasse : ★★★
Salée et fumée : ★
Séchée : ★★★
Surgelée : ★★★
Remarque : pas de poivre ni aucune autre épice sauf le curcuma. Pas de jus de citron en fin de cuisson ni aucun autre acide.

Rumsteck : voir « Bœuf (viande de) ».

Russule charbonnière : voir « Champignon ».

Rutabaga : plante potagère dont on consomme la racine boursoufflée. Légume vert.
Conserve en saumure (eau salée) : ★★★
Conservé sous vide : ★★★
Consommation cru : ★★★
Cuisson à l'étouffée avec beurre doux : ★★
Cuisson à l'étouffée avec beurre salé : ★★
Cuisson à l'étouffée avec huile végétale : ★★
Cuisson à l'étouffée avec margarine végétale non salée : ★★
Cuisson à l'étouffée avec margarine végétale salée : ★★
Cuisson à l'étouffée avec saindoux ou graisse d'oie ou de canard : ★★
Cuisson à l'étouffée sans matière grasse : ★★★
Cuisson au court bouillon : ★★★
Cuisson en braisé avec beurre doux : ★★

Cuisson en braisé avec beurre salé : ★★
Cuisson en braisé avec huile végétale : ★★
Cuisson en braisé avec margarine végétale non salée : ★★
Cuisson en braisé avec margarine végétale salée : ★★
Cuisson en braisé avec saindoux ou graisse d'oie ou de canard :
★★
Cuisson en braisé sans matière grasse : ★★★
Cuisson en friture
Cuisson en papillote : ★★★
Cuisson en ragoût avec beurre doux
Cuisson en ragoût avec beurre salé
Cuisson en ragoût avec huile végétale
Cuisson en ragoût avec margarine végétale non salée
Cuisson en ragoût avec margarine végétale salée
Cuisson en ragoût avec saindoux ou graisse d'oie ou de canard
Cuisson en sauté (idem poêlé).
Cuisson vapeur : ★★★
Poêlé avec beurre doux
Poêlé avec beurre salé
Poêlé avec huile végétale
Poêlé avec margarine végétale non salée
Poêlé avec margarine végétale salée
Poêlé avec saindoux ou graisse d'oie ou de canard
Poêlé sans matière grasse : ★★★
Potage crème : ★★
Potage nature sans matière grasse ajoutée : ★★★
Potage velouté : ★★
Surgelé : ★★★
Remarque : pas de poivre ni aucune autre épice sauf le curcuma. Pas de jus de citron en fin de cuisson ni aucun autre acide.

S

Sabre : poisson marin à chair blanche.
Conservé par le sel : ★★

Conservé sous vide : ★★★
Consommation cru
Cuisson à la milanaise avec beurre doux
Cuisson à la milanaise avec beurre salé
Cuisson à la milanaise avec huile végétale
Cuisson à la milanaise avec margarine végétale non salée
Cuisson à la milanaise avec margarine végétale salée
Cuisson à la milanaise avec saindoux ou graisse d'oie ou de canard
Cuisson à la milanaise sans matière grasse : ★★★
Cuisson à l'étouffée avec beurre doux : ★★
Cuisson à l'étouffée avec beurre salé : ★★
Cuisson à l'étouffée avec huile végétale : ★★
Cuisson à l'étouffée avec margarine végétale non salée : ★★
Cuisson à l'étouffée avec margarine végétale salée : ★★
Cuisson à l'étouffée avec saindoux ou graisse d'oie ou de canard : ★★
Cuisson à l'étouffée sans matière grasse : ★★★
Cuisson au court bouillon : ★★★
Cuisson en braisé avec beurre doux : ★★
Cuisson en braisé avec beurre salé : ★★
Cuisson en braisé avec huile végétale : ★★
Cuisson en braisé avec margarine végétale non salée : ★★
Cuisson en braisé avec margarine végétale salée : ★★
Cuisson en braisé avec saindoux ou graisse d'oie ou de canard : ★★
Cuisson en braisé sans matière grasse : ★★★
Cuisson en friture
Cuisson en meunière avec beurre doux
Cuisson en meunière avec beurre salé
Cuisson en meunière avec huile végétale
Cuisson en meunière avec margarine végétale non salée
Cuisson en meunière avec margarine végétale salée
Cuisson en meunière avec saindoux ou graisse d'oie ou de canard
Cuisson en meunière sans matière grasse : ★★★
Cuisson en sauté (idem poêlé).
Cuisson rôti à la broche : ★★★
Cuisson rôti au four avec beurre doux : ★★
Cuisson rôti au four avec beurre salé : ★★

Cuisson rôti au four avec huile végétale : ★★
Cuisson rôti au four avec margarine végétale non salée : ★★
Cuisson rôti au four avec margarine végétale salée : ★★
Cuisson rôti au four avec saindoux ou graisse d'oie ou de canard : ★★
Cuisson rôti au four sans matière grasse ajoutée : ★★★
Cuisson vapeur : ★★★
Grillé : ★★★
Pierrade : ★★★
Poêlé avec beurre doux
Poêlé avec beurre salé
Poêlé avec huile végétale
Poêlé avec margarine végétale non salée
Poêlé avec margarine végétale salée
Poêlé avec saindoux ou graisse d'oie ou de canard
Poêlé sans matière grasse : ★★★
Salé et fumé : ★
Séché : ★★★
Surgelé : ★★★
Remarque : pas de poivre ni aucune autre épice sauf le curcuma. Pas de jus de citron en fin de cuisson ni aucun autre acide.

Saint-pierre : poisson marin à chair blanche.
Conservé par le sel : ★★
Conservé sous vide : ★★★
Consommation cru
Cuisson à la milanaise avec beurre doux
Cuisson à la milanaise avec beurre salé
Cuisson à la milanaise avec huile végétale
Cuisson à la milanaise avec margarine végétale non salée
Cuisson à la milanaise avec margarine végétale salée
Cuisson à la milanaise avec saindoux ou graisse d'oie ou de canard
Cuisson à la milanaise sans matière grasse : ★★★
Cuisson à l'étouffée avec beurre doux : ★★
Cuisson à l'étouffée avec beurre salé : ★★
Cuisson à l'étouffée avec huile végétale : ★★
Cuisson à l'étouffée avec margarine végétale non salée : ★★
Cuisson à l'étouffée avec margarine végétale salée : ★★

Cuisson à l'étouffée avec saindoux ou graisse d'oie ou de canard : ★★
Cuisson à l'étouffée sans matière grasse : ★★★
Cuisson au court bouillon : ★★★
Cuisson en braisé avec beurre doux : ★★
Cuisson en braisé avec beurre salé : ★★
Cuisson en braisé avec huile végétale : ★★
Cuisson en braisé avec margarine végétale non salée : ★★
Cuisson en braisé avec margarine végétale salée : ★★
Cuisson en braisé avec saindoux ou graisse d'oie ou de canard : ★★
Cuisson en braisé sans matière grasse : ★★★
Cuisson en friture
Cuisson en meunière avec beurre doux
Cuisson en meunière avec beurre salé
Cuisson en meunière avec huile végétale
Cuisson en meunière avec margarine végétale non salée
Cuisson en meunière avec margarine végétale salée
Cuisson en meunière avec saindoux ou graisse d'oie ou de canard
Cuisson en meunière sans matière grasse : ★★★
Cuisson en sauté (idem poêlé).
Cuisson rôti au four avec beurre doux : ★★
Cuisson rôti au four avec beurre salé : ★★
Cuisson rôti au four avec huile végétale : ★★
Cuisson rôti au four avec margarine végétale non salée : ★★
Cuisson rôti au four avec margarine végétale salée : ★★
Cuisson rôti au four avec saindoux ou graisse d'oie ou de canard : ★★
Cuisson rôti au four sans matière grasse ajoutée : ★★★
Cuisson vapeur : ★★★
Grillé : ★★★
Pierrade : ★★★
Poêlé avec beurre doux
Poêlé avec beurre salé
Poêlé avec huile végétale
Poêlé avec margarine végétale non salée
Poêlé avec margarine végétale salée
Poêlé avec saindoux ou graisse d'oie ou de canard
Poêlé sans matière grasse : ★★★

Salé et fumé : ★
Séché : ★★★
Surgelé : ★★★

Remarque : pas de poivre ni aucune autre épice sauf le curcuma. Pas de jus de citron en fin de cuisson ni aucun autre acide.

Salacca : fruit provenant d'une famille de palmiers, fruit exotique.
A l'anglaise : ★★
Au sirop : ★★
Au sirop léger : ★★★
Confit : ★★
Conserve au naturel : ★★★
Conservé dans l'alcool
Conservé sous vide : ★★★
Consommation cru : ★★★
En beignet
En compote (avec sucre ajouté) : ★★★
En compote sans sucre ajouté : ★★★
En confiture : ★★
En confiture allégée en sucre : ★★
En confiture sans sucre : ★★★
Fraîchement récolté : ★★★
Poché sans sucre : ★★★
Surgelé : ★★★

Salicorne : plante des rivages marins dont on consomme les tiges comme condiment. Légume vert.
Conservée dans le vinaigre
Conserve en saumure (eau salée) : ★★★
Conservée sous vide : ★★★
Consommation crue
Cuisson à l'étouffée avec beurre doux : ★★
Cuisson à l'étouffée avec beurre salé : ★★
Cuisson à l'étouffée avec huile végétale : ★★
Cuisson à l'étouffée avec margarine végétale non salée : ★★
Cuisson à l'étouffée avec margarine végétale salée : ★★
Cuisson à l'étouffée avec saindoux ou graisse d'oie ou de canard : ★★

Cuisson à l'étouffée sans matière grasse : ★★★
Cuisson au court bouillon : ★★★
Cuisson en braisé avec beurre doux : ★★
Cuisson en braisé avec beurre salé : ★★
Cuisson en braisé avec huile végétale : ★★
Cuisson en braisé avec margarine végétale non salée : ★★
Cuisson en braisé avec margarine végétale salée : ★★
Cuisson en braisé avec saindoux ou graisse d'oie ou de canard :
★★
Cuisson en braisé sans matière grasse : ★★★
Cuisson en friture
Cuisson en papillote : ★★★
Cuisson en ragoût avec beurre doux
Cuisson en ragoût avec beurre salé
Cuisson en ragoût avec huile végétale
Cuisson en ragoût avec margarine végétale non salée
Cuisson en ragoût avec margarine végétale salée
Cuisson en ragoût avec saindoux ou graisse d'oie ou de canard
Cuisson en sauté (idem poêlée).
Cuisson vapeur : ★★★
Poêlée avec beurre doux
Poêlée avec beurre salé
Poêlée avec huile végétale
Poêlée avec margarine végétale non salée
Poêlée avec margarine végétale salée
Poêlée avec saindoux ou graisse d'oie ou de canard
Poêlée sans matière grasse : ★★★
Potage crème : ★★
Potage nature sans matière grasse ajoutée : ★★★
Potage velouté : ★★
Surgelée : ★★★
Remarque : pas de poivre ni aucune autre épice sauf le curcuma. Pas de jus de citron en fin de cuisson ni aucun autre acide.

Salsifis : plante potagère dont on consomme la racine. Légume vert.
Conserve en saumure (eau salée) : ★★★
Conservé sous vide : ★★★
Consommation cru

Salsifis

Cuisson à l'étouffée avec beurre doux : ★★
Cuisson à l'étouffée avec beurre salé : ★★
Cuisson à l'étouffée avec huile végétale : ★★
Cuisson à l'étouffée avec margarine végétale non salée : ★★
Cuisson à l'étouffée avec margarine végétale salée : ★★
Cuisson à l'étouffée avec saindoux ou graisse d'oie ou de canard : ★★
Cuisson à l'étouffée sans matière grasse : ★★★
Cuisson au court bouillon : ★★★
Cuisson en braisé avec beurre doux : ★★
Cuisson en braisé avec beurre salé : ★★
Cuisson en braisé avec huile végétale : ★★
Cuisson en braisé avec margarine végétale non salée : ★★
Cuisson en braisé avec margarine végétale salée : ★★
Cuisson en braisé avec saindoux ou graisse d'oie ou de canard : ★★
Cuisson en braisé sans matière grasse : ★★★
Cuisson en friture
Cuisson en papillote : ★★★
Cuisson en ragoût avec beurre doux
Cuisson en ragoût avec beurre salé
Cuisson en ragoût avec huile végétale
Cuisson en ragoût avec margarine végétale non salée
Cuisson en ragoût avec margarine végétale salée
Cuisson en ragoût avec saindoux ou graisse d'oie ou de canard
Cuisson en sauté (idem poêlé).
Cuisson vapeur : ★★★
Poêlé avec beurre doux
Poêlé avec beurre salé
Poêlé avec huile végétale
Poêlé avec margarine végétale non salée
Poêlé avec margarine végétale salée
Poêlé avec saindoux ou graisse d'oie ou de canard
Poêlé sans matière grasse : ★★★
Potage crème : ★★
Potage nature sans matière grasse ajoutée : ★★★
Potage velouté : ★★
Surgelé : ★★★

Remarque : pas de poivre ni aucune autre épice sauf le curcuma. Pas de jus de citron en fin de cuisson ni aucun autre acide.

Sandre : poisson d'eau douce à chair blanche.
Conservé par le sel : ★★
Conservé sous vide : ★★★
Consommation cru
Cuisson à la milanaise avec beurre doux
Cuisson à la milanaise avec beurre salé
Cuisson à la milanaise avec huile végétale
Cuisson à la milanaise avec margarine végétale non salée
Cuisson à la milanaise avec margarine végétale salée
Cuisson à la milanaise avec saindoux ou graisse d'oie ou de canard
Cuisson à la milanaise sans matière grasse : ★★★
Cuisson à l'étouffée avec beurre doux : ★★
Cuisson à l'étouffée avec beurre salé : ★★
Cuisson à l'étouffée avec huile végétale : ★★
Cuisson à l'étouffée avec margarine végétale non salée : ★★
Cuisson à l'étouffée avec margarine végétale salée : ★★
Cuisson à l'étouffée avec saindoux ou graisse d'oie ou de canard : ★★
Cuisson à l'étouffée sans matière grasse : ★★★
Cuisson au court bouillon : ★★★
Cuisson en braisé avec beurre doux : ★★
Cuisson en braisé avec beurre salé : ★★
Cuisson en braisé avec huile végétale : ★★
Cuisson en braisé avec margarine végétale non salée : ★★
Cuisson en braisé avec margarine végétale salée : ★★
Cuisson en braisé avec saindoux ou graisse d'oie ou de canard : ★★
Cuisson en braisé sans matière grasse : ★★★
Cuisson en friture
Cuisson en meunière avec beurre doux
Cuisson en meunière avec beurre salé
Cuisson en meunière avec huile végétale
Cuisson en meunière avec margarine végétale non salée
Cuisson en meunière avec margarine végétale salée

Cuisson en meunière avec saindoux ou graisse d'oie ou de canard
Cuisson en meunière sans matière grasse : ★★★
Cuisson en sauté (idem poêlé).
Cuisson rôti à la broche : ★★★
Cuisson rôti au four avec beurre doux : ★★
Cuisson rôti au four avec beurre salé : ★★
Cuisson rôti au four avec huile végétale : ★★
Cuisson rôti au four avec margarine végétale non salée : ★★
Cuisson rôti au four avec margarine végétale salée : ★★
Cuisson rôti au four avec saindoux ou graisse d'oie ou de canard : ★★
Cuisson rôti au four sans matière grasse ajoutée : ★★★
Cuisson vapeur : ★★★
Grillé : ★★★
Pierrade : ★★★
Poêlé avec beurre doux
Poêlé avec beurre salé
Poêlé avec huile végétale
Poêlé avec margarine végétale non salée
Poêlé avec margarine végétale salée
Poêlé avec saindoux ou graisse d'oie ou de canard
Poêlé sans matière grasse : ★★★
Salé et fumé : ★
Séché : ★★★
Surgelé : ★★★
Remarque : pas de poivre ni aucune autre épice sauf le curcuma. Pas de jus de citron en fin de cuisson ni aucun autre acide.

Sanglier (viande de...) : représente les viandes non préparées ni transformées, nature, prêtes à être cuisinées provenant du sanglier. Gibier.
Conservée par le sel : ★
Conservée sous vide : ★
Consommation crue
Cuisson à la milanaise avec beurre doux
Cuisson à la milanaise avec beurre salé
Cuisson à la milanaise avec huile végétale
Cuisson à la milanaise avec margarine végétale non salée

Cuisson à la milanaise avec margarine végétale salée
Cuisson à la milanaise avec saindoux ou graisse d'oie ou de canard
Cuisson à la milanaise sans matière grasse : ★
Cuisson à l'étouffée avec beurre doux : ★
Cuisson à l'étouffée avec beurre salé : ★
Cuisson à l'étouffée avec huile végétale : ★
Cuisson à l'étouffée avec margarine végétale non salée : ★
Cuisson à l'étouffée avec margarine végétale salée : ★
Cuisson à l'étouffée avec saindoux ou graisse d'oie ou de canard : ★
Cuisson à l'étouffée sans matière grasse : ★
Cuisson au court bouillon : ★
Cuisson en braisé avec beurre doux : ★
Cuisson en braisé avec beurre salé : ★
Cuisson en braisé avec huile végétale : ★
Cuisson en braisé avec margarine végétale non salée : ★
Cuisson en braisé avec margarine végétale salée : ★
Cuisson en braisé avec saindoux ou graisse d'oie ou de canard : ★
Cuisson en braisé sans matière grasse : ★
Cuisson en friture
Cuisson en meunière avec beurre doux
Cuisson en meunière avec beurre salé
Cuisson en meunière avec huile végétale
Cuisson en meunière avec margarine végétale non salée
Cuisson en meunière avec margarine végétale salée
Cuisson en meunière avec saindoux ou graisse d'oie ou de canard
Cuisson en meunière sans matière grasse : ★
Cuisson en ragoût avec beurre doux
Cuisson en ragoût avec beurre salé
Cuisson en ragoût avec huile végétale
Cuisson en ragoût avec margarine végétale non salée
Cuisson en ragoût avec margarine végétale salée
Cuisson en ragoût avec saindoux ou graisse d'oie ou de canard
Cuisson en sauté (idem poêlée).
Cuisson rôtie à la broche : ★
Cuisson rôtie au four avec beurre doux : ★
Cuisson rôtie au four avec beurre salé : ★

Cuisson rôtie au four avec huile végétale : ★
Cuisson rôtie au four avec margarine végétale non salée : ★
Cuisson rôtie au four avec margarine végétale salée : ★
Cuisson rôtie au four avec saindoux ou graisse d'oie ou de canard : ★
Cuisson rôtie au four sans matière grasse ajoutée : ★
Cuisson vapeur : ★
Faisandée
Grillée : ★
Pierrade : ★
Poêlée avec beurre doux
Poêlée avec beurre salé
Poêlée avec huile végétale
Poêlée avec margarine végétale non salée
Poêlée avec margarine végétale salée
Poêlée avec saindoux ou graisse d'oie ou de canard
Poêlée sans matière grasse : ★
Salée et fumée
Séchée : ★
Surgelée : ★
Remarque : pas de poivre ni aucune autre épice sauf le curcuma. Pas de jus de citron en fin de cuisson ni aucun autre acide. Pas de charcuterie.

Sarcelle : voir « Canard sauvage ».

Sardine : poisson gras marin fraîchement péché.
Conservée à l'huile : ★
Conservée au naturel : ★
Conservée par le sel : ★
Conservée sous vide : ★
Consommation crue
Cuisson à la milanaise avec beurre doux
Cuisson à la milanaise avec beurre salé
Cuisson à la milanaise avec huile végétale
Cuisson à la milanaise avec margarine végétale non salée
Cuisson à la milanaise avec margarine végétale salée
Cuisson à la milanaise avec saindoux ou graisse d'oie ou de canard
Cuisson à la milanaise sans matière grasse : ★

Cuisson en beignet
Cuisson en friture
Cuisson en meunière avec beurre doux
Cuisson en meunière avec beurre salé
Cuisson en meunière avec huile végétale
Cuisson en meunière avec margarine végétale non salée
Cuisson en meunière avec margarine végétale salée
Cuisson en meunière avec saindoux ou graisse d'oie ou de canard
Cuisson en meunière sans matière grasse : ★
Cuisson en sauté (idem poêlée).
Grillée : ★
Pierrade : ★
Poêlée avec beurre doux
Poêlée avec beurre salé
Poêlée avec huile végétale
Poêlée avec margarine végétale non salée
Poêlée avec margarine végétale salée
Poêlée avec saindoux ou graisse d'oie ou de canard
Poêlée sans matière grasse : ★
Salée et fumée
Séchée : ★
Surgelée : ★

Remarque : pas de poivre ni aucune autre épice sauf le curcuma. Pas de jus de citron en fin de cuisson ni aucun autre acide.

Sardinelle : poisson gras marin.
Conservée par le sel : ★
Conservée sous vide : ★
Consommation crue
Cuisson à la milanaise avec beurre doux
Cuisson à la milanaise avec beurre salé
Cuisson à la milanaise avec huile végétale
Cuisson à la milanaise avec margarine végétale non salée
Cuisson à la milanaise avec margarine végétale salée
Cuisson à la milanaise avec saindoux ou graisse d'oie ou de canard
Cuisson à la milanaise sans matière grasse : ★
Cuisson en beignet

Cuisson en friture
Cuisson en meunière avec beurre doux
Cuisson en meunière avec beurre salé
Cuisson en meunière avec huile végétale
Cuisson en meunière avec margarine végétale non salée
Cuisson en meunière avec margarine végétale salée
Cuisson en meunière avec saindoux ou graisse d'oie ou de canard
Cuisson en meunière sans matière grasse : ★
Cuisson en sauté (idem poêlée).
Grillée : ★
Pierrade : ★
Poêlée avec beurre doux
Poêlée avec beurre salé
Poêlée avec huile végétale
Poêlée avec margarine végétale non salée
Poêlée avec margarine végétale salée
Poêlée avec saindoux ou graisse d'oie ou de canard
Poêlée sans matière grasse : ★
Salée et fumée
Séchée : ★
Surgelée : ★

Remarque : pas de poivre ni aucune autre épice sauf le curcuma. Pas de jus de citron en fin de cuisson ni aucun autre acide.

Sarriette : plante condimentaire.
Conservée sous vide : ★★★
Consommation crue : ★★★
Consommation cuite : ★★★
Déshydratée : ★★★
Fraîchement récoltée : ★★★
Surgelée : ★★★

Saucisse à l'oignon : charcuterie à base de viande de porc.

Saucisse de Francfort : charcuterie à base de viande de porc.

Saucisse de Montbéliard : charcuterie à base de viande de porc.

Saucisse de Morteau : charcuterie à base de viande de porc.

Saucisse de Strasbourg : charcuterie à base de viande de porc.

Saucisse de Toulouse : charcuterie à base de viande de porc.

Saucisse de volaille : voir « Poulet (viande de) ».

Saucisse fumée : charcuterie à base de viande de porc.

Sauge : plante condimentaire.
Conservée sous vide : ★★★
Consommation crue : ★★★
Consommation cuite : ★★★
Déshydratée : ★★★
Fraîchement récoltée : ★★★
Surgelée : ★★★

Saumon : poisson gras d'eau douce.
Conservé par le sel : ★
Conservé sous vide : ★
Consommation cru
Cuisson à la milanaise avec beurre doux
Cuisson à la milanaise avec beurre salé
Cuisson à la milanaise avec huile végétale
Cuisson à la milanaise avec margarine végétale non salée
Cuisson à la milanaise avec margarine végétale salée
Cuisson à la milanaise avec saindoux ou graisse d'oie ou de canard
Cuisson à la milanaise sans matière grasse : ★
Cuisson à l'étouffée avec beurre doux : ★
Cuisson à l'étouffée avec beurre salé : ★
Cuisson à l'étouffée avec huile végétale : ★
Cuisson à l'étouffée avec margarine végétale non salée : ★
Cuisson à l'étouffée avec margarine végétale salée : ★
Cuisson à l'étouffée avec saindoux ou graisse d'oie ou de canard : ★
Cuisson à l'étouffée sans matière grasse : ★
Cuisson au court bouillon : ★

Saumon

Cuisson en braisé avec beurre doux : ★
Cuisson en braisé avec beurre salé : ★
Cuisson en braisé avec huile végétale : ★
Cuisson en braisé avec margarine végétale non salée : ★
Cuisson en braisé avec margarine végétale salée : ★
Cuisson en braisé avec saindoux ou graisse d'oie ou de canard :
★
Cuisson en braisé sans matière grasse : ★
Cuisson en friture
Cuisson en meunière avec beurre doux
Cuisson en meunière avec beurre salé
Cuisson en meunière avec huile végétale
Cuisson en meunière avec margarine végétale non salée
Cuisson en meunière avec margarine végétale salée
Cuisson en meunière avec saindoux ou graisse d'oie ou de canard
Cuisson en meunière sans matière grasse : ★
Cuisson en sauté (idem poêlé).
Cuisson rôti à la broche : ★
Cuisson rôti au four avec beurre doux : ★
Cuisson rôti au four avec beurre salé : ★
Cuisson rôti au four avec huile végétale : ★
Cuisson rôti au four avec margarine végétale non salée : ★
Cuisson rôti au four avec margarine végétale salée : ★
Cuisson rôti au four avec saindoux ou graisse d'oie ou de canard : ★
Cuisson rôti au four sans matière grasse ajoutée : ★
Cuisson vapeur : ★
Grillé : ★
Pierrade : ★
Poêlé avec beurre doux
Poêlé avec beurre salé
Poêlé avec huile végétale
Poêlé avec margarine végétale non salée
Poêlé avec margarine végétale salée
Poêlé avec saindoux ou graisse d'oie ou de canard
Poêlé sans matière grasse : ★
Salé et fumé
Séché : ★
Surgelé : ★

Remarque : pas de poivre ni aucune autre épice sauf le curcuma. Pas de jus de citron en fin de cuisson ni aucun autre acide.

Saumon blanc : voir « Merlu ».

Saumonette : voir « Roussette ».

Scièn : voir « Maigre».

Scorpène : voir « Rascasse ».

Scorsonère : voir « Salsifis ».

Sébaste : poisson marin à chair blanche.
Conservé par le sel : ★★
Conservé sous vide : ★★★
Consommation cru
Cuisson à la milanaise avec beurre doux
Cuisson à la milanaise avec beurre salé
Cuisson à la milanaise avec huile végétale
Cuisson à la milanaise avec margarine végétale non salée
Cuisson à la milanaise avec margarine végétale salée
Cuisson à la milanaise avec saindoux ou graisse d'oie ou de canard
Cuisson à la milanaise sans matière grasse : ★★★
Cuisson à l'étouffée avec beurre doux : ★★
Cuisson à l'étouffée avec beurre salé : ★★
Cuisson à l'étouffée avec huile végétale : ★★
Cuisson à l'étouffée avec margarine végétale non salée : ★★
Cuisson à l'étouffée avec margarine végétale salée : ★★
Cuisson à l'étouffée avec saindoux ou graisse d'oie ou de canard : ★★
Cuisson à l'étouffée sans matière grasse : ★★★
Cuisson au court bouillon : ★★★
Cuisson en braisé avec beurre doux : ★★
Cuisson en braisé avec beurre salé : ★★
Cuisson en braisé avec huile végétale : ★★
Cuisson en braisé avec margarine végétale non salée : ★★
Cuisson en braisé avec margarine végétale salée : ★★

Sébaste - Seiche

Cuisson en braisé avec saindoux ou graisse d'oie ou de canard : ★★

Cuisson en braisé sans matière grasse : ★★★

Cuisson en friture

Cuisson en meunière avec beurre doux

Cuisson en meunière avec beurre salé

Cuisson en meunière avec huile végétale

Cuisson en meunière avec margarine végétale non salée

Cuisson en meunière avec margarine végétale salée

Cuisson en meunière avec saindoux ou graisse d'oie ou de canard

Cuisson en meunière sans matière grasse : ★★★

Cuisson en sauté (idem poêlé).

Cuisson rôti à la broche : ★★★

Cuisson rôti au four avec beurre doux : ★★

Cuisson rôti au four avec beurre salé : ★★

Cuisson rôti au four avec huile végétale : ★★

Cuisson rôti au four avec margarine végétale non salée : ★★

Cuisson rôti au four avec margarine végétale salée : ★★

Cuisson rôti au four avec saindoux ou graisse d'oie ou de canard : ★★

Cuisson rôti au four sans matière grasse ajoutée : ★★★

Cuisson vapeur : ★★★

Grillé : ★★★

Pierrade : ★★★

Poêlé avec beurre doux

Poêlé avec beurre salé

Poêlé avec huile végétale

Poêlé avec margarine végétale non salée

Poêlé avec margarine végétale salée

Poêlé avec saindoux ou graisse d'oie ou de canard

Poêlé sans matière grasse : ★★★

Salé et fumé : ★

Séché : ★★★

Surgelé : ★★★

Remarque : pas de poivre ni aucune autre épice sauf le curcuma. Pas de jus de citron en fin de cuisson ni aucun autre acide.

Seiche : voir « Calamar ».

Sel d'ail : voir « Ail » section *Déshydraté*.

Sel de céleri : voir « Céleri» section *Déshydraté*.

Sel d'oignon : voir « Oignon » section *Déshydraté*.

Serpolet : plante condimentaire.
Conservé sous vide : ★★★
Consommation cru : ★★★
Consommation cuit : ★★★
Déshydraté : ★★★
Fraîchement récolté : ★★★
Surgelé : ★★★

Serran : poisson marin à chair blanche.
Conservé par le sel : ★★
Conservé sous vide : ★★★
Consommation cru
Cuisson à la milanaise avec beurre doux
Cuisson à la milanaise avec beurre salé
Cuisson à la milanaise avec huile végétale
Cuisson à la milanaise avec margarine végétale non salée
Cuisson à la milanaise avec margarine végétale salée
Cuisson à la milanaise avec saindoux ou graisse d'oie ou de canard
Cuisson à la milanaise sans matière grasse : ★★★
Cuisson à l'étouffée avec beurre doux : ★★
Cuisson à l'étouffée avec beurre salé : ★★
Cuisson à l'étouffée avec huile végétale : ★★
Cuisson à l'étouffée avec margarine végétale non salée : ★★
Cuisson à l'étouffée avec margarine végétale salée : ★★
Cuisson à l'étouffée avec saindoux ou graisse d'oie ou de canard : ★★
Cuisson à l'étouffée sans matière grasse : ★★★
Cuisson au court bouillon : ★★★
Cuisson en braisé avec beurre doux : ★★
Cuisson en braisé avec beurre salé : ★★
Cuisson en braisé avec huile végétale : ★★
Cuisson en braisé avec margarine végétale non salée : ★★
Cuisson en braisé avec margarine végétale salée : ★★

Cuisson en braisé avec saindoux ou graisse d'oie ou de canard : ★★

Cuisson en braisé sans matière grasse : ★★★

Cuisson en friture

Cuisson en meunière avec beurre doux

Cuisson en meunière avec beurre salé

Cuisson en meunière avec huile végétale

Cuisson en meunière avec margarine végétale non salée

Cuisson en meunière avec margarine végétale salée

Cuisson en meunière avec saindoux ou graisse d'oie ou de canard

Cuisson en meunière sans matière grasse : ★★★

Cuisson en sauté (idem poêlé).

Cuisson rôti au four avec beurre doux : ★★

Cuisson rôti au four avec beurre salé : ★★

Cuisson rôti au four avec huile végétale : ★★

Cuisson rôti au four avec margarine végétale non salée : ★★

Cuisson rôti au four avec margarine végétale salée : ★★

Cuisson rôti au four avec saindoux ou graisse d'oie ou de canard : ★★

Cuisson rôti au four sans matière grasse ajoutée : ★★★

Cuisson vapeur : ★★★

Grillé : ★★★

Pierrade : ★★★

Poêlé avec beurre doux

Poêlé avec beurre salé

Poêlé avec huile végétale

Poêlé avec margarine végétale non salée

Poêlé avec margarine végétale salée

Poêlé avec saindoux ou graisse d'oie ou de canard

Poêlé sans matière grasse : ★★★

Salé et fumé : ★

Séché : ★★★

Surgelé : ★★★

Remarque : pas de poivre ni aucune autre épice sauf le curcuma. Pas de jus de citron en fin de cuisson ni aucun autre acide.

Silure : voir « Poisson-chat ».

Sole : poisson plat marin à chair blanche.
Conservée par le sel : ★★
Conservée sous vide : ★★★
Consommation crue
Cuisson à la milanaise avec beurre doux
Cuisson à la milanaise avec beurre salé
Cuisson à la milanaise avec huile végétale
Cuisson à la milanaise avec margarine végétale non salée
Cuisson à la milanaise avec margarine végétale salée
Cuisson à la milanaise avec saindoux ou graisse d'oie ou de canard
Cuisson à la milanaise sans matière grasse : ★★★
Cuisson à l'étouffée avec beurre doux : ★★
Cuisson à l'étouffée avec beurre salé : ★★
Cuisson à l'étouffée avec huile végétale : ★★
Cuisson à l'étouffée avec margarine végétale non salée : ★★
Cuisson à l'étouffée avec margarine végétale salée : ★★
Cuisson à l'étouffée avec saindoux ou graisse d'oie ou de canard : ★★
Cuisson à l'étouffée sans matière grasse : ★★★
Cuisson au court bouillon : ★★★
Cuisson en braisé avec beurre doux : ★★
Cuisson en braisé avec beurre salé : ★★
Cuisson en braisé avec huile végétale : ★★
Cuisson en braisé avec margarine végétale non salée : ★★
Cuisson en braisé avec margarine végétale salée : ★★
Cuisson en braisé avec saindoux ou graisse d'oie ou de canard : ★★
Cuisson en braisé sans matière grasse : ★★★
Cuisson en friture
Cuisson en meunière avec beurre doux
Cuisson en meunière avec beurre salé
Cuisson en meunière avec huile végétale
Cuisson en meunière avec margarine végétale non salée
Cuisson en meunière avec margarine végétale salée
Cuisson en meunière avec saindoux ou graisse d'oie ou de canard
Cuisson en meunière sans matière grasse : ★★★
Cuisson en sauté (idem poêlée).
Cuisson rôtie au four avec beurre doux : ★★

Sole - Spet

Cuisson rôtie au four avec beurre salé : ★★
Cuisson rôtie au four avec huile végétale : ★★
Cuisson rôtie au four avec margarine végétale non salée : ★★
Cuisson rôtie au four avec margarine végétale salée : ★★
Cuisson rôtie au four avec saindoux ou graisse d'oie ou de canard : ★★
Cuisson rôtie au four sans matière grasse ajoutée : ★★★
Cuisson vapeur : ★★★
Grillée : ★★★
Pierrade : ★★★
Poêlée avec beurre doux
Poêlée avec beurre salé
Poêlée avec huile végétale
Poêlée avec margarine végétale non salée
Poêlée avec margarine végétale salée
Poêlée avec saindoux ou graisse d'oie ou de canard
Poêlée sans matière grasse : ★★★
Salée et fumée : ★
Séchée : ★★★
Surgelée : ★★★

Remarque : pas de poivre ni aucune autre épice sauf le curcuma. Pas de jus de citron en fin de cuisson ni aucun autre acide.

Souris d'agneau : voir « Agneau (viande d') ».

Spet : poisson marin à chair blanche.
Conservé par le sel : ★★
Conservé sous vide : ★★★
Consommation cru
Cuisson à la milanaise avec beurre doux
Cuisson à la milanaise avec beurre salé
Cuisson à la milanaise avec huile végétale
Cuisson à la milanaise avec margarine végétale non salée
Cuisson à la milanaise avec margarine végétale salée
Cuisson à la milanaise avec saindoux ou graisse d'oie ou de canard
Cuisson à la milanaise sans matière grasse : ★★★
Cuisson à l'étouffée avec beurre doux : ★★
Cuisson à l'étouffée avec beurre salé : ★★

Cuisson à l'étouffée avec huile végétale : ★★
Cuisson à l'étouffée avec margarine végétale non salée : ★★
Cuisson à l'étouffée avec margarine végétale salée : ★★
Cuisson à l'étouffée avec saindoux ou graisse d'oie ou de canard : ★★
Cuisson à l'étouffée sans matière grasse : ★★★
Cuisson au court bouillon : ★★★
Cuisson en braisé avec beurre doux : ★★
Cuisson en braisé avec beurre salé : ★★
Cuisson en braisé avec huile végétale : ★★
Cuisson en braisé avec margarine végétale non salée : ★★
Cuisson en braisé avec margarine végétale salée : ★★
Cuisson en braisé avec saindoux ou graisse d'oie ou de canard : ★★
Cuisson en braisé sans matière grasse : ★★★
Cuisson en friture
Cuisson en meunière avec beurre doux
Cuisson en meunière avec beurre salé
Cuisson en meunière avec huile végétale
Cuisson en meunière avec margarine végétale non salée
Cuisson en meunière avec margarine végétale salée
Cuisson en meunière avec saindoux ou graisse d'oie ou de canard
Cuisson en meunière sans matière grasse : ★★★
Cuisson en sauté (idem poêlé).
Cuisson rôti au four avec beurre doux : ★★
Cuisson rôti au four avec beurre salé : ★★
Cuisson rôti au four avec huile végétale : ★★
Cuisson rôti au four avec margarine végétale non salée : ★★
Cuisson rôti au four avec margarine végétale salée : ★★
Cuisson rôti au four avec saindoux ou graisse d'oie ou de canard : ★★
Cuisson rôti au four sans matière grasse ajoutée : ★★★
Cuisson vapeur : ★★★
Grillé : ★★★
Pierrade : ★★★
Poêlé avec beurre doux
Poêlé avec beurre salé
Poêlé avec huile végétale
Poêlé avec margarine végétale non salée

Poêlé avec margarine végétale salée
Poêlé avec saindoux ou graisse d'oie ou de canard
Poêlé sans matière grasse : ★★★
Salé et fumé : ★
Séché : ★★★
Surgelé : ★★★
Remarque : pas de poivre ni aucune autre épice sauf le curcuma. Pas de jus de citron en fin de cuisson ni aucun autre acide.

Sprat : poisson gras marin.
Conservé par le sel : ★
Conservé sous vide : ★
Consommation cru
Cuisson à la milanaise avec beurre doux
Cuisson à la milanaise avec beurre salé
Cuisson à la milanaise avec huile végétale
Cuisson à la milanaise avec margarine végétale non salée
Cuisson à la milanaise avec margarine végétale salée
Cuisson à la milanaise avec saindoux ou graisse d'oie ou de canard
Cuisson à la milanaise sans matière grasse : ★
Cuisson en beignet
Cuisson en friture
Cuisson en meunière avec beurre doux
Cuisson en meunière avec beurre salé
Cuisson en meunière avec huile végétale
Cuisson en meunière avec margarine végétale non salée
Cuisson en meunière avec margarine végétale salée
Cuisson en meunière avec saindoux ou graisse d'oie ou de canard
Cuisson en meunière sans matière grasse : ★
Cuisson en sauté (idem poêlé).
Pierrade : ★
Poêlé avec beurre doux
Poêlé avec beurre salé
Poêlé avec huile végétale
Poêlé avec margarine végétale non salée
Poêlé avec margarine végétale salée
Poêlé avec saindoux ou graisse d'oie ou de canard

Poêlé sans matière grasse : ★
Salé et fumé
Séché : ★
Remarque : pas de poivre ni aucune autre épice sauf le curcuma. Pas de jus de citron en fin de cuisson ni aucun autre acide.

Steak : voir « Bœuf (viande de) ».

Steak haché de bœuf : voir « Bœuf (viande de) ».

Steak haché de jambon : voir « Porc (viande de) ».

Steak haché de veau : voir « Veau (viande de) ».

Steak tartare : voir « Bœuf (viande de) » section *Consommation crue.*

Surlonge de bœuf : voir « Bœuf (viande de) ».

𝒯

Tacaud : poisson marin à chair blanche.
Conservé par le sel : ★★
Conservé sous vide : ★★★
Consommation cru
Cuisson à la milanaise avec beurre doux
Cuisson à la milanaise avec beurre salé
Cuisson à la milanaise avec huile végétale
Cuisson à la milanaise avec margarine végétale non salée
Cuisson à la milanaise avec margarine végétale salée
Cuisson à la milanaise avec saindoux ou graisse d'oie ou de canard
Cuisson à la milanaise sans matière grasse : ★★★
Cuisson à l'étouffée avec beurre doux : ★★
Cuisson à l'étouffée avec beurre salé : ★★

Tacaud

Cuisson à l'étouffée avec huile végétale : ★★
Cuisson à l'étouffée avec margarine végétale non salée : ★★
Cuisson à l'étouffée avec margarine végétale salée : ★★
Cuisson à l'étouffée avec saindoux ou graisse d'oie ou de canard : ★★
Cuisson à l'étouffée sans matière grasse : ★★★
Cuisson au court bouillon : ★★★
Cuisson en braisé avec beurre doux : ★★
Cuisson en braisé avec beurre salé : ★★
Cuisson en braisé avec huile végétale : ★★
Cuisson en braisé avec margarine végétale non salée : ★★
Cuisson en braisé avec margarine végétale salée : ★★
Cuisson en braisé avec saindoux ou graisse d'oie ou de canard : ★★
Cuisson en braisé sans matière grasse : ★★★
Cuisson en friture
Cuisson en meunière avec beurre doux
Cuisson en meunière avec beurre salé
Cuisson en meunière avec huile végétale
Cuisson en meunière avec margarine végétale non salée
Cuisson en meunière avec margarine végétale salée
Cuisson en meunière avec saindoux ou graisse d'oie ou de canard
Cuisson en meunière sans matière grasse : ★★★
Cuisson en sauté (idem poêlé).
Cuisson rôti à la broche : ★★★
Cuisson rôti au four avec beurre doux : ★★
Cuisson rôti au four avec beurre salé : ★★
Cuisson rôti au four avec huile végétale : ★★
Cuisson rôti au four avec margarine végétale non salée : ★★
Cuisson rôti au four avec margarine végétale salée : ★★
Cuisson rôti au four avec saindoux ou graisse d'oie ou de canard : ★★
Cuisson rôti au four sans matière grasse ajoutée : ★★★
Cuisson vapeur : ★★★
Grillé : ★★★
Pierrade : ★★★
Poêlé avec beurre doux
Poêlé avec beurre salé
Poêlé avec huile végétale

Poêlé avec margarine végétale non salée
Poêlé avec margarine végétale salée
Poêlé avec saindoux ou graisse d'oie ou de canard
Poêlé sans matière grasse : ★★★
Salé et fumé : ★
Séché : ★★★
Surgelé : ★★★
Remarque : pas de poivre ni aucune autre épice sauf le curcuma. Pas de jus de citron en fin de cuisson ni aucun autre acide.

Tanche : poisson d'eau douce à chair blanche.
Conservée par le sel : ★★
Conservée sous vide : ★★★
Consommation crue
Cuisson à la milanaise avec beurre doux
Cuisson à la milanaise avec beurre salé
Cuisson à la milanaise avec huile végétale
Cuisson à la milanaise avec margarine végétale non salée
Cuisson à la milanaise avec margarine végétale salée
Cuisson à la milanaise avec saindoux ou graisse d'oie ou de canard
Cuisson à la milanaise sans matière grasse : ★★★
Cuisson à l'étouffée avec beurre doux : ★★
Cuisson à l'étouffée avec beurre salé : ★★
Cuisson à l'étouffée avec huile végétale : ★★
Cuisson à l'étouffée avec margarine végétale non salée : ★★
Cuisson à l'étouffée avec margarine végétale salée : ★★
Cuisson à l'étouffée avec saindoux ou graisse d'oie ou de canard : ★★
Cuisson à l'étouffée sans matière grasse : ★★★
Cuisson au court bouillon : ★★★
Cuisson en braisé avec beurre doux : ★★
Cuisson en braisé avec beurre salé : ★★
Cuisson en braisé avec huile végétale : ★★
Cuisson en braisé avec margarine végétale non salée : ★★
Cuisson en braisé avec margarine végétale salée : ★★
Cuisson en braisé avec saindoux ou graisse d'oie ou de canard : ★★
Cuisson en braisé sans matière grasse : ★★★

Cuisson en friture
Cuisson en meunière avec beurre doux
Cuisson en meunière avec beurre salé
Cuisson en meunière avec huile végétale
Cuisson en meunière avec margarine végétale non salée
Cuisson en meunière avec margarine végétale salée
Cuisson en meunière avec saindoux ou graisse d'oie ou de canard
Cuisson en meunière sans matière grasse : ★★★
Cuisson en sauté (idem poêlée).
Cuisson rôtie à la broche : ★★★
Cuisson rôtie au four avec beurre doux : ★★
Cuisson rôtie au four avec beurre salé : ★★
Cuisson rôtie au four avec huile végétale : ★★
Cuisson rôtie au four avec margarine végétale non salée : ★★
Cuisson rôtie au four avec margarine végétale salée : ★★
Cuisson rôtie au four avec saindoux ou graisse d'oie ou de canard : ★★
Cuisson rôtie au four sans matière grasse ajoutée : ★★★
Cuisson vapeur : ★★★
Grillée : ★★★
Pierrade : ★★★
Poêlée avec beurre doux
Poêlée avec beurre salé
Poêlée avec huile végétale
Poêlée avec margarine végétale non salée
Poêlée avec margarine végétale salée
Poêlée avec saindoux ou graisse d'oie ou de canard
Poêlée sans matière grasse : ★★★
Salée et fumée : ★
Séchée : ★★★
Surgelée : ★★★

Remarque : pas de poivre ni aucune autre épice sauf le curcuma. Pas de jus de citron en fin de cuisson ni aucun autre acide.

Taro : plante tropicale cultivée pour son tubercule comestible. Légume vert.
Conserve en saumure (eau salée) : ★★★
Conservé sous vide : ★★★

Consommation cru
Cuisson à l'étouffée avec beurre doux : ★★
Cuisson à l'étouffée avec beurre salé : ★★
Cuisson à l'étouffée avec huile végétale : ★★
Cuisson à l'étouffée avec margarine végétale non salée : ★★
Cuisson à l'étouffée avec margarine végétale salée : ★★
Cuisson à l'étouffée avec saindoux ou graisse d'oie ou de canard : ★★
Cuisson à l'étouffée sans matière grasse : ★★★
Cuisson au court bouillon : ★★★
Cuisson en braisé avec beurre doux : ★★
Cuisson en braisé avec beurre salé : ★★
Cuisson en braisé avec huile végétale : ★★
Cuisson en braisé avec margarine végétale non salée : ★★
Cuisson en braisé avec margarine végétale salée : ★★
Cuisson en braisé avec saindoux ou graisse d'oie ou de canard : ★★
Cuisson en braisé sans matière grasse : ★★★
Cuisson en friture
Cuisson en papillote : ★★★
Cuisson en ragoût avec beurre doux
Cuisson en ragoût avec beurre salé
Cuisson en ragoût avec huile végétale
Cuisson en ragoût avec margarine végétale non salée
Cuisson en ragoût avec margarine végétale salée
Cuisson en ragoût avec saindoux ou graisse d'oie ou de canard
Cuisson en sauté (idem poêlé).
Cuisson vapeur : ★★★
Poêlé avec beurre doux
Poêlé avec beurre salé
Poêlé avec huile végétale
Poêlé avec margarine végétale non salée
Poêlé avec margarine végétale salée
Poêlé avec saindoux ou graisse d'oie ou de canard
Poêlé sans matière grasse : ★★★
Potage crème : ★★
Potage nature sans matière grasse ajoutée : ★★★
Potage velouté : ★★
Surgelé : ★★★

Remarque : pas de poivre ni aucune autre épice sauf le curcuma. Pas de jus de citron en fin de cuisson ni aucun autre acide.

Tende de tranche : voir « Bœuf (viande de) ».

Tendron de bœuf : voir « Bœuf (viande de) ».

Tendron de veau : voir « Veau (viande de) ».

Thon : poisson gras marin fraîchement pêché.
Conservé à l'huile : ★
Conservé au naturel : ★
Conservé par le sel : ★
Conservé sous vide : ★
Consommation cru
Cuisson à la milanaise avec beurre doux
Cuisson à la milanaise avec beurre salé
Cuisson à la milanaise avec huile végétale
Cuisson à la milanaise avec margarine végétale non salée
Cuisson à la milanaise avec margarine végétale salée
Cuisson à la milanaise avec saindoux ou graisse d'oie ou de canard
Cuisson à la milanaise sans matière grasse : ★
Cuisson à l'étouffée avec beurre doux : ★
Cuisson à l'étouffée avec beurre salé : ★
Cuisson à l'étouffée avec huile végétale : ★
Cuisson à l'étouffée avec margarine végétale non salée : ★
Cuisson à l'étouffée avec margarine végétale salée : ★
Cuisson à l'étouffée avec saindoux ou graisse d'oie ou de canard : ★
Cuisson à l'étouffée sans matière grasse : ★
Cuisson au court bouillon : ★
Cuisson en braisé avec beurre doux : ★
Cuisson en braisé avec beurre salé : ★
Cuisson en braisé avec huile végétale : ★
Cuisson en braisé avec margarine végétale non salée : ★
Cuisson en braisé avec margarine végétale salée : ★
Cuisson en braisé avec saindoux ou graisse d'oie ou de canard : ★

Cuisson en braisé sans matière grasse : ★
Cuisson en friture
Cuisson en meunière avec beurre doux
Cuisson en meunière avec beurre salé
Cuisson en meunière avec huile végétale
Cuisson en meunière avec margarine végétale non salée
Cuisson en meunière avec margarine végétale salée
Cuisson en meunière avec saindoux ou graisse d'oie ou de canard
Cuisson en meunière sans matière grasse : ★
Cuisson en sauté (idem poêlé).
Cuisson rôti à la broche : ★
Cuisson rôti au four avec beurre doux : ★
Cuisson rôti au four avec beurre salé : ★
Cuisson rôti au four avec huile végétale : ★
Cuisson rôti au four avec margarine végétale non salée : ★
Cuisson rôti au four avec margarine végétale salée : ★
Cuisson rôti au four avec saindoux ou graisse d'oie ou de canard : ★
Cuisson rôti au four sans matière grasse ajoutée : ★
Cuisson vapeur : ★
Grillé : ★
Pierrade : ★
Poêlé avec beurre doux
Poêlé avec beurre salé
Poêlé avec huile végétale
Poêlé avec margarine végétale non salée
Poêlé avec margarine végétale salée
Poêlé avec saindoux ou graisse d'oie ou de canard
Poêlé sans matière grasse : ★
Salé et fumé
Séché : ★
Surgelé : ★
Remarque : pas de poivre ni aucune autre épice sauf le curcuma. Pas de jus de citron en fin de cuisson ni aucun autre acide.

Thonine : poisson gras marin.
Conservée par le sel : ★
Conservée sous vide : ★

Thonine

Consommation crue
Cuisson à la milanaise avec beurre doux
Cuisson à la milanaise avec beurre salé
Cuisson à la milanaise avec huile végétale
Cuisson à la milanaise avec margarine végétale non salée
Cuisson à la milanaise avec margarine végétale salée
Cuisson à la milanaise avec saindoux ou graisse d'oie ou de canard
Cuisson à la milanaise sans matière grasse : ★
Cuisson à l'étouffée avec beurre doux : ★
Cuisson à l'étouffée avec beurre salé : ★
Cuisson à l'étouffée avec huile végétale : ★
Cuisson à l'étouffée avec margarine végétale non salée : ★
Cuisson à l'étouffée avec margarine végétale salée : ★
Cuisson à l'étouffée avec saindoux ou graisse d'oie ou de canard : ★
Cuisson à l'étouffée sans matière grasse : ★
Cuisson au court bouillon : ★
Cuisson en braisé avec beurre doux : ★
Cuisson en braisé avec beurre salé : ★
Cuisson en braisé avec huile végétale : ★
Cuisson en braisé avec margarine végétale non salée : ★
Cuisson en braisé avec margarine végétale salée : ★
Cuisson en braisé avec saindoux ou graisse d'oie ou de canard : ★
Cuisson en braisé sans matière grasse : ★
Cuisson en friture
Cuisson en meunière avec beurre doux
Cuisson en meunière avec beurre salé
Cuisson en meunière avec huile végétale
Cuisson en meunière avec margarine végétale non salée
Cuisson en meunière avec margarine végétale salée
Cuisson en meunière avec saindoux ou graisse d'oie ou de canard
Cuisson en meunière sans matière grasse : ★
Cuisson en ragoût avec beurre doux
Cuisson en ragoût avec beurre salé
Cuisson en ragoût avec huile végétale
Cuisson en ragoût avec margarine végétale non salée
Cuisson en ragoût avec margarine végétale salée

Cuisson en ragoût avec saindoux ou graisse d'oie ou de canard
Cuisson en sauté (idem poêlée).
Cuisson rôtie à la broche : ★
Cuisson rôtie au four avec beurre doux : ★
Cuisson rôtie au four avec beurre salé : ★
Cuisson rôtie au four avec huile végétale : ★
Cuisson rôtie au four avec margarine végétale non salée : ★
Cuisson rôtie au four avec margarine végétale salée : ★
Cuisson rôtie au four avec saindoux ou graisse d'oie ou de canard : ★
Cuisson rôtie au four sans matière grasse ajoutée : ★
Cuisson vapeur : ★
Grillée : ★
Pierrade : ★
Poêlée avec beurre doux
Poêlée avec beurre salé
Poêlée avec huile végétale
Poêlée avec margarine végétale non salée
Poêlée avec margarine végétale salée
Poêlée avec saindoux ou graisse d'oie ou de canard
Poêlée sans matière grasse : ★
Salée et fumée
Séchée : ★
Surgelée : ★
Remarque : pas de poivre ni aucune autre épice sauf le curcuma. Pas de jus de citron en fin de cuisson ni aucun autre acide.

Thym : plante utilisée comme aromate.
Conservé sous vide : ★★★
Consommation cru : ★★★
Consommation cuit : ★★★
Déshydraté : ★★★
Fraîchement récolté : ★★★
Surgelé : ★★★

Thymus de l'agneau : voir « Agneau (viande de) ».

Thymus de veau : voir « Veau (viande de) ».

Tomate

Tomate : plante potagère qui produit ce fruit, considéré comme un légume vert : la tomate. Légume vert.

Confite
Conserve en saumure (eau salée) : ★
Conservée sous vide : ★
Consommation crue : ★
Cuisson à l'étouffée avec beurre doux : ★
Cuisson à l'étouffée avec beurre salé : ★
Cuisson à l'étouffée avec huile végétale : ★
Cuisson à l'étouffée avec margarine végétale non salée : ★
Cuisson à l'étouffée avec margarine végétale salée : ★
Cuisson à l'étouffée avec saindoux ou graisse d'oie ou de canard : ★
Cuisson à l'étouffée sans matière grasse : ★
Cuisson au court bouillon : ★
Cuisson en braisé avec beurre doux : ★
Cuisson en braisé avec beurre salé : ★
Cuisson en braisé avec huile végétale : ★
Cuisson en braisé avec margarine végétale non salée : ★
Cuisson en braisé avec margarine végétale salée : ★
Cuisson en braisé avec saindoux ou graisse d'oie ou de canard : ★
Cuisson en braisé sans matière grasse : ★
Cuisson en friture
Cuisson en papillote : ★
Cuisson en ragoût avec beurre doux
Cuisson en ragoût avec beurre salé
Cuisson en ragoût avec huile végétale
Cuisson en ragoût avec margarine végétale non salée
Cuisson en ragoût avec margarine végétale salée
Cuisson en ragoût avec saindoux ou graisse d'oie ou de canard
Cuisson en sauté (idem poêlée).
Cuisson vapeur : ★
En confiture : ★★
En confiture allégée en sucre : ★★
En confiture sans sucre : ★★★
Pierrade : ★
Poêlée avec beurre doux
Poêlée avec beurre salé
Poêlée avec huile végétale

Poêlée avec margarine végétale non salée
Poêlée avec margarine végétale salée
Poêlée avec saindoux ou graisse d'oie ou de canard
Poêlée sans matière grasse : ★
Potage crème
Potage nature sans matière grasse ajoutée : ★
Potage velouté
Séchée : ★
Surgelée : ★
Remarque : pas de poivre ni aucune autre épice sauf le curcuma. Pas de jus de citron en fin de cuisson ni aucun autre acide.

Tombe : poisson marin à chair blanche.
Conservée par le sel : ★★
Conservée sous vide : ★★★
Consommation crue
Cuisson à la milanaise avec beurre doux
Cuisson à la milanaise avec beurre salé
Cuisson à la milanaise avec huile végétale
Cuisson à la milanaise avec margarine végétale non salée
Cuisson à la milanaise avec margarine végétale salée
Cuisson à la milanaise avec saindoux ou graisse d'oie ou de canard
Cuisson à la milanaise sans matière grasse : ★★★
Cuisson à l'étouffée avec beurre doux : ★★
Cuisson à l'étouffée avec beurre salé : ★★
Cuisson à l'étouffée avec huile végétale : ★★
Cuisson à l'étouffée avec margarine végétale non salée : ★★
Cuisson à l'étouffée avec margarine végétale salée : ★★
Cuisson à l'étouffée avec saindoux ou graisse d'oie ou de canard : ★★
Cuisson à l'étouffée sans matière grasse : ★★★
Cuisson au court bouillon : ★★★
Cuisson en braisé avec beurre doux : ★★
Cuisson en braisé avec beurre salé : ★★
Cuisson en braisé avec huile végétale : ★★
Cuisson en braisé avec margarine végétale non salée : ★★
Cuisson en braisé avec margarine végétale salée : ★★

Tombe

Cuisson en braisé avec saindoux ou graisse d'oie ou de canard : ★★

Cuisson en braisé sans matière grasse : ★★★

Cuisson en friture

Cuisson en meunière avec beurre doux

Cuisson en meunière avec beurre salé

Cuisson en meunière avec huile végétale

Cuisson en meunière avec margarine végétale non salée

Cuisson en meunière avec margarine végétale salée

Cuisson en meunière avec saindoux ou graisse d'oie ou de canard

Cuisson en meunière sans matière grasse : ★★★

Cuisson en sauté (idem poêlée).

Cuisson rôtie à la broche : ★★★

Cuisson rôtie au four avec beurre doux : ★★

Cuisson rôtie au four avec beurre salé : ★★

Cuisson rôtie au four avec huile végétale : ★★

Cuisson rôtie au four avec margarine végétale non salée : ★★

Cuisson rôtie au four avec margarine végétale salée : ★★

Cuisson rôtie au four avec saindoux ou graisse d'oie ou de canard : ★★

Cuisson rôtie au four sans matière grasse ajoutée : ★★★

Cuisson vapeur : ★★★

Grillée : ★★★

Pierrade : ★★★

Poêlée avec beurre doux

Poêlée avec beurre salé

Poêlée avec huile végétale

Poêlée avec margarine végétale non salée

Poêlée avec margarine végétale salée

Poêlée avec saindoux ou graisse d'oie ou de canard

Poêlée sans matière grasse : ★★★

Salée et fumée : ★

Séchée : ★★★

Surgelée : ★★★

Remarque : pas de poivre ni aucune autre épice sauf le curcuma. Pas de jus de citron en fin de cuisson ni aucun autre acide.

Topinambour : plante potagère dont on consomme les tubercules. Légume vert.

Conserve en saumure (eau salée) : ★★★
Conservé sous vide : ★★★
Consommation cru
Cuisson à l'étouffée avec beurre doux : ★★
Cuisson à l'étouffée avec beurre salé : ★★
Cuisson à l'étouffée avec huile végétale : ★★
Cuisson à l'étouffée avec margarine végétale non salée : ★★
Cuisson à l'étouffée avec margarine végétale salée : ★★
Cuisson à l'étouffée avec saindoux ou graisse d'oie ou de canard : ★★
Cuisson à l'étouffée sans matière grasse : ★★★
Cuisson au court bouillon : ★★★
Cuisson en braisé avec beurre doux : ★★
Cuisson en braisé avec beurre salé : ★★
Cuisson en braisé avec huile végétale : ★★
Cuisson en braisé avec margarine végétale non salée : ★★
Cuisson en braisé avec margarine végétale salée : ★★
Cuisson en braisé avec saindoux ou graisse d'oie ou de canard : ★★
Cuisson en braisé sans matière grasse : ★★★
Cuisson en friture
Cuisson en papillote : ★★★
Cuisson en ragoût avec beurre doux
Cuisson en ragoût avec beurre salé
Cuisson en ragoût avec huile végétale
Cuisson en ragoût avec margarine végétale non salée
Cuisson en ragoût avec margarine végétale salée
Cuisson en ragoût avec saindoux ou graisse d'oie ou de canard
Cuisson en sauté (idem poêlé).
Cuisson vapeur : ★★★
Poêlé avec beurre doux
Poêlé avec beurre salé
Poêlé avec huile végétale
Poêlé avec margarine végétale non salée
Poêlé avec margarine végétale salée
Poêlé avec saindoux ou graisse d'oie ou de canard
Poêlé sans matière grasse : ★★★
Potage crème : ★★

Potage nature sans matière grasse ajoutée : ★★★
Potage velouté : ★★
Surgelé : ★★★
Remarque : pas de poivre ni aucune autre épice sauf le curcuma. Pas de jus de citron en fin de cuisson ni aucun autre acide.

Tournedos de bœuf : voir « Bœuf (viande de) ».

Tournedos de dinde : voir « Dinde (viande de) ».

Tranche de filet : voir « Porc (viande de) ».

Tranche grasse : voir « Bœuf (viande de) ».

Travers de porc : voir « Porc (viande de) ».

Tricholome de la Saint-Georges : voir « Champignon ».

Trigle : voir « Grondin ».

Trompette-des-morts : voir « Champignon ».

Truite : poisson gras d'eau douce.
Conservée par le sel : ★
Conservée sous vide : ★
Consommation crue
Cuisson à la milanaise avec beurre doux
Cuisson à la milanaise avec beurre salé
Cuisson à la milanaise avec huile végétale
Cuisson à la milanaise avec margarine végétale non salée
Cuisson à la milanaise avec margarine végétale salée
Cuisson à la milanaise avec saindoux ou graisse d'oie ou de canard
Cuisson à la milanaise sans matière grasse : ★
Cuisson à l'étouffée avec beurre doux : ★
Cuisson à l'étouffée avec beurre salé : ★
Cuisson à l'étouffée avec huile végétale : ★
Cuisson à l'étouffée avec margarine végétale non salée : ★
Cuisson à l'étouffée avec margarine végétale salée : ★

Cuisson à l'étouffée avec saindoux ou graisse d'oie ou de canard : ★

Cuisson à l'étouffée sans matière grasse : ★

Cuisson au court bouillon : ★

Cuisson en braisé avec beurre doux : ★

Cuisson en braisé avec beurre salé : ★

Cuisson en braisé avec huile végétale : ★

Cuisson en braisé avec margarine végétale non salée : ★

Cuisson en braisé avec margarine végétale salée : ★

Cuisson en braisé avec saindoux ou graisse d'oie ou de canard : ★

Cuisson en braisé sans matière grasse : ★

Cuisson en friture

Cuisson en meunière avec beurre doux

Cuisson en meunière avec beurre salé

Cuisson en meunière avec huile végétale

Cuisson en meunière avec margarine végétale non salée

Cuisson en meunière avec margarine végétale salée

Cuisson en meunière avec saindoux ou graisse d'oie ou de canard

Cuisson en meunière sans matière grasse : ★

Cuisson en sauté (idem poêlée).

Cuisson rôtie à la broche : ★

Cuisson rôtie au four avec beurre doux : ★

Cuisson rôtie au four avec beurre salé : ★

Cuisson rôtie au four avec huile végétale : ★

Cuisson rôtie au four avec margarine végétale non salée : ★

Cuisson rôtie au four avec margarine végétale salée : ★

Cuisson rôtie au four avec saindoux ou graisse d'oie ou de canard : ★

Cuisson rôtie au four sans matière grasse ajoutée : ★

Cuisson vapeur : ★

Grillée : ★

Pierrade : ★

Poêlée avec beurre doux

Poêlée avec beurre salé

Poêlée avec huile végétale

Poêlée avec margarine végétale non salée

Poêlée avec margarine végétale salée

Poêlée avec saindoux ou graisse d'oie ou de canard

Poêlée sans matière grasse : ★
Salée et fumée
Séchée : ★
Surgelée : ★
Remarque : pas de poivre ni aucune autre épice sauf le curcuma. Pas de jus de citron en fin de cuisson ni aucun autre acide.

Truite de mer : voir « Truite ».

Turbot : poisson marin plat à chair blanche.
Conservé par le sel : ★★
Conservé sous vide : ★★★
Consommation cru
Cuisson à la milanaise avec beurre doux
Cuisson à la milanaise avec beurre salé
Cuisson à la milanaise avec huile végétale
Cuisson à la milanaise avec margarine végétale non salée
Cuisson à la milanaise avec margarine végétale salée
Cuisson à la milanaise avec saindoux ou graisse d'oie ou de canard
Cuisson à la milanaise sans matière grasse : ★★★
Cuisson à l'étouffée avec beurre doux : ★★
Cuisson à l'étouffée avec beurre salé : ★★
Cuisson à l'étouffée avec huile végétale : ★★
Cuisson à l'étouffée avec margarine végétale non salée : ★★
Cuisson à l'étouffée avec margarine végétale salée : ★★
Cuisson à l'étouffée avec saindoux ou graisse d'oie ou de canard : ★★
Cuisson à l'étouffée sans matière grasse : ★★★
Cuisson au court bouillon : ★★★
Cuisson en braisé avec beurre doux : ★★
Cuisson en braisé avec beurre salé : ★★
Cuisson en braisé avec huile végétale : ★★
Cuisson en braisé avec margarine végétale non salée : ★★
Cuisson en braisé avec margarine végétale salée : ★★
Cuisson en braisé avec saindoux ou graisse d'oie ou de canard : ★★
Cuisson en braisé sans matière grasse : ★★★
Cuisson en friture

Cuisson en meunière avec beurre doux
Cuisson en meunière avec beurre salé
Cuisson en meunière avec huile végétale
Cuisson en meunière avec margarine végétale non salée
Cuisson en meunière avec margarine végétale salée
Cuisson en meunière avec saindoux ou graisse d'oie ou de canard
Cuisson en meunière sans matière grasse : ★★★
Cuisson en sauté (idem poêlé).
Cuisson rôti au four avec beurre doux : ★★
Cuisson rôti au four avec beurre salé : ★★
Cuisson rôti au four avec huile végétale : ★★
Cuisson rôti au four avec margarine végétale non salée : ★★
Cuisson rôti au four avec margarine végétale salée : ★★
Cuisson rôti au four avec saindoux ou graisse d'oie ou de canard : ★★
Cuisson rôti au four sans matière grasse ajoutée : ★★★
Cuisson vapeur : ★★★
Grillé : ★★★
Pierrade : ★★★
Poêlé avec beurre doux
Poêlé avec beurre salé
Poêlé avec huile végétale
Poêlé avec margarine végétale non salée
Poêlé avec margarine végétale salée
Poêlé avec saindoux ou graisse d'oie ou de canard
Poêlé sans matière grasse : ★★★
Salé et fumé : ★
Séché : ★★★
Surgelé : ★★★

Remarque : pas de poivre ni aucune autre épice sauf le curcuma. Pas de jus de citron en fin de cuisson ni aucun autre acide.

$\mathcal{V}$

Vairon : petit poisson d'eau douce à chair blanche.
Conservé par le sel : ★★
Conservé sous vide : ★★★
Consommation cru
Cuisson à la milanaise avec beurre doux
Cuisson à la milanaise avec beurre salé
Cuisson à la milanaise avec huile végétale
Cuisson à la milanaise avec margarine végétale non salée
Cuisson à la milanaise avec margarine végétale salée
Cuisson à la milanaise avec saindoux ou graisse d'oie ou de canard
Cuisson à la milanaise sans matière grasse : ★★★
Cuisson en beignet
Cuisson en friture
Cuisson en meunière avec beurre doux
Cuisson en meunière avec beurre salé
Cuisson en meunière avec huile végétale
Cuisson en meunière avec margarine végétale non salée
Cuisson en meunière avec margarine végétale salée
Cuisson en meunière avec saindoux ou graisse d'oie ou de canard
Cuisson en meunière sans matière grasse : ★★★
Cuisson en sauté (idem poêlé).
Pierrade : ★★★
Poêlé avec beurre doux
Poêlé avec beurre salé
Poêlé avec huile végétale
Poêlé avec margarine végétale non salée
Poêlé avec margarine végétale salée
Poêlé avec saindoux ou graisse d'oie ou de canard
Poêlé sans matière grasse : ★★★
Salé et fumé : ★
Séché : ★★★
Surgelé : ★★★

Remarque : pas de poivre ni aucune autre épice sauf le curcuma. Pas de jus de citron en fin de cuisson ni aucun autre acide.

Vandoise : poisson d'eau douce à chair blanche.
Conservée par le sel : ★★
Conservée sous vide : ★★★
Consommation crue
Cuisson à la milanaise avec beurre doux
Cuisson à la milanaise avec beurre salé
Cuisson à la milanaise avec huile végétale
Cuisson à la milanaise avec margarine végétale non salée
Cuisson à la milanaise avec margarine végétale salée
Cuisson à la milanaise avec saindoux ou graisse d'oie ou de canard
Cuisson à la milanaise sans matière grasse : ★★★
Cuisson en beignet
Cuisson en friture
Cuisson en meunière avec beurre doux
Cuisson en meunière avec beurre salé
Cuisson en meunière avec huile végétale
Cuisson en meunière avec margarine végétale non salée
Cuisson en meunière avec margarine végétale salée
Cuisson en meunière avec saindoux ou graisse d'oie ou de canard
Cuisson en meunière sans matière grasse : ★★★
Cuisson en sauté (idem poêlée).
Grillée : ★★★
Pierrade : ★★★
Poêlée avec beurre doux
Poêlée avec beurre salé
Poêlée avec huile végétale
Poêlée avec margarine végétale non salée
Poêlée avec margarine végétale salée
Poêlée avec saindoux ou graisse d'oie ou de canard
Poêlée sans matière grasse : ★★★
Salée et fumée : ★
Séchée : ★★★
Surgelée : ★★★

Veau (viande de)

Remarque : pas de poivre ni aucune autre épice sauf le curcuma. Pas de jus de citron en fin de cuisson ni aucun autre acide.

Veau (viande de...) : représente les viandes non préparées ni transformées, nature, prêtes à être cuisinées provenant du veau.

Conservée par le sel : ★★
Conservée sous vide : ★★★
Consommation crue
Cuisson à la milanaise avec beurre doux
Cuisson à la milanaise avec beurre salé
Cuisson à la milanaise avec huile végétale
Cuisson à la milanaise avec margarine végétale non salée
Cuisson à la milanaise avec margarine végétale salée
Cuisson à la milanaise avec saindoux ou graisse d'oie ou de canard
Cuisson à la milanaise sans matière grasse : ★★★
Cuisson à l'étouffée avec beurre doux : ★★
Cuisson à l'étouffée avec beurre salé : ★★
Cuisson à l'étouffée avec huile végétale : ★★
Cuisson à l'étouffée avec margarine végétale non salée : ★★
Cuisson à l'étouffée avec margarine végétale salée : ★★
Cuisson à l'étouffée avec saindoux ou graisse d'oie ou de canard : ★★
Cuisson à l'étouffée sans matière grasse : ★★★
Cuisson au court bouillon : ★★★
Cuisson en braisé avec beurre doux : ★★
Cuisson en braisé avec beurre salé : ★★
Cuisson en braisé avec huile végétale : ★★
Cuisson en braisé avec margarine végétale non salée : ★★
Cuisson en braisé avec margarine végétale salée : ★★
Cuisson en braisé avec saindoux ou graisse d'oie ou de canard : ★★
Cuisson en braisé sans matière grasse : ★★★
Cuisson en friture
Cuisson en meunière avec beurre doux
Cuisson en meunière avec beurre salé
Cuisson en meunière avec huile végétale
Cuisson en meunière avec margarine végétale non salée
Cuisson en meunière avec margarine végétale salée

Cuisson en meunière avec saindoux ou graisse d'oie ou de canard
Cuisson en meunière sans matière grasse : ★★★
Cuisson en ragoût avec beurre doux
Cuisson en ragoût avec beurre salé
Cuisson en ragoût avec huile végétale
Cuisson en ragoût avec margarine végétale non salée
Cuisson en ragoût avec margarine végétale salée
Cuisson en ragoût avec saindoux ou graisse d'oie ou de canard
Cuisson en sauté (idem poêlée).
Cuisson rôtie à la broche : ★★★
Cuisson rôtie au four avec beurre doux : ★★
Cuisson rôtie au four avec beurre salé : ★★
Cuisson rôtie au four avec huile végétale : ★★
Cuisson rôtie au four avec margarine végétale non salée : ★★
Cuisson rôtie au four avec margarine végétale salée : ★★
Cuisson rôtie au four avec saindoux ou graisse d'oie ou de canard : ★★
Cuisson rôtie au four sans matière grasse ajoutée : ★★★
Cuisson vapeur : ★★★
Grillée : ★★★
Pierrade : ★★★
Poêlée avec beurre doux
Poêlée avec beurre salé
Poêlée avec huile végétale
Poêlée avec margarine végétale non salée
Poêlée avec margarine végétale salée
Poêlée avec saindoux ou graisse d'oie ou de canard
Poêlée sans matière grasse : ★★★
Salée et fumée : ★
Séchée : ★★★
Surgelée : ★★★

Remarque : pas de poivre ni aucune autre épice sauf le curcuma. Pas de jus de citron en fin de cuisson ni aucun autre acide.

Vengeron : voir « Gardon ».

Ventrèche : voir « Porc (viande de) ».

Vesse-de-loup : voir « Champignon ».

Vieille : poisson marin à chair blanche.
Conservée par le sel : ★★
Conservée sous vide : ★★★
Consommation crue
Cuisson à la milanaise avec beurre doux
Cuisson à la milanaise avec beurre salé
Cuisson à la milanaise avec huile végétale
Cuisson à la milanaise avec margarine végétale non salée
Cuisson à la milanaise avec margarine végétale salée
Cuisson à la milanaise avec saindoux ou graisse d'oie ou de canard
Cuisson à la milanaise sans matière grasse : ★★★
Cuisson à l'étouffée avec beurre doux : ★★
Cuisson à l'étouffée avec beurre salé : ★★
Cuisson à l'étouffée avec huile végétale : ★★
Cuisson à l'étouffée avec margarine végétale non salée : ★★
Cuisson à l'étouffée avec margarine végétale salée : ★★
Cuisson à l'étouffée avec saindoux ou graisse d'oie ou de canard : ★★
Cuisson à l'étouffée sans matière grasse : ★★★
Cuisson au court bouillon : ★★★
Cuisson en braisé avec beurre doux : ★★
Cuisson en braisé avec beurre salé : ★★
Cuisson en braisé avec huile végétale : ★★
Cuisson en braisé avec margarine végétale non salée : ★★
Cuisson en braisé avec margarine végétale salée : ★★
Cuisson en braisé avec saindoux ou graisse d'oie ou de canard : ★★
Cuisson en braisé sans matière grasse : ★★★
Cuisson en friture
Cuisson en meunière avec beurre doux
Cuisson en meunière avec beurre salé
Cuisson en meunière avec huile végétale
Cuisson en meunière avec margarine végétale non salée
Cuisson en meunière avec margarine végétale salée
Cuisson en meunière avec saindoux ou graisse d'oie ou de canard
Cuisson en meunière sans matière grasse : ★★★

Cuisson en sauté (idem poêlée).
Cuisson rôtie à la broche : ★★★
Cuisson rôtie au four avec beurre doux : ★★
Cuisson rôtie au four avec beurre salé : ★★
Cuisson rôtie au four avec huile végétale : ★★
Cuisson rôtie au four avec margarine végétale non salée : ★★
Cuisson rôtie au four avec margarine végétale salée : ★★
Cuisson rôtie au four avec saindoux ou graisse d'oie ou de canard : ★★
Cuisson rôtie au four sans matière grasse ajoutée : ★★★
Cuisson vapeur : ★★★
Grillée : ★★★
Pierrade : ★★★
Poêlée avec beurre doux
Poêlée avec beurre salé
Poêlée avec huile végétale
Poêlée avec margarine végétale non salée
Poêlée avec margarine végétale salée
Poêlée avec saindoux ou graisse d'oie ou de canard
Poêlée sans matière grasse : ★★★
Salée et fumée : ★
Séchée : ★★★
Surgelée : ★★★
Remarque : pas de poivre ni aucune autre épice sauf le curcuma. Pas de jus de citron en fin de cuisson ni aucun autre acide.

Vive : poisson marin à chair blanche.
Conservée par le sel : ★★
Conservée sous vide : ★★★
Consommation crue
Cuisson à la milanaise avec beurre doux
Cuisson à la milanaise avec beurre salé
Cuisson à la milanaise avec huile végétale
Cuisson à la milanaise avec margarine végétale non salée
Cuisson à la milanaise avec margarine végétale salée
Cuisson à la milanaise avec saindoux ou graisse d'oie ou de canard
Cuisson à la milanaise sans matière grasse : ★★★
Cuisson à l'étouffée avec beurre doux : ★★

Cuisson à l'étouffée avec beurre salé : ★★
Cuisson à l'étouffée avec huile végétale : ★★
Cuisson à l'étouffée avec margarine végétale non salée : ★★
Cuisson à l'étouffée avec margarine végétale salée : ★★
Cuisson à l'étouffée avec saindoux ou graisse d'oie ou de canard : ★★
Cuisson à l'étouffée sans matière grasse : ★★★
Cuisson au court bouillon : ★★★
Cuisson en braisé avec beurre doux : ★★
Cuisson en braisé avec beurre salé : ★★
Cuisson en braisé avec huile végétale : ★★
Cuisson en braisé avec margarine végétale non salée : ★★
Cuisson en braisé avec margarine végétale salée : ★★
Cuisson en braisé avec saindoux ou graisse d'oie ou de canard : ★★
Cuisson en braisé sans matière grasse : ★★★
Cuisson en friture
Cuisson en meunière avec beurre doux
Cuisson en meunière avec beurre salé
Cuisson en meunière avec huile végétale
Cuisson en meunière avec margarine végétale non salée
Cuisson en meunière avec margarine végétale salée
Cuisson en meunière avec saindoux ou graisse d'oie ou de canard
Cuisson en meunière sans matière grasse : ★★★
Cuisson en sauté (idem poêlée).
Cuisson rôtie au four avec beurre doux : ★★
Cuisson rôtie au four avec beurre salé : ★★
Cuisson rôtie au four avec huile végétale : ★★
Cuisson rôtie au four avec margarine végétale non salée : ★★
Cuisson rôtie au four avec margarine végétale salée : ★★
Cuisson rôtie au four avec saindoux ou graisse d'oie ou de canard : ★★
Cuisson rôtie au four sans matière grasse ajoutée : ★★★
Cuisson vapeur : ★★★
Grillée : ★★★
Pierrade : ★★★
Poêlée avec beurre doux
Poêlée avec beurre salé
Poêlée avec huile végétale

Poêlée avec margarine végétale non salée
Poêlée avec margarine végétale salée
Poêlée avec saindoux ou graisse d'oie ou de canard
Poêlée sans matière grasse : ★★★
Salée et fumée : ★
Séchée : ★★★
Surgelée : ★★★
Remarque : pas de poivre ni aucune autre épice sauf le curcuma. Pas de jus de citron en fin de cuisson ni aucun autre acide.

Volvaire : voir « Champignon ».